戴國煇全集 

人物與歷史卷

◎殖民地人物誌
◎未結集：我的人生導師

目次

contents

殖民地人物誌

未結集：我的人生導師

輯一　中日近現代人物

輯二　我的人生導師

戴國煇全集 15

人物與歷史卷

殖民地人物誌

翻　　譯：林彩美・陳鵬仁
日文審校：林彩美
校　　訂：陳梅卿

輯一

近代思想家

連帶與多管閒事

——從一幅字畫談起*1

◎ **林彩美譯**

那是1971年早春時候的事。在偶然信步走進的上野書畫店中，發現一幅舊掛軸。

我不但被書法所記述係獄中所作之半首詩所感動，那圓熟的字蹟也引人注目。比書法字與詩更令我驚訝的是，書寫者兼此詩作者胡瑛與受贈者中野先生的搭配。中野先生即是正剛其人。

胡本名宗琬，字經武，出生於浙江紹興。16歲（1904年）時在胡元倓（子靖）創立，黃興、蘇曼殊（玄瑛）等時任教師的明德學堂姊妹校經世學堂讀書，胡受了黃等所鼓吹的革命思想所影響而參與革命運動。

16歲即已被推選為湖北省第一個革命團體「科學補習所」的總幹事。同年自動加入軍隊中活動。1904年10月，擇於西太后的壽期、由宋教仁等所計畫的起義中，被挑選擔任武器的運輸任務，但此計畫被偵知而失敗。此事剛過後，聞知滿洲人有權有勢者鐵良的南下，胡與王漢追蹤鐵良於河南省彰德，由王狙擊，結

*1 本文傳主為胡瑛與中野正剛。胡瑛（1884～1933），清末民初人，政治家；中野正剛（1886～1943），日本的新聞工作者、政治家。

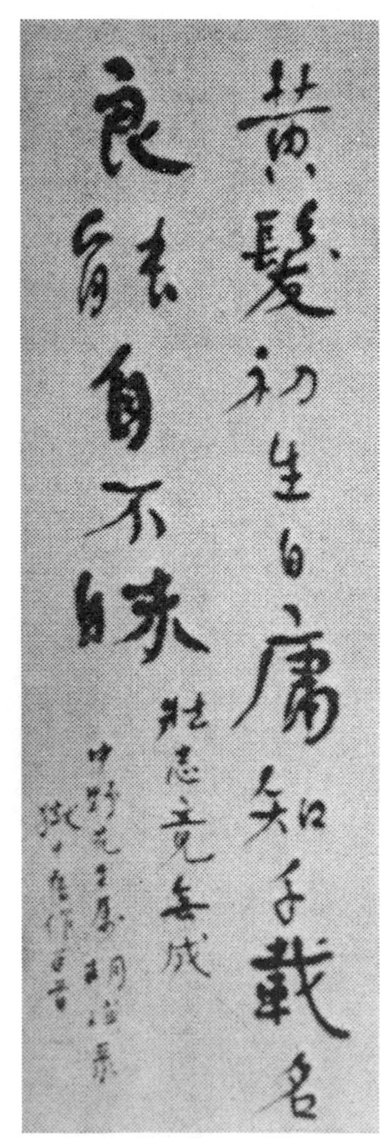

胡瑛贈中野正剛掛軸。翻攝自《週刊東洋經濟》

果事敗，王投井而死，胡逃脫去日本。

到達日本的胡，立刻投入澎湃洶湧的《清國留學生取締規則》（1905年11月公布）反對鬥爭漩渦中。能說善辯的胡，訪問各學校，陳述一起歸國運動的主張，立刻被推為反對運動組織的會長。（吳玉章《辛亥革命》，人民出版社，1961年版，頁76）

胡也是上述《規則》公布不久前，在東京創立的中國革命同盟會（祕密組織，創立於1905年8月20日）的評議員。

《清國留學生取締規則》反對運動告一段落之後，受孫文之命歸國參與策劃萍醴起義（1906年），事敗而被逮捕。翌年5月被處無期徒刑，書（掛軸）中的獄中詩：

黃髮初生白，庸知千載名。
良能自不昧，壯志竟無成。
（剩餘之半首存否不明）

和提示給同志並獄友張難先的絕命詞：

崑崙紫氣鬱青蒼，種禍無端競白黃。

仗劍十年悲祖國，橫刀一笑即仙鄉。

河山寂寂人何在，歲月悠悠恨更長。

我自乘風歸去也，眾生前途苦茫茫。

（〈胡瑛傳〉，張難先《湖北革命知之錄》，商務印書館，1946年5月，上海版，頁63）

一首作於武昌監獄。

正剛本名甚太郎。依據猪俣敬太郎之大著《中野正剛之生涯》〔《中野正剛の生涯》〕（黎明書房，1964年版），係1886年生於福岡，1905年就讀早稻田大學預科，1906年升學於該校政治專攻科。同學有福建留學生林長民（1874～1925年，早大畢業後，參加立憲運動，之後擔任段祺瑞內閣的司法總長，1925年參與策劃郭松齡反張作霖的軍事行動而戰歿）和滿洲人丁鑑修（「滿洲國」交通部大臣）。1908年與丁一起旅行「滿洲」，1909年提出「支那論」為畢業論文畢業。

就讀於早大時，訪問在牛込的「民報社」（中國革命同盟會的機關報《民報》的發行所），與亡命客孫文、黃興、宋教仁等相會之外，也與留學生往來並充當家庭教師之任。此間移居於「支那人宿（舍）」自許為支那豪傑，努力學習中文。和其（同鄉）前輩頭山滿有所交往也在此時期。

我們所注目的是，胡瑛因暗殺鐵良而亡命來日本的時候，中野是早稻田大學的預科生，寫下了意氣軒昂的抱負「吾人須指導彼等（指中國留學生），令之警醒，以之開拓清朝有責任者也」（〈自早稻田之鄉〉）〔〈早稲田の里より〉〕。

胡可推定生於1888年，小中野二歲。胡在為辛亥革命點火而奔走時，中野正在與亡命客和留學生接觸，以及和頭山滿接近並加深與中國大陸的因緣。

在60年前〔1911年〕，同是辛亥年10月10日，在武昌燃起的革命烽火，燒掉了清朝，並延及於全中國。這就是有名的辛亥革命。

對此燎原之火和想像會出現的三民主義——共和政治感到恐懼的，當時日本新聞界的泰斗德富蘇峰，在他所經營的《國民新聞》，以「對岸之火」為題，發表他的共和政治鼠疫論，即：

> 支那突然改變其三皇五帝以來所維持的帝王政治，成爲純然的共和政體，關於此，不僅只是一衣帶水，在朝鮮的國界與之土壤相接的我國來説，絕不能以騎高樓看好戲而滿足。……但願坦白地説，在清朝的共和政體的新設，到底與我帝國的國是之皇室中心主義是否無衝突之處，……鼠疫爲有形之病，共和政治爲無形之病，然而危害國體之禍，本非同日之語。然而彼謂應盡死力防禦，此言不得已該放任。實非辯輕重大小之論耶。

如此強調。

中野在將出發中國（後述）之前的12月18日，五次以「戒蠻馬」之筆名在東京《朝日新聞》登載〈對岸之火災〉〔〈対岸の火災〉〕，在文章一開頭直陳：

> 以言論界的重鎮，享譽成名的德富豬一郎，在其經營的報紙上登載〈對岸之火〉一文以議論鄰邦之革命，謂以東洋人種創設前所未有的共和政體，將誘惑日本帝國之民心，危害我國體之基礎也。
>
> 立論之本旨本出於爲一部分人士，敢說不值有識者之一餐，開始我想置之不理。然其舞文之妙，曲筆之巧，足以眩惑俗眼。特別是借勤皇之意的言論，如訴諸我國民獨特的忠君愛國心，所謂欺詐也頭頭是道，近來不幸可見到此種僞忠君論之流行。余擔心如此的辯論，反而導致國民誤解我國體之根源，聊述所見而敬告有識之士。

並大致論說如後：即各國國民有依其自由意志決定其政體的權利，國民的意志時或犯其國法而釀成革命，其是非曲直的批評，必須公平檢視從古至今的主權者與革命家再下判斷，並論述清朝的惡政，論斷革命反倒是必然之勢，接著言及日本國體的差異。故鄰國之革命不足為懼，反而蘇峰者流之見解會墜入窠臼中，他憂心此會阻礙目前進行中、打破現狀的革新。

最後說：

> 何苦杞憂於對岸之火災，無須警戒此影響。何勞左袒不能自立的北京朝廷，何須代之成爲四億漢民族之怨敵。如果以友國之災難爲良機，藉勤皇之名而試無用之干涉，如有以飽吞噬之

> 欲，實是令仁義之日本模仿虎狼之秦，以國家之德義應忌爲當然，蓋利害之打算，無先見之明者甚也。

做如上結論。正剛，26歲之青年有如此「絢爛之筆」。

將當時大記者蘇峰如上之中國革命觀，批評至「體無完膚」的中野在九一八事變（滿洲事變）以後的大轉變，對我們又是談些什麼。

將此暫擺一邊。〈對岸之火災〉連載完不久的12月25日，中野以東京《朝日新聞》特派員身分，加入頭山滿一行，從門司〔譯註：位於福岡縣北九州市〕出發赴上海。12月30日出席被推舉為臨時大總統第二天的孫文，在上海皇宮大酒店舉辦的中華民國成立前夜的宣布宴會。中野寄回〈孫逸仙、黃興兩氏之風采〉一文給東京《朝日新聞》，於翌年1月8日登出（猪俣前引書）。在該文中，中野說：「大元帥黃興君絲毫未改當年窮書生之態度。余亦以其友無法禁止要與斯人共死生之感。此人或受有令支那四億之生靈安寧之天命。」如此評斷黃興。

又，對出現在宴會的孫文，稱讚如下：

> 今天的孫博士可謂具歐美紳士之風采。……孫總統向左右周到地稱謝交談，數年前的志士孫逸仙已完全具備了不讓歐美先進國的大統領獨領風采的堂堂態度。

加之：

31日夜，決定新政府之閣員，中華民國萬歲之聲，由上海、南京、武昌等長江一帶之地響起，震動了南方各省。從而南北統而爲一，建立國家及政府之型態蓋非長遠之事。然而欲眞正統一四百餘州，眞正使中華民國興盛，使東亞和平貢獻世界文明，前途遙遠，孫君不傲，黃君勤勉不懈怠，呱呱出聲的新政府的未來充滿希望。

把在新政府宴會所感受到的新生中國年輕的氣息傳回日本。多感青年記者中野的面目，躍然紙上。

畢業論文被指導教授激賞為「非凡之天稟」，年紀輕輕令世人瞠目為「絢爛之筆」之後的中野，已是眾所周知之事。

中野由經營《東方時報》而轉進政界，提倡「議會中心主義」，以尖銳的「自由民權」論者擺開論陣，但於九一八事變發生一夕之間，大轉變至當積極法西斯馬前卒之地步。

中野支持侵略大陸，倡導即時承認滿洲，盧溝橋事變一發生，便積極主張斷然實行軍事行動，大聲疾呼奪取廣東、海南島。他又提倡日、德、義軍事同盟，不忌憚鼓吹法印、蘭印即時確保為目的的南進論。

最後以反抗東條政權以刃自盡（1943年10月27日），在《中野正剛之生涯》猪俣氏以為：

中野和日本法西斯的東條政權鬥爭而死，然而此日本法西斯的形成他也扮演了一個角色，其死便更加悲劇性，中野的死可謂因自己所創造之物之故而亡的悲劇——可譬爲科學怪人的悲劇。

但是對於我們中國人來說，某種意義上也可看成是喜劇，令人不知所措。

翻開悠長的中國近現代革命史時，真正伴著中國人走完荊棘之路的外國人，絕非如中野之「吾人須指導彼等，令之警醒，以之開拓清朝有責任者也」的驕傲自大者。

中野的悲喜劇顯現在他的晚年，但其根源卻很深。在甲午戰爭與日俄戰爭日本打了勝仗，以逐漸成熟的產業革命為背景，意氣軒昂的明治末期青年，特別尚是學生身分的中野胸中，可說一開始就已紮下的接近中國革命、思考方法錯誤的必然結果，就是他以悲喜劇了斷自己，這樣看應不會是筆者的獨斷吧。

胡瑛也與中野同樣是擅於筆舌者，聞說是徒恃儀表執迷一時之快之輩。武昌解放後從獄中被迎出，立即被任命為剛成立的「鄂軍都督府」（武昌起義後成立的革命政府）之外交部長，擔任與駐漢口各國領事的外交交涉（具體為要求各國保持中立）。

民國成立後由孫文任命為山東都督，但因袁世凱掌握實權而辭職。因以多依賴機智與巧舌的政治活動遂逐漸顯示破綻，不久夥同楊度（在《清國留學生取締規則》反對運動時，胡的攻擊對象，時任留日學生總會會長）等，以「籌安會」所謂六君子之一，高喊君憲救國論，淪落到援助袁世凱帝政運動的地步。

中野向其曾批判攻擊的對手蘇峰靠攏，死後又由蘇峰寫碑文的奇妙因緣，兩者末路是多麼相似。所不同的一點是，胡並非自殺，而是在南京於羞恥中病死（1933年）的，具有輝煌革命經歷卻不被紀念，而現已被遺忘。

畢竟「時而熱時而冷」感情不穩定的人物，依賴巧舌、沉湎於機智的形式主義者，都橫越不過歷史的激流，這是事實。

對於辛亥革命，我們學術上的部分前輩，確實對日本的「志士」們有過分表示的「依賴」。因此「依賴」引起高格調同情的筆舌，留下後來出現多管閒事的底子。「依賴」與「多管閒事」的牽扯，現在圍繞著台灣的中日關係中，還連綿無從切斷地持續著。不只台灣，已經在日本與亞洲的新關係中，似乎有著可能再出現的兆頭。

沒有自立精神，以及確立自己的正確立場，依賴與包容依賴，為了不再重複歷史的愚蠢，就此希望能避免。

日本從敗戰的廢墟中站起，現在已是以傲人的GNP為背景的經濟大國，日本的年輕人，為亞洲、為開發中國家的開發躍躍欲試。

到現在還有一部分日本人，以高格調的發言，大聲疾呼，站在中國人民的立場，為台灣人民無聲之聲，或改說構築「連帶」為目標等。守不住民權運動的中野等，所表示的對中國革命的同情，不久便變成多管閒事而化成塵土。

對日本國內的問題沒有自覺，更無法解決，大聲叫喊新用語「連帶」的我們年輕鄰人走向，是否又會變成多管閒事？日本社會情況的動靜與際遇《宮崎滔天*2全集》的刊行，令一個中國人

*2 宮崎滔天（1871～1922）：明治大正期的中國革命運動家。孫文的支持者，與黃興也有深交。對中國同盟會在東京成立（1905年）盡力，且當了日方的委員。辛亥革命勃發，立即赴中國，參與南京臨時政府的成立等，深涉中國的革命運動。也是所謂的大陸浪人，即近代在中國大陸活動的日本民間人士，以國權主義者為多，多從事日本政府對中國政策的祕密工作。

研究者沉思與惶惑。

補記：有關中野正剛的部分，多依據猪俣敬太郎《中野正剛之生涯》，特此聲明。

本文原刊於《週刊東洋経済》緊急增刊・中国経済の全貌，1971年10月22日

台灣的詩與眞實

——羅福星*的一生

◎ 陳鵬仁譯

詩人以反抗為其生命；如果要從日據時期挺身與殖民主義搏鬥、為數不多的台灣詩人中挑選一位，毫不躊躇地我將以羅福星為第一人。

羅福星，字東亞，號國權，原籍廣東省鎮平縣。羅家是日本占領台灣的1895年左右，即住在台灣中部苗栗的客家裔台灣人（日本殖民地時代台灣居民的結構是，少數民族的高山族【包括平埔族】、漢族系居民【福佬人與客家人】，其比率為高山族大約2%；客家人大約14%；其餘為以閩南系為主體的福佬人）。

當時漢族系居民中屬於上層者，除在台灣之外，許多人在對岸的故鄉也有家。羅福星也是一樣，雖然出生於廣東鎮平縣，但也住在台灣，更受過日本教育。

根據覆審法院於1914年3月3日送給台灣總督佐久間佐馬太的死刑執行報告書，當時羅福星29歲，推算他應該出生於1886年，亦即台灣被「割讓」給日本的前九年出生於台灣對岸的故鄉。

* 羅福星（1886～1914），日據時期抗日烈士、詩人。

羅福星跟辛亥革命前後的其他志士一樣，熱血沸騰，不怕死，長於漢詩。

筆者在本文所要介紹的羅福星詩作，是將被處死刑之前在獄中所作的〈絕命詞〉、〈祝我民國詞〉，和〈寄愛卿詩〉三首。

還沒介紹詩作之前，筆者想先就他被處死刑原因的苗栗事件稍作說明。

苗栗事件不但在當時的日本國會成為議題，並且是在台灣遭管制報導的大事件。

理由是，苗栗事件之前，在台灣所發生的抗日游擊事件，以及其他抗日運動，大多是一時性的暴動或利用迷信的非近代性運動。可是苗栗事件不同，它的組織嚴密，明顯受辛亥革命思想的影響，與大陸的革命勢力有關聯而受注目。就是說，它是台灣抗日運動中劃時代的大事件，是一種有明確政治目的之革命運動。

根據1920年發行、台灣總督府法務部編纂的《台灣匪亂小史》的記載，當時受辛亥革命影響的抗日運動事件，除羅福星所直接領導的苗栗事件以外，還有關帝廟事件（領導者為李阿齊）、東勢角（暴動）事件（領導者是賴來）、大甲及大湖事件（領導者張火爐）和南投事件（領導者沈阿榮）共四件。日本當局認為以苗栗事件為首的這五大事件，在其性質（深受中國革命的影響）上和運動目的（驅逐日本人回歸中國）上是一致的，因此適用《匪徒刑罰令》，在沒有法院的苗栗特別設立臨時法院，做整批審判。

審判結果是，牽連者共計921人，其中行政廳處分4人，檢察官不起訴處分578人，判死刑20人，有期徒刑285人，無罪34人。

有期徒刑，輕者4年半，最高15年。

當時，日本當局所正式發表的原因是：「1911年10月，在清朝南部的一隅所發生的革命（指辛亥革命）之烽火，立刻波及四百餘州，可憐清朝三百多年帝業一夕滅亡，高唱中華民國的五色旗已成為世界思潮之魁，革命大業穩步就緒，民國之基礎已定，我台灣民情由之漸漸發生動搖。這是就自古以來被簒奪帝業流血伏屍之歷史，對於祖先曾是被馴化的支那民族的他們而言，視彼革命之成功，而暗地裡有所策劃亦為不得已之情勢。」除東勢角的暴動事件外，其他四件皆為未遂，卻有許多人被判死刑（苗栗事件，包括羅福星，六人被處死刑），可見《匪徒刑罰令》是極為野蠻的律令，簡直不能算是法律。

《匪徒刑罰令》係於1898年11月15日，即兒玉源太郎時代，由台灣總督府制定和公布，而其提案者則為著名的民政局長官後藤新平。

我們且來看看成為羅福星等被處死刑所根據的《匪徒刑罰令》第一條：

> 第一條，無論爲任何目的，爲達成其目的，以暴行或脅迫，結合多眾者視爲匪徒之罪，依下列區別予以裁決：一、首魁及其教唆者處死刑；二、參加共謀或指揮者處死刑；三、附和隨從或打雜者處有期徒刑或重徒刑。

對於適用這個風評極差的律令，日本國內大有責難之聲，在國會也有議員提出質疑，這是理所當然的事。

明明知道後藤、兒玉之「名」搭檔所實施，「土匪招降策」的嚴酷棍子《匪徒刑罰令》仍然存在，還偏偏要組織抗日運動，或發動抗日暴動，對於這種志士的出現，的確令日本當局震驚。

為理解羅福星組織活動的意識形態，我們且來看看〈羅福星手記〉（前引書所載）。曰：

> 由五大洲與六大洋所成之世界，其中有面積三分之一人口占最多者，非我中華民國乎？而民不知國家爲何物，不解愛國心之爲何物，亦不知團體之爲何物，至今仍固守野蠻之性質，完全未脫頑固之根性，更無進取之氣象。然獨我華民居留南洋群島（筆者註，應指南洋一帶，以下同）者，十年前，已具有開化之志，辨臣之本分，知亡國之恥與鄰國之苛政。諸氏不見，被俄國滅亡之猶太國不出20年，種族滅亡，文字亦被廢止。……諸氏又不見，琉球被日本亡國僅不過20年，種族已滅，文字亦被廢，今日亡國之民，失去家業，多淪於乞丐之徒的悲慘狀態。又於茲我台灣人民，如無熟省，將遭遇猶如猶太、琉球人之境遇。台灣被日本亡於茲十有九年，而人民之蒙害以身體比喻，今我皮膚被剝去，四、五年後，骨肉將被削去，八年、十年後，骨髓將被吸光。哀哉我台民尚不知日本有意要亡我民族，奪我財產，絕我生命。諸氏不解，甘居日本苛政之下，不久必失家財而至身亡。島民在苛政之下如何受苦，今詳述其慘狀於茲。

繼而詳述11項羅福星親自所做的調查，日本政府在台灣的虐政，予以揭發，同時敘述發生此次事件的經過：

> 嗚呼吳（羅的同志之一）之部下洩露祕密，雖然事洩，社員士氣多少沮喪，但我部下被逮捕者不過十幾人。故於起事無妨。今我將與吳頌賢、葉水傳粉骨，碎骨殺身成仁，深爲台灣人民之紀念人物。古語曰：「殺頭相似風吹帽，敢在世中逞英雄」，人生出生一次，無死二次，該死時不死，將流臭名於千載。死垂芳名於百世才是眞男子漢。此只欲雪國辱、報同胞之仇而已。我兩黨人員被捕處刑乃台灣人之好紀念。古人曰：「謀事在人，成事在天」。凡地球上生存者之生死，皆爲天命，必不可求長壽。今我11志士之偉人，粉骨碎身，雖事不成，吾等將不再留於此世。我一人雖死，尚有11志士爲我報仇。我斷言：今後要使台灣官吏不得一日之安寧。

他如此警告日本官民。生育如此堂堂正正態度和叛逆鬥志其背景在哪邊，接著就來追溯吧！

如前面所述，羅福星於1886年生於廣東省鎮平縣，1903年隨其祖父回到台灣新竹廳苗栗一堡牛欄湖庄〔譯註：今苗栗造橋鄉豐湖村〕，為的是其祖父要整理在苗栗一堡田寮庄的不動產。隨行的羅福星進了苗栗公學校，但1906年因全家搬回廣東而退學，應該是20歲的時候。回故鄉途中，在廈門參加了中國革命同盟會。爾後在其家鄉和南洋的中學擔任教員，同時從事革命運動。

現在我們根據羅福星的另外一份手記〈死罪紀念〉，來看看這段歷史。

幾年前在台灣我還擁有房屋，唯視日本官吏之惡虐、專橫、不仁，憤慨之極棄家、抛產，乙巳年（1905）秋（應爲農曆），回故鄉任村教員二年，奉時任廣東學務長邱透甲（應爲丘逢甲）君之命，爲視察前往爪哇，完成任務之後回廣東，丁未年（1907）春，出任新加坡中華學校校長在職二年，以不能適應風土，辭職前往巴達維亞，擔任該地中華學校校長，辛亥年（1911）春，與胡漢民、趙聲君、林時爽（福建狀元林鴻年之子）遊歷各島，3月20日抵達西印度機關部時，3月19日（正確日期爲農曆3月10日，陽曆4月8日），溫星（生）財刺殺孚寄（孚琦）將軍（署廣州將軍），以接到29日要在廣州起事之電報，同志四人遂由西印度回來，3月26日到達香港，27日抵達省城，此日百餘名同志攻擊都督衙門（黃花崗之役，日期應爲29日）。在此舉，黃興左手受槍傷。4月3日，我與胡漢民避難於香港，據聞林時爽於30日在都督衙門被槍殺。我與胡君又避難於暹邏（暹邏），（5月末日）前往巴達維亞，不料竟與黃興相遇。黃興於7月2日由巴達維亞前赴武昌，8月19日舉起義旗，是武昌之役。及至23日，巴達維亞機關部，通知說來電報要我二人召集民軍，由之於28日募集民軍二千餘人，9月2日率領民軍由巴（達維亞）出發，前往香港，但此時香港已禁港，故只有胡漢民一個人登陸，24日去廣東，我與民軍於25日抵達舊城，領取武器。10月4日接受胡都督之諭示，搭上戰艦，前去上海，遂入蘇州，12月6日解散回家。壬子年（1912）春，又出任村學校校長。（前引書，頁72～73）

以上引述冗長的是羅福星策動台灣革命以前，參加辛亥革命的來龍去脈。

羅福星雖然具有黃興、胡漢民等大人物的關係，但辛亥革命成功之後他卻回其故鄉出任校長，他的質樸人品，或許是他日後敢冒那種危險（在某種意義上，在台灣比在中國大陸的革命還要危險），在台灣從事革命組織活動原動力的一部分，筆者相信這應不是只有我一個人一廂情願的看法。

羅福星之再度前往台灣，不是為家事，而是為國事。在前述手記，羅說：

> （1912年）7月2日，得劉士明君書翰曰，欲調查、視察台灣舉事於台灣，希望君奮而贊成此舉，我高興於7月3日離開家，來閩，得都督公文，與12同志，自南京遊上海、天津、武昌、湖北一帶之地，11月2日到達汕頭，9日乘輪船來台，至大稻埕（今日的延平北路一帶），13日開會，16日12同志分南北去募集（革命組織之）會員。

而羅福星則入故鄉苗栗，翌年（1913年）2月底，據稱募集五百多名會員。爾後事洩，大多被逮捕。羅福星幸運逃脫，暫時潛伏於淡水農家，伺機準備潛逃大陸，被密告而落網，1914年3月3日，在台北監獄，如前面所說，29歲年紀輕輕即被處死刑。

被逮捕時（逃亡中已被宣判死刑），羅福星毅然對日本當局不但如手記所述抨擊對台灣的苛政，而且警告說：「日本政府諸官，你們不必怕，你們雖然殘殺我同胞，但我福建政府不會立即予以干涉。我華民此次被你們殘殺，係台民之紀念，華民之紀念，對日本的報仇之念將愈來愈深。你們切勿忘記，有刺死伊藤（博文）的安重根，今我之一死只是為了從虎口救出台民而已。」同時祝賀新生的中華民國，寫下〈祝我民國詞〉，為留下他的大抱負於千載撰寫〈絕命詞〉，以及為表達他對愛人的綿綿情愛留下〈寄愛卿詩〉之後，泰然自若，上了絞首台。

祝我民國詞

中土如斯更富強，華封共祝著邊疆。
民情四海皆兄弟，國體苞桑氣運昌。
孫眞國手著光唐，逸樂豐神久既章。
仙客早傳靈妙藥，救人于病身相當。

把各句的第一個字連起來就是「中華民國孫逸仙救」。可見他對孫中山的絕對信賴，和對新中國的無限期待，其信念令人詠來高尚美麗。

羅福星是一個行動者，可是卻躲在幕後，做無名英雄，雖然沒有太多時間去寫詩，雖不是很完美，卻充分表達了他宏大的抱負。

絕命詞

獨立彩色漢旗黃，十萬橫磨劍吐光。
齊唱從軍新樂府，戰雲開處陣堂堂。
海外煙氛突一島，吾民今日賦同仇。

犧牲血肉尋常事，莫怕生平愛自由。

槍在右肩刀在腰，軍書傳檄不崇朝。

爺娘妻子走相送，笑把兵事行解嘲。

背鄉離井赴瀛山，掃空東庭指顧間。

世界腥羶應滌盡，男兒不誤大刀還。

彈丸如雨砲如雷，喇叭聲聲戰鼓催。

大好頭顱誰取去，何須馬革裹尸回。

勇士飛揚唱大風，黔首皆厭我獨雄。

三百萬民齊努力，投鞭短吐氣如虹。

青年尚武奮精神，睥睨東天肯讓人。

三州區區原小弱，莫怕日本大和魂。

軍樂悠揚裂喚鵝，天風情長感慨多。

男兒開口從軍樂，何唱台疆報我仇。

東來客族雷我原，驅逐夷蠻我國尊。

白種更傳黃禍身，何難今日此事爭。

寄愛卿詩

人世因緣萬劫空，歐風亞雨表英雄。

筆花不詳江郎夢，辜負神娥夜夜風。

五夜西風一段清，月光人影兩分明。

台灣那有春秋別，連理枝頭善感情。

渾身冠劍看如何，國步艱難感慨多。

走馬告歸華盛頓，耳還嘲以自由歌。

傳語卻敲無線電，留聲且喜自音筒。

於近造就飛行器，不似雙星一夜逢。

真不愧為革命志士，以全身全靈的英雄型高吟，在關懷國事之餘，又托七夕雙星相逢之細膩情愛，溢於言表，那何止令美人落淚而已。

補記：〈絕命詞〉與〈祝我民國詞〉，錄自《辛亥革命回憶錄》第四集，中華書局，1962年；〈寄愛卿詩〉，引自《羅福星抗日革命案全檔》，台灣省文獻委員會，1965年版。

本文原刊於《アジア》，1971年12月號

河上肇*「在」中國

◎ 陳鵬仁譯

如果我的記憶沒錯，河上肇應該沒有去過中國才對。可是「河上肇在中國」可以成為中日文化交流史不可或缺的話題，並可成為必須研究的課題。

河上透過日本論壇對當時的中國留學生（郭沫若等人的世代）有過如何的影響，同時在講堂上對中國門徒曾給予怎樣的薰陶，以及經河上著作的翻譯在中國啟蒙運動上扮演了怎樣的角色等，都令我們覺得非常有趣。

有不少中國留學生說，留學日本曾經受過河上思想的影響。其中以郭沫若最為出名。

他是否曾自稱為河上的門生，我不清楚，不過在日本被視為河上門徒的，則有著名的馬克思經濟學者，翻譯過《資本論》和《國富論》的王亞南。

我所知道，自稱為河上門生，並因河上博士的思想薰陶和經濟學的指導出書，並獻以謝辭者則有《經濟侵略下之中國》

* 河上肇（1879～1946），日本經濟學者，以研究馬克思主義著稱。

（1925年10月，上海光華書局，初版）的作者漆樹芬。漆樹芬字南薰，出身四川，不但與郭沫若同鄉，在成都府中學和日本留學〔譯註：京都帝國大學〕，都是郭沫若低一班的學弟。

郭沫若曾經怨歎，漆樹芬如果沒有死於1927年革命退潮期之軍閥的血刃，他必將在解明中國經濟的研究上留下許多的成績，殊屬可惜。

漆樹芬的著作，為當時空前的暢銷書，可以從該書第三版的自序窺悉。

當該書洛陽紙貴時，當時之情勢為國共合作、北伐、上海清黨、南京國民政府成立、武漢政府崩潰。面臨革命挫折的知識分子，為摸索革命的理論，而熱中於社會科學的研究，其一部分結果掀起了社會科學方面專書之翻譯和出版的風潮。

1929年那一年，翻譯和出版的社會科學專書，達151本（不包括文藝理論書），其中有六本是河上博士的書，其書目如下：

（一）《經濟學大綱》，陳豹隱譯，樂群書店。

（二）《馬克思主義經濟學》，〔溫盛光譯〕啟智書局。

（三）《社會主義經濟學》，鄧毅譯，光華書局。

（四）《資本論入門》，劉埜平譯，晨曦書店。

（五）《人口問題批評》，丁振一譯，南強書局。

（六）《勞資對立的必然性》，汪伯玉譯，北新書局。

尤其陳譯的《經濟學大綱》，據說是1930年（代）初期中國學生和知識分子必讀必備的一本書。總之，中國馬克思主義的一部分源流，乃以河上為媒介，是一個歷史上的事實。

如何正確定位河上做為媒介的位置，中國馬克思主義不僅講談馬克思主義或馬克思解釋學，而且做為出色的實踐之學的馬克思主義在中國生根，與河上具有何種關係等問題，是我喜歡探討的一部分課題。

本文原刊於《季刊日本の将来》，1972年2月1日號

樺山資紀與水野遵*

◎ **陳鵬仁譯**

對於樺山資紀和水野遵這兩個名字，年輕的讀者可能很陌生，樺山是日本占領台灣、使台灣成為殖民地的第一任台灣總督。水野是樺山的左右手，為台灣總督府的首任民政局長。他們兩人都不是思想家，可說是行動者的職業軍人和官吏。

我們在這裡所要討論的主題，不是有關他倆做為權力者赴任台灣，實際推動殖民地化時期的所作所為，而是欲弄清楚他倆因「台灣事件」做為密探到中國大陸，更實地調查台灣的紀錄，進而釐清近代日本在明治初年前後，以何種形式與中國發生關係，對於圍繞中國不可分領土之一部分的台灣，以明治政府有力藩閥之一的薩摩藩為中心，日本人抱著何種心態和意圖而行動。

台灣事件與征台之役

樺山和水野與台灣的關係，並非始於因日本之殖民地化的台

* 樺山資紀（1837～1922），日本海軍大將、日據時期第一任台灣總督；水野遵（1850～1900），日據時期台灣總督府首任民政局長。

灣，他倆的赴任。樺山於簽訂割讓台灣的《馬關條約》（1895）的22年前，亦即1873年2月20日由東京出發，因所謂「台灣事件」特別奉命前往中國大陸。

樺山的任務，有如其公子愛輔在所著〈我對家父的回憶〉（樺山愛輔《父・樺山資紀》，1954年，頁51）之中所說，主要是軍事偵察的工作。如後文所述，其偵察範圍是非常廣泛的。

它包括所謂台灣「生蕃」的情況、清朝官憲的動向、「為著他日有所期」之台灣地理形勢、物質的生產狀況、交通情況、民情風俗習慣等涉及多方面。1873年（明治6年）當時，樺山36歲，為陸軍少佐。

水野於1871年（明治4年）5月，奉命留學清朝，表面上的理由是為研究英語和「支那」語，但水野的親信和崇拜者木村匡（水野擔任民政局長時的官房記錄課長兼總務課長，後來轉任民政局文書課長，退休後出任台灣商工銀行總經理）回憶說：

> 先生於明治6年左右，以研究支那語遊學上海和香港，是判斷先生抱負的唯一鐵證。因爲當時的教育界，不是以漢學者研究四書五經，就是當洋學者研究歐美情勢。故應知當時研究支那語的目的，並不在於專修其語言學。而從先生一邊不躊躇於研究英學這一點來看，世間皆不注重東洋之觀念時，決心要研究此學，實不失爲一種卓見。（大路會編，《大路水野遵先生》，1930年，頁156）

可見不但對水野的語言學，當時的明治政府也期待他成為明治政府的中國要員，他自己也意圖為經略中國大陸而努力。

總之，水野因「台灣事件」的發生，於1872年2月除了留學生身分之外，也帶有奉命視察清朝的任務，該年4月，更奉當時的總理兼外務大臣、全權大臣，正在與清朝交涉台灣事件的副島種臣之命，由香港登陸淡水，從事北台灣的調查。此時水野24歲，是血氣方剛的青年。

樺山與水野的相識，乃於他們從事軍事偵察與考察清朝，以及做為任務之一環，實地調查台灣時開始。

他們的相識和在台灣的因緣，都是以上述的調查為開端，加以「征台之役」的參謀樺山，和海軍省十等出任（翻譯官）水野的關係，因而愈加深（可能由於這種因緣，在藩閥政府中，與薩摩派並肩，做為尾張〔譯註：舊藩國名，在今愛知縣西部〕出身者才有這樣不尋常的飛黃騰達），進而成為首任總督與民政局長的搭檔。

現在，我們先來談談「台灣事件」與「征台之役」。

所謂「台灣事件」，是指明治天皇即位後三年，公布廢藩置縣的1871年10月18日，由琉球那霸港出發，準備回到宮古島的一艘船遇到颱風，漂流海上，於11月6日，漂流到台灣南部，前高雄州恆春郡滿州庄字九棚沿海八瑤灣，爾後經過諸多曲折，登陸的66名船員中，只有12人生還，其他54人被「生蕃」殺死的事件。以此事件為藉口，明治政府強行開國後首次派兵海外，而這就是所謂「征台之役」（1874年5月18日至12月3日）。

殺人事件發生於明治4年11月8日，生存者獲得漢族裔居民楊氏一家的庇護，被送往台南，經由福州，於明治5年6月2日回到那霸港。生存者透過島上領導人，向島上日本官員申報遭難經過，根據該官員的報告，鹿兒島縣參事大山綱良於該年7月28日，提出上奏文。

當時為熊本鎮台第二分營長（駐鹿兒島步兵四小隊隊長）的陸軍少佐樺山資紀，由大山參事得悉此項消息，帶著他所聽取的紀錄和自己的意見書，前往東京，向政府參議西鄉隆盛和陸軍省少輔西鄉從道〔譯註：倆人是親兄弟〕等薩摩派的上層人士，力說「台灣事件」之重要性和嚴重性，但沒有得到什麼效果。

不過這也難怪，因為與琉球王朝之間有關琉球歸屬問題的糾紛還沒有獲得解決（明治政府於明治5年9月14日才正式封尚家為琉球藩王），就正熱中征韓論的西鄉參議等而言，征韓比征台重要，加以明治政府內部因征韓論等而對立，又因明治政府新成立、國內情勢不穩定等，因此對於樺山的建議，廟議不可能馬上做出決定。

唯尚家之被列為貴族，琉球的歸屬，在形式上獲得琉球王朝同意，問題有了進展。結果乃發下派遣樺山前往清朝台灣的任命證書。

爾後廟議雖然做了決定，但使節團的組成和準備卻毫無進展，因此派遣副島使節團的詔書，拖延至大山上奏文提出六個月以後的明治6年2月6日。

3月5日，總理外務卿副島種臣奉明治天皇「朕聞台灌（灣）島生蕃數次屠殺我人民，如不問其罪，後患將達其極。今委爾種臣以全權，前往伸理，以保朕之民，以副朕意，欽哉」之詔書，往清朝出發，而樺山則於2月20日先行離開東京。樺山的派令寫著「茲派遣陸軍少佐樺山資紀視察清朝台灣，壬申10月9日，太政官」。副島一行乘軍艦龍驤和筑波前赴清朝，可以說是仿效列強砲艦外交之日本外交先聲。

4月30日，副島與清廷簽訂《中日修好條規》，開始談判所謂台灣問題是6月21日。清廷主張「琉球為清朝之屬國，琉球人之受害事件不許日本置喙」，談判由之破裂。因此副島大使回國，樺山等人即於6月23日，為實地調查台灣離開北京。明治政府則以西鄉從道為首，根據樺山、水野的調查報告，從事「征台」的準備，隔年（明治7年）5月27日，違反中央之意，強行「征台之役」。

「征台之役」雖然以台灣事件為藉口，其實是如樺山愛輔的回憶：

> 一方面，係因國内複雜的情勢而強行。首先是關於明治5年12月所公布的徵兵令。因爲完成明治維新的士族們留下來成爲國軍，所以對於招募士族以外的一般人當兵非常反感。他們認爲，戰爭是武士的分内工作，老百姓和商人能做什麼，此即武士階級擁有的自尊心。當時，東京市谷台有二、三千名的薩摩兵，完全受西鄉（隆盛）之照顧。如果要實行兵制改革，對於士族出身的士兵勢必有所處置。西鄉從道和大山巖在負責這方面的工作，唯因大山爲考察普法戰爭而前往歐洲，故由西鄉從道負一切責任。由於此種原因，代表中央的西鄉從道與受西鄉隆盛照顧的薩摩兵之間，便發生感情上的對立。……不服氣的是二、三千名的薩摩兵。因形勢愈來愈險惡，因此西鄉從道乃

> 決定派此兵力征討正在成爲問題的台灣。其前一年，因征韓論，西鄉隆盛辭去參議等等，如果搞不好，國民可能陷於極大的混亂。於是西鄉從道親自出任征台都督，但政府未有廟議一致的決定，西鄉從道不管這些，在長崎完成征討的一切準備之後，自行決定要強行出兵，對此舉動，政府以電報要其停步，西鄉從道卻回電說「船已開了」，而強行出發。此時西鄉從道的想法是，準備把所有的薩摩兵統統帶到台灣，但泰半皆逃亡薩摩，集於西鄉隆盛麾下。從道早就預感會發生十年戰爭〔譯註：明治10年，薩摩兵擁西鄉隆盛反叛中央的戰爭，史稱西南之役或西南戰爭〕，即那時已有不滿分子的反應。（前引樺山書，頁52～53）

從以上所述我們可以視為，強行征討台灣的直接動機應該是，為了緩和征韓論計畫之中止所產生反政府的氛圍，將國內矛盾轉換到海外薩摩派的軍事行動。

征討台灣的第二個理由是，為要使有關琉球歸屬問題的日清外交交涉對日本有利，甚至於以征台為契機，要清朝承認日本擁有琉球。根據杉井六郎的說法，所謂琉球的歸屬問題是：

> 日清間有關琉球歸屬的外交問題。明治政府於明治4年（1871）7月，廢藩置縣之前，令鹿兒島藩提出琉球管轄之沿革調查，次年10月以琉球爲琉球藩，並管理該藩的外交事務。但對於琉球主張擁有宗主權的清朝，不予承認。可是（明治）政府卻於征台之役出兵中，於1874年（明治7年）7月，將琉球藩歸爲內務

省之管轄，企圖片面地明確化其歸屬。更於1875年5月，派遣內務大丞松田道之，以威壓琉球，但琉球卻於1878年請清朝和各國公使予以協助，歸屬問題產生了第三國干涉的危機。於是政府於1879年3月，在熊本鎮台兩個中隊的掩護下接收首里城，強行廢藩置縣，片面地決定其歸屬。清朝政府抗議並要求停止廢藩置縣，日清兩國由之尖銳對立。1879年7月，經由清朝來到日本的美國前總統格蘭特（Grant），正式提出願意調停，提議分割琉球。於1881年1月，以將宮古、八重兩島讓給清朝，以修訂《中日修好條規》爲由，日清兩國開始交涉。格蘭特回美國之後，仍然努力於日清兩國間的調停，但交涉還是破裂。爾後對於琉球的歸屬，清朝沒有再表示任何意見，在未獲得解決的情況下，於1894年發生中日（甲午）戰爭，自然解決。（京都大學文學部國史研究室編《日本近代史辭典》，東洋經濟新報社，頁627）

第三個理由是，如所周知，日本對於台灣早就有占領的野心，故很想乘這個機會，對於列強虎視眈眈的台灣先發制人，造成既成事實，並藉此對清朝施加壓力，利用就朝鮮問題與清朝討價還價，同時促使朝鮮開國。

第四個理由是，宣揚新興國家明治政府的國威，早先即為著提升其國際上地位，做為對外發展的小試探，一方面擔心列強的干涉和清朝的反擊，另一方面卻因明治中央政府的不安定情勢，以及希望藩閥政府之中薩摩派所擁有的力量，薩摩軍人的強勢軍事行動「不要有事……」的心態，而不得不予以追認，可如此理解。我們可以說，這是日本圍繞腐敗而執迷不悟之清朝、跟隨充滿野心之西歐列強驥尾所採取首次的對外行動。

總而言之，「台灣事件」的實際情況是，如樺山資紀的崇拜者，舊薩摩藩人藤崎濟之助（1923年左右擔任蘇澳郡守，在蘇澳【樺山舊踏查地】建立「樺山伯爵遺蹟紀念碑」）在調查樺山事蹟的過程中所弄清楚，高士滑蕃（原高士佛社蕃）並不是自始就有殺人的念頭，而是因為在盤問遭難者，以確認其身分時，遇難的琉球人發生誤解，意圖逃跑，於是遂予以殺死（藤崎濟之助，《台灣史與樺山大將》〔《台湾史と樺山大将》〕，頁234）。事實從生還者仲本與島袋所聽取而做成的〈別紙報告〉（指當時鹿兒島縣參事所提出的上奏文的附錄文書。參照大路會前引書，頁179）。遇難者誤入「蕃社」當時，還受到「旋即以小器盛飯，給與66人，初更時候以唐芋摻米，用煮大約二升米大的鍋子，給與兩鍋」的待遇。不但如此，這些遇難者並非一般所說的漁民（連最清楚當時情況的樺山愛輔，於昭和28年（1953）當時，還認為台灣事件是「在台灣，許多琉球漁民為生蕃所屠殺」，前引樺山書，頁49，實在太粗糙了），事實上是：

> 其多數人爲上納年貢，由宮古島要去那霸的官員，有1人是相當於今日之郡長的「頭」，相當村長的「與人」者3人，村長助理即「目差」2人，相當於書記的「筆者」10餘人，其他爲村長助理以上之隨員，其中還有擁有「仁屋」（士族）之頭銜者。其他順便搭乘的商人數名。

這是依據沖繩出身、大正末年擔任台灣總督府交通局鐵道部工務課長之照屋宏實地調查結果（藤崎前引書，頁235）而發表。

對於追究史實極有良心的藤崎，且透過實際調查和多方面資料的查對，進一步證明當時認定加害的蕃社為牡丹社蕃之錯誤。他說：

> （征台軍）一登陸瑯嶠，立刻諭達各蕃社投降。可是沒有任何被問罪理由的各蕃，馬上服從其命令，但元兇高士滑和牡丹各社卻不向我軍投降，終於聯合在石門參加激戰，牡丹社酋長等許多人死傷，蕃軍慘敗，我軍見其結果推定其原因，不疑有他完全相信元兇是牡丹社。（藤崎前引書，頁233～234）

由以上所述，我們可以知道，嚴格來說「台灣事件」是當時的明治政府薩摩勢力的捨華求實，事件本身不是問題，就具有侵略意圖的權力者而言，不分古今中外，他們隨時可以製造侵略的口實，且隨地可將其禍害推給局外者，而「台灣事件」也不例外。

樺山的軍事偵察日記

對於拯救生存者、給予庇護、並給予40天賓客待遇的漢族系居民楊友旺一家，為報答其恩，他們回到琉球以後，曾贈送200日圓，但經過清朝官員的貪瀆、私吞，楊友旺只拿到20日圓（藤崎前引書，頁220）。這是一個美談，同時也印證清朝官吏之腐敗，已病入膏肓。言歸正傳，樺山和水野為我們分別留下了調查的紀錄《台灣日記》〔《台湾日記》〕和《台灣征蕃記》〔《台湾征蕃記》〕。以下我們根據這兩種資料，來釐清明治初年日本的領導者如何看待中國，和準備怎樣看中國。如前面所述，經過台灣事件的廟議決定，樺山於明治6年2月20日離開東京。

樺山是道地的薩摩人，他曾經參加過明治維新前後的各種戰爭，但到外國還是第一次。樺山登陸上海第一天的印象，明治6年3月8日的日記（以下，除非特別聲明，皆以「　」做為出處〔以下換字體處〕）說：

> 中午吃飯後，由外國居民地散步城內外，中國街市之骯髒、臭氣、擁擠實爲想像之外，無法言語。雖是所見膚淺可形容爲無氣節，我幾乎預感到成事之徵兆。居留地洋房壯觀，車馬縱橫如織，……土地廣漠，不見山岳，……江流濁浪滔滔，是則國內12開港場中之大者，而如是，其他不難想像。

骯髒云云是想像得到的，但我們關心的是，從膚淺云云開始，「我幾乎預感到成事之徵兆」這一段。成事的「事」是前述之軍事偵察還是包括征台？只是從日記的記述，實無法斷定，我認為應該包括兩者，但我認為這是他太過性急的判斷。由之我想起樺山得到前述派令時，說：「本日之廟議千載之愉快，乃是為本邦盛舉盡微力機會之到來」（明治5年10月10日）的激烈感慨。這個感慨當然表示樺山的血氣方剛，但同時也可以解釋為當年強硬主張征韓、征台論之薩摩派「興致勃勃」的反映。

到達的第二天，他便與同行的林有造（服務於外務省）商量要去偵察「鳳山兵營」。同一天，與留學上海同樣奉命視察的黑岡勇之丞（鹿兒島縣人）、福島禮介、成富忠藏（皆為佐賀縣人）見面，聽取中國現況，並說：「雲南有回族，為討伐他們出兵之舉動等，實在太大意了，李鴻章以親兵六萬出征行軍三百里，欲於本年冬期到達，其他情況類此者不少」，對於鳳山兵營，他稱：「鳳山大約十里，屯兵一千二百，稱為強兵，由西洋人予以訓練」。對於上海的治安和官吏的貪污，他這樣寫著：

江流運河之便利，實屬意想外的，江河內外聽見海盜之出沒，可謂中國各地方之家常便飯，……當地道台總督，除薪餉外，海關每月還給一萬美元，其泰半花用於各種賄賂。

3月11日，偵察鳳山兵營：

兵營有左右中三營，營內終夜在四方配置步哨，不斷敲打金鼓或竹筒。以喇叭、大砲命令。下午六時以大砲號聲爲信號皆停。兵營爲稻草蓋的倭房，四壁爲土壘，有如牧場之馬壕，營內中央無地板，房間置一桌子，左右之竹牀寢室鋪著稻草，當然很髒，各兵正在吃飯，各人拿著飯碗看著我們走過去。一營的半隊長是趙宗道，另一爲程廷，兩人皆四十多歲，體格肥胖，粗心大意談論時世局。左營黃色，右營用紅色徽章，前後寫著親兵漢軍營或副官左哨右哨等圓印。喇叭譜調三音，高音停息，開大砲前吹最長音，兵之強弱不值一論，據稱聘雇六名英國教師，槍械使用萊福、凱培，訓練之形容似非西洋式。

其記述極為詳細，做為軍事偵察算是適宜。令人感覺沒有紀律的清朝兵、英國教練之不認真的描寫，我們不難想像樺山對清朝軍特別是其強兵會有怎麼樣的印象。

爾後樺山又回到上海，繼續參觀黃埔造船廠，偵察正在建造中的軍艦。

當時的上海，似乎有各種各樣的日本人出入，3月18日，因前述黑岡的嚮導，往訪原信州人脫籍由長崎穿中國服前往大陸、在上海已經住了八年的畫家安田老山。

安田告訴他的當地情況是：

寧波道台某某在太平天國戰亂時，因軍功被拔擢至本營，其功說是他當騎兵被賊方（太平天國軍）逮捕，唯因其通醫道，被列入敵軍至蘇州附近，終得逃脫，這算是軍功，選拔其爲本官，安田笑著，……浙江省總督，舉辦80歲壽宴，省內人民贈品如山，老山氏之旅館主人贈價值1,500元之古器物，卻以如斯物品無用，……故更贈以金屬物品，對方收了，並以爲上述器物不如金屬而掃興。道台官吏公然收賄，譬如上海縣道台，三年之內收賄300萬元免官時，卻又希望做浙江省的官吏。省官大約將前任官所收賄賂留在公館四、五年或六、七年，以這300萬元來活動做下一任官。這些事爲慣習已成公然準規。

該天日記又聽取自信州人、譯日本國文受雇於天津的野口某所談有關俄國對中國的動向，而探知列強對中國的動態也是樺山任務的一部分。

樺山認為要與副島使節一行會合還有一段時間，故與黑岡溯長江繼續偵察，於3月30日抵達武昌，往訪該地的兵營。

他寫著：「前往武昌兵營，巡視兩營，一營正在殺豬中，徽章為楚軍，長槍掛在牆壁上，沒有槍械，士兵之舉動極不規律。」因該天無練兵，故又到漢陽，爬上著名的清川閣和丘山，眺望四方，就武漢三鎮的形勢說：

> 江流四方八達，實爲軍事上、貿易上，華南〔譯註：華中〕大江中第一要地，前途頗有望自不待言。城廓瞰下，武昌黃鶴樓、漢陽清川閣，兩樓對峙之優勝，得世人稱譽，實爲適宜。

前途頗有望云云，當然是樺山大陸經略策之有望論，應該不是中國發展的前途有望論。旋即偵察長江沿岸，於4月4日回到上海，立刻前往同一天到達之副島一行所住的旅館。樺山在其日記就當時情形這樣寫著：

> 具陳漢口地方之狀況等，琉球人之北京行很有些不適當，有支那豐饒國勢等戲談等，……爲祝福支那帝王，我艦發砲，國民由之大爲喜悅，表示答砲以後實行，各國無蔑視情事，有稱讚本邦人航海之外國報紙，高屋海軍少丞、兒玉平輔前來視察，爲同行視察支那地方得到方便。

可知琉球人同行不適當，乃因琉球之歸屬問題，不只是日、清間，在日琉間，當時還是一個很微妙的問題，實在有趣。同時，由以上所述，我們窺悉當時日本的領導人經常擔心外國人的態度，深怕遭到藐視，一方面承認中國的地大物博，另方面眼看江河日下之清朝動向，而日趨藐視中國文化和中國人，脫亞之志向亦漸強。因副島使節團一行的人馬都到齊了，故遂往天津出發。這是1873年4月8日的事情。

4月20日登陸天津，偵察大沽河口砲台設施及軍隊駐屯狀況，目睹前來天津支持列國公使迫清帝引見之示威活動和日、清間險惡形勢。30日，與前來中國二軍艦軍官一起訪問機械所（指為洋務運動之一環所創設「天津機器局」而言），寫下考察火藥混合機等的運作印象。30日的日記最有趣的記述是：「參觀該所時，雖說明是新發明，但不得其意」，和關於記述險惡情勢時，「我們談笑說，如果支那人起來暴動，反而將給我們良好的機會」這段。

走筆至此，我想起我來日本的第二年（1956），聽郭沫若在早稻田大學演講時，他曾大致這麼說過：「日本從西洋多學了一樣東西，那就是侵略」。改元明治第六年的明治6年，早就令樺山有上述的感慨，時勢之變化實在太快了，西歐的優等生日本人，怎麼如此優等，令我不禁深思。

我的感慨就止於此。

4月30日，日、清懸案的《中日修好條規》，於天津山西省公館簽訂。在這期間，副島全權大使雖然曾與李鴻章面談數次，但從未談到「台灣事件」問題，甚至於從沒表示副島使節團的另外一個任務是「台灣問題」的交涉。簽訂條約之後，副島附和列強要求晉見清帝的脅迫行動，準備乘這個機會提出台灣問題。

樺山告別副島一行，前往北京，不辭辛勞，繼續偵察。

他在北京的5月22日日記說，上海留學生成富到北京，告知其他二人（福島和黑岡）為觀察台灣已經離開上海。6月5日的日記說「西鄉少輔5月15日來信及送還台灣地圖，收到住在上海黑岡氏的台灣現況調查報告，它說該地（台灣）南部的生蕃酋長多基多克（Tokitouku，音譯）去世」，傳來調查台灣的情形。

6月20日，因所謂謁帝事件失敗，副島一行決定提出台灣問題。我們從樺山6月21日的日記，來看它的來龍去脈：

> 台灣生蕃殺害我國國民，因此日本政府欲迅速直接討伐該生蕃。唯以清朝爲原親睦之交誼鄰國，故通牒旨趣，本日柳原公使提出交涉，可是清政府卻回答說未曾聽聞生蕃殺害日本人，只傳聞暴殺琉球人，琉球爲我屬邦，對此我說琉球國一向爲本邦直接保護其人民，此乃所知之事實。故斷言不必論琉球國，只問責生蕃之暴殺而已，因突然提出，對方無異議，反及於朝鮮事，清朝亦表示與其無關，乃得出意外之結果，大家由之產生雀躍爽快之心情。關於生蕃地問題，從前美國曾經關心，但各國似無妨礙異議；謁帝問題最後亦不了了之，所以副島大使亦已準備回國，台灣實地視察很急，故一行決定明後天離開北京，往該地出發。

由此可知，明治政府採取交互提出征台灣、朝鮮問題的方策，以逼迫清朝，同時認為，列強不會出面干涉征台問題。

樺山一行告別副島等，於6月23日經由通州乘船到天津。就通州，他寫著：

> 通州城廓泰半頹壞，本邦公使回國後，當會委託魯〔俄〕國公使代理。魯國公使更換前任公使，乃認爲清政府之維持危殆，或只能保持一年左右，故予以更換，現今之公使對前幾年克里米亞戰爭有功，目前雖無迫切之事，但該公使認爲，清朝或會突然土崩瓦解，如果前段預言說中，他對大使戲談屆時擬將清朝分配給日本，伊犁地方雖是清朝的領土，但現今由魯國出兵鎮撫人民，如清政府予以保護即欲撤兵，但這亦屬一舉空拳。又問澳門情勢，所形容愕然，該地方彷彿日本人種，有何情事，因台灣島係屬枝葉，故有無關係之情事，唯因強國，無其他談判手段是同樣的，最後只議論琉球而已。

如此詳細紀錄像是告訴我們，清朝已不是問題，只要列強不妨礙交涉，台灣實有如琉球而已的語氣。

樺山一行於6月25日抵達天津。28日往上海出發，中途在芝罘訪問伊東〔祐亨〕艦隊司令官和伊藤〔雋吉〕艦長等於龍驤、筑波兩艦，就台灣問題有所商量和交換情報。7月3日到達上海，與上海井田總領事面談，正在華南準備要到台灣時，柳原公使一行由天津抵達上海，7月13日造訪柳原一行，爾後樺山就北京情勢將聽聞報告說：

上月29日，在北京謁帝拜謁於金鰲玉銅離宮，……向來是大問題的謁帝事件，再度談判破裂，乘此機會突然提出台灣、朝鮮問題，因過激筆鋒稍稍吃驚之內容，反而使之以不是對朝鮮等而是對清朝有目的，而惹起其恐懼心。終於迅速貫徹謁帝事件，而有結果。清政府衰退微弱的徵候不難推測，台灣生蕃慓悍，語言不通，日本之處分可能困難，海軍亦準備不夠，由孫子達透露種種非難和諷言議論，清政府既然確言生蕃非其管轄，不必多做論斷，處分之難易不足議論。在該項談判席上，孫子達陪毛昶熙、董恂，孫子達對上述的明確答覆感覺非常遺憾，因柳原公使英斷，以及大使（副島）之體面，實爲豐公〔豐臣秀吉〕征韓以來之一大快人心之事。不可失此良機。

這充分說明，日本要與西歐列強一起算計狼狽而腐敗的清朝，其姿態非常明顯。

樺山在7月14日的日記又說：

〔副島〕大使從天津出發到大沽時，得到清朝軍艦的護衛，陸軍也沿岸戒備，在天津與李鴻章會面，懇談朝鮮的種種，問大使之意見，該國接近盛京省，因而似乎很注意，完全沒有提到台灣事件，其究竟自屬無益的空論，清政府亦未予以處分，又漠視琉球問題，甚至有疏遠或排斥意味，可說是最好時機。清朝之土崩瓦解幾乎不能免，幾乎可謂完全靠偉人李先生一人在維持四百餘州。

以李鴻章為首之清朝對日態度，日趨軟弱。透過台灣、朝鮮問題終於達到謁帝目的這件事，使清廷大為震撼。因而對於一向認為小國的日本使節，也不得不予以禮遇。這一連串的事件，不要說副島或樺山，對於一般日本人，不但掃除了他們以往對中國所抱持的卑屈感和恐懼感，而且培養了他們對中國的某種優越感是理之當然、人之常情吧。

經過以上的經緯，樺山於7月17日離開上海，由寧波轉往福州的馬尾。同行者有兒玉和成富，同時請在上海住過五年、中國話講得很好的肥前人城島謙藏為翻譯，假裝商人，攜帶城島的畫，偽裝成風雅人士，刻意「不談時事，汲汲於探知現勢，……寓所亦以台灣之煤炭商為之」（7月21日日記），以馬尾近處為基地，探知台灣之動靜。7月23日：

升任通商大臣的陳錫氏來訪（中略）問是否要征討台灣，我們回答我們爲商人，不懂這種事，是否爲探索者不明，公然以官吏來訪不得探知，亦實屬愚蠢之至。

7月25日，請中國人當嚮導到城內，登勝山、烏石山、于山三山，偵察地理重地，製成于山下之營房、烏石山下的砲局（可能指造船廠），以及城內外之略圖，認為西城牆外鳳山地理最重要。無需說明，馬尾為清廷海軍基地，該日日記也說：

福建省與台灣一衣帶水，相隔對峙，福州、廈門爲最重要之地，幾同輔車唇齒之關係，可以說有福建才有台灣，有台灣才有福建，前途樞要，其地位值得重視。因台灣沒有安全的停泊場，故以廈門爲物產之集散港，無論貿易或國防，爲將來很有希望之港口。

從現在來看，這個軍事偵察還是很正確。樺山等在福州逗留大約一個月，偵察該地完了之後，於8月22日，由馬尾港往台灣出發，隔日即23日上午8時15分，進入淡水港。

在淡水登陸的樺山一行，本來準備下榻艋舺（今之萬華），唯英國領事館附嗹人（水野日記將其寫成璉人，因也有印度鴉片商卡馬・希得遜的記載，故可能指印度人）伯特爾遜來訪，很親切地要他們住在淡水。因為先到的水野遵和黑岡也是由伯特爾遜安排的。但樺山辭謝他而住在墨西哥人彼多爾家。8月23日的日記說，伯特爾遜不但協助了水野和黑岡，「其本人似為很願意為日本效勞，而有高望的人」，墨西哥人彼多爾和與副島同行的美國人李仙得也是一個例子，不知為何，對於當年日清間的各種動向，許多外國人都站在日本一邊。因日本政府聘請不少外國人或許也是一個原因，而這種第三國人所扮演的角色或許是多餘的，不過也是很有趣的問題。

8月24日的日記稱：

本邦出兵之日期大約還有兩個月，故此時復命只是徒勞，乃將視察狀況意見書贈呈兩西鄉氏，同時對桐野、貴島、田中三氏以書面詳細寫明其所託事項，以明日出港之飛腳船，今夕寄出給香港領事館。

此時情勢可能開始緊張，似決定兩個月以後要出兵，節省時間，只寄報告書，延期回國，繼續偵察和調查。淡水附近自不在話下，台北鬧區大稻埕、艋舺等地也做了極詳細的調查。同時請城島另外行動，偵察了台北的軍營等。結果得知艋舺軍營駐兵1,000人，攜帶家眷（薩摩人一定驚訝這樣的情況），練兵一年一次，大砲朽損，簡直散漫得不像話。他們的印象是，清朝衰退之兆歷然，軍隊亦毫無用處。

8月26日的日記，就視察淡水說：

> 與墨西哥人彼多爾一起散步市街內外。（中略）養豬肥大，人豬雜居屋內。郊外水田，有如四、五月前後所移植，矮小。一期（一年）二作，故豐收。遙望北方原野，高原有水田，不知其有水源地，皆用水牛，看不見普通牛馬。（中略）遠望江內外，黃昏景色，彷彿鹿兒島。

對於淡水河的養鴨景象：「江內小島養著鴨子，一百隻、兩百隻成群，養者由小船看飼，有若華北之養豬牧畜」（8月26日日記，轉引自藤崎前引書，頁297～298）。這令人想像彷如今日台灣農村之景況。

9月5日，與彼多爾乘他的帆船從淡水前往雞籠（基隆），偵察雞籠港和附近煤礦的情形，該日的日記說：「係清朝內地之習慣，雖是偏遠地方婦女還是纏腳，國家衰微之因，由此可見。」

9月8日由雞籠前赴噶瑪蘭（今之宜蘭），翌日（9日）勘查沿岸頭城「熟蕃」部落。「熟蕃叫作平埔蕃，到該地參觀織布工藝等，雖是粗製鐵機，製造台灣布和云麻羽巢織布，為很結實的布，工藝與日本製一樣」，他們也注意產業方面。當然也調查了蘇澳港，就調查南澳蕃時，9月24日的日記說：

照例舉行酒宴，賞大家銀三元，施以政略，……統統招來噶瑪蘭、淡水等熟蕃，萬一辦事業時要其奮起。這畢竟起因於對清政府不滿，生蕃侵入之嚮導無疑爲良機，如有充分金穀之計畫，即不需要我兵，所謂以夷制夷，以毒攻毒，自非難事。該項事業如成，不啻我等之僥倖，亦實爲日本之幸福，台灣北部之經略自如我等之意。

樺山的意圖可謂遠大，其侵略之意圖可謂實在夠露骨。擬以毒攻毒的方式占領台灣東北部，其將出現的情況自不難想像。

經過43天的大勘查，樺山一行於10月17日回到淡水，然後鑑於各種情況，遂前往打狗（今之高雄）。關於樺山以後的偵察，再找機會另行介紹，現在我們來看看水野的行蹤。

水野奉副島之命，早樺山一行一步，於明治6年4月末，從香港到達淡水。上述的伯特爾遜告訴他，昨日從上海前來的黑岡已經由陸路南下，所以他便開始北部蕃情的調查。

5月22日，和伯特爾遜與一個中國商人同行：

溯淡水河由艋舺登陸，往大姑陷（今之大溪）出發，經過村落阡陌間，到達枋橋頭（今之板橋，枋橋頭爲艋舺南地，頗爲繁

> 榮）。（中略）翌日（23日）早晨，樵路險惡（這一帶有許多樟樹，支那人鋸木材做板，運至淡水，木屑燒製成樟腦。故據聞其利益頗多。又山間耕種煙草豆類）（中略）黃昏抵達三角湧（今之三峽）山谷。（中略）砍倒老大樟腦樹數棵，設有三、四處製樟（腦）小屋，或樵夫小屋等。……

同時描寫隨漢族居民蠶食「蕃地」、「生蕃」之反彈，以及漢族居民對「生蕃」的虐待行為。水野爾後的行動，其自身沒有紀錄。根據藤崎的調查，水野於該年5月下旬或6月上旬離開台灣，經由上海，於6月15日抵達北京，向副島和樺山報告考察調查結果之後回到日本（藤崎前引書，頁318）。

水野所調查淡水河沿岸和上游地區，是著名的林本源一家所開發的地區，因開發這個地區，林家成為台灣屈指可數的大富翁，在台灣史上是馳名的。世界開始需求更多樟腦也是這個時候。我們實在很想知道，樺山如何報告這個偉大的資源。

以上，我們大量地介紹了樺山的日記。這個寶貴的紀錄告訴了我們什麼，實不須由我多費筆墨。在極為詳細而客觀的記述中，我們找不到後來殖民地統治者所大肆宣傳「瘴癘之地台灣」等字眼。我們似乎可以把「瘴癘」解釋為因戰禍等災害所帶來的，或者因為這些災害而更加厲害的（當然未開發森林地帶的瘧疾是另外一個問題）。征台之役，對殖民地化台灣的攻守戰（1895年）中病死率之高，自向來和平的台灣內部本身是不會發生的。

如許多例子所示，統治者或意圖統治的人，為著建立正當化統治的藉口，常常散布對於被統治者或其「候補者」的偏見，努力於令屬於統治者陣營的人們，種下這種偏見。

我們所發現和整理的資料告訴我們，近代日本關聯於領土的問題，以與中國最早有所關聯的「台灣事件」為契機，透過日本領導階層，在日本逐漸培植了偏見的底子。

日本雖然有學者將形成近代日本人對中國蔑視感的所有責任歸給日本人，但我並不完全贊成這個看法。

我認為，清朝及當時的讀書人，因自己的墮落和腐敗，從中國內部造成被蔑視的原因。但學太多西歐、太過驕傲而迷失本質的日本領導者所扮演的角色，我們也不能小看。本文如能對近代日本與中國關係解明有所貢獻，則屬萬幸。

補記：除非特別聲明，本文所列引用轉錄的樺山資紀《台灣日記》，皆根據樺山愛輔之《父・樺山資紀》。

本文原刊於《朝日ジャーナル》，1972年2月4日號

伊澤修二與後藤新平*

◎ 林彩美譯

如果對現在〔1972年〕40歲以上的台灣有識之士發問，問他看到伊澤修二這個名字時會想起什麼，大概半數人的回答會是芝山巖；有關後藤新平的問答則會是手段毒辣的民政長官吧。這裡所說的芝山巖，是日本在台灣進行殖民教育的創始地，後來因發生六個日本教員在此附近被游擊隊殺死的「芝山巖事件」而聞名於世。

教育家伊澤修二

伊澤是1851年（嘉永4年）出生於信州高遠藩〔譯註：今長野縣〕，經由藩校後於1873年（明治6年）畢業於大學南校，與許多明治時代的知識分子一樣，年紀輕輕（24歲）地於1874年就任愛知縣師範學校校長。1875至1878年以師範學科調查員

* 伊澤修二（1851～1917），日本教育家，致力於推動口吃矯正教育、國家教育等工作；後藤新平（1857～1929），日據時期台灣總督府民政長官，歷任日本政、學界要職。

身分被派遣赴美國，入學麻薩諸塞州立布里奇沃特州立學院（Bridgewater State College），該校全科畢業。之後，繼續在哈佛大學修習理學諸科。在此期間，於大學之外兼研究讀唇法與音樂等。

歸國後，做為文部省官吏（1878～1891年），伊澤成為建設期明治教育的推動者，除了在建立師範教育、音樂教育、體操教育、聾啞教育的基礎等方面發揮才能之外，而且在森有禮文部大臣之下擔任編輯局長，致力於確立國定教科書以及其他的編纂與出版體制。

辭去文部省職位之後，伊澤在民間創立了國家教育社（後來的帝國教育會），試圖從事國家教育的推展。在此之後（1895～1898年）置籍於台灣總督府學務部，致力於創始所謂的台灣殖民教育制度。被免去台灣學務部職（1898年）後，雖是間接地對台灣教育擔負起監護角色，同時以貴族院議員以及樂石社為中心，直至1917年逝世為止，實際上有近二十年左右時間，致力於口吃矯正運動之展開。

另一方面，明治政府的基礎得以穩固後、琉球處分以降的征韓論、台灣遠征等對外擴張的動靜，其矛頭實係指向中國大陸，已充滿濃厚的國家主義教育實踐家色彩的伊澤，當然能夠預見到。伊澤早已向中國人張滋昉學習中文。熱中研究，創新精神旺盛的他沒有錯過機會。為方便中文學習，開始編纂《日清字音鑑》（應用讀唇法原理的中文發音法課本），理所當然地將中文音韻研究當成一環來進行。

他把在台灣以台灣人為對象的日本語教育，做為其實驗的場所進行實踐經驗的累積（絕不能談得上是充足的），以及迄今的研究成果基礎上，伊澤發表了《讀唇應用清朝官話韻鏡》〔《視話応用清国官話韻鏡》〕（1904年）、1915年發行了《支那語正音練習書》〔《支那語正音練習書》〕、《支那語正音發微》〔《支那語正音発微》〕。

在死去的前一年（1916）還去到東北（舊滿洲大連），嘗試在中國大陸實踐口吃矯正運動。1916與1917年相繼出版的《讀唇應用支那語正音韻鏡》〔《視話応用支那語正音韻鏡》〕與《讀唇應用支那語正音法》〔《視話応用支那語正音法》〕，是為在中國的口吃矯正運動所做的準備，也是為此所做的研究成果吧。不只是音韻的比較研究，中日兩種語言音韻的相互關聯，當然也在伊澤的研究視角之內。

從以上看到的多采活動，使得伊澤被當作一位開拓的教育家、實踐的教育家，或者是教育行政家來記憶。因其在啟蒙期特別活躍之故，至今猶以日本近代史、日本教育史或教育思想史的研究對象而繼續存活著。

在這裡，要對伊澤和以台灣人所記憶的芝山巖為開端的台灣殖民地教育之間關聯的過程，做一介紹。

學醫出身的後藤新平

以「吹牛」著稱的後藤新平晚伊澤六年，1857年（安政4年）出生於水澤藩。經由藩校在福島須賀川醫學校畢業後，與伊澤同樣，以24歲的年輕之齡，於1880年被任命為公立愛知病院長兼醫學校長代理之職。1883年進入內務省衛生局，隨後立刻向局長提出衛生局內部改革意見書，並於1887年撰著了《普通生理衛生學》〔《普通生理衛生学》〕。1888年發表了《職業衛生法》。1889年會見福澤諭吉，私下談及就任慶應義塾校長的話題，同年刊行了《國家衛生原理》〔《国家衛生原理》〕一書。1890年辭謝鄉里勸說他競選國會議員的邀請，帶職留學德國（自費之外，內務大臣賜與一次性補助金1,000日圓）。1892年通過博士考試，出席在羅馬舉行的第五屆萬國紅十字會議之後，從馬賽踏上回國之途。歸國後就任衛生局長。同年12月駁回並否決了皇漢醫團結起來，於第五屆帝國議會上所提出的「醫師執照規則改正法律案」。1893年就任醫術開業考試委員長，翻譯並發行了《萬國衛生年鑑》〔《万国衛生年鑑》〕。1895年任臨時檢疫部（部長兒玉源太郎）事務官長，同年9月再度就任衛生局長，並於11月向內務大臣以及台灣事務局總裁伊藤博文，提出有關台灣鴉片政策的意見書。

1896年，後藤針對有關台灣鴉片制度施行方法的徵詢做出答覆。同年4月任台灣總督府衛生顧問，5月向樺山台灣總督提出設立台灣衛生會議的建議書。同年6月，第二任台灣總督桂〔太郎〕赴任時伴隨其赴台灣，6月20日由台灣基隆踏上華南視察之途。1898年做為台灣總督府民政局長（後改制為長官），與兒玉第四任總督同時赴任，至1906年11月為止，近十年間做為民政長官在台灣大顯身手。

辭去民政長官後，後藤就任南滿洲鐵道株式會社第一任總裁，並同時被台灣總督府聘為顧問。1908年被免去遞信大臣〔譯

註：相當於今日之郵政大臣〕兼鐵道院總裁、滿鐵總裁以及台灣總督府顧問等職。爾後歷任外相、東京市長等，在此期間曾圖謀恢復日、蘇國交。晚年從政界隱退，從事青年團、廣播、政治倫理化運動等事業，於1929年亦即張作霖被暗殺的次年，結束了其多采的一生。

眾所周知，使後藤從醫學轉向衛生行政，再自衛生行政投身於一般殖民地行政以及政治世界的契機，便是以就任台灣民政局長為開端。做為民政長官，其手腕受到明治政府的賞識，在台灣人記憶中，為手腕毒辣能幹的民政長官後藤，與伊澤相較，在活動範圍上雖有量多與寡的差異，但皆有與中國的關聯，而都是以東北為其人生舞台的收場，這種偶然的一致，也算是一奇吧。

伊澤與後藤都出身於小藩、下層武士階層，並且均富於創造性（有發明癖並善於動腦筋），都是粗野奔放的行動者，這一點勾起了我們的興趣。

中國有「時代創造英雄」、「英雄創造時代」的說法。雞生蛋、蛋生雞的議論，很難立刻得出結論，但如果非下論斷不可，筆者願意取「時代創造英雄」一說。伊澤、後藤正是近代日本黎明啟蒙期的搖籃時代中所產生的英雄。

兩人都曾在藩校學習，以漢學為基礎再進入洋學，雖是沿著尋常的路線走，但是與當時主流藩閥出身的青年所抱持的成為大政治家、大外交官、大軍人，氣宇壯大之康莊大道不同，他們選擇教育實踐家及醫事、衛生行政家之路，亦即走向有志於成為有才能的青年士族的曲折之路。不，應該說是他們被迫選擇了這一條路。

行動敏捷而精力充沛的兩個年輕俊彥，選擇成為新時代的菁英不屑一顧的工學、理學等方面的技術者，即投身於自然科學之範疇，究竟也只能是曲折而已。只因為是曲折，所以就要試著走回到原來的地方。

在由藩閥所鞏固、絕對主義的官僚體制中，伊澤與後藤分別任職可說只能算是旁流的文部省編輯局長、內務省衛生局長等職，致力於引進歐美的技術，傾注精力於創始相關的行政方面工作，筆者認為這是其回歸大志的部分顯現。然而也只不過是趁主流藩閥滴水不漏的絕對主義官僚體制人才短缺之機，才被選上的，也可說是次善的顯示之道。

伊澤透過留美而引進歐洲近代合理主義與教育技術；後藤只是透過留學德國，同樣引進西歐的近代合理主義、實證主義與社會政策的衛生思想。兩者對西歐思想日本化的迷戀，使他們奔放自在的活動變得更加多采，來自西歐的實證主義精神又使他們變得善於分析，尊重以調查研究為基礎的行政執行。

伊澤、後藤所共有的科學性系統可以這樣回溯。他們因為掌握了科學性，所以也就帶有一貫性。

與台灣的關係

伊澤到台灣發展的動機，當然不是以向台灣輸出他的教育技術為主要目的。正如上沼八郎所寫的，其表面的理由是為了國家教育的輸出與發展；真正的理由，一半是由於伊澤個人在國內事業上所遭受的挫折，渡台也是其為扭轉這種不順的一個表現

（《伊澤修二》〔《伊沢修二》〕吉川弘文館）。我持稍微善意的看法，在前面筆者所介紹的伊澤簡歷中也可看出，伊澤有把台灣做為其中國音韻論研究的實驗之地想法，我願意把這一項也加入他的渡台理由中。

與後藤不同的是，伊澤的渡台不是受當局之邀，而是自我推銷而成行的。早在決定「割讓」台灣的《馬關條約》締結（1895年4月17日）前約兩個月，他像個精力充沛的行動者，早早便前往廣島大本營，拜訪已內定為第一任總督的樺山資紀。那是透過牧野伸顯文部次官的介紹而實現的會見，會見之際秀出自著的《日清字音鑑》（前引）草稿，談其對台灣教育的抱負，嘗試推銷自己。

不得不做推銷的最大理由，不外乎是他在文部省最有力庇護者森有禮文部大臣橫死而失去依靠之故。結果是從文部省被免職，接著是為對抗文部省的主流派而創設的國家教育社，以及他強烈主張的對國民教育國家保障要求運動，也經過幾多曲折而處於轉折點，乃至遭受挫折等因素。

推銷輕易地成功了。第一，願意跳進未知的新領地、充滿熱情的教育專家除了伊澤之外別無他人。加上正值甲午戰爭之際，因翻譯者的不足，而姑且以荒尾精所率領之日清貿易研究所的同仁及門生百餘名以做敷衍的苦澀經驗的樺山來說，雖然是被免職、超一流教育行政家的伊澤自動找上門來這件事本身，就是意外的收穫，望外之喜是可想而知的。

做為軍人的樺山對伊澤的激烈脾氣並不是太在意，何況伊澤曾經主倡「戰時誓約」（保證出征軍人子弟的教育等）的規定，並把他一貫的主張教育費國家補助的要求暫時束諸高閣，更為鼓舞軍心，蒐集出征軍人之忠勇美談，出版《征清餘譚義勇之鑑》〔《征清余譚義勇の鑑》〕散發全國等，為進行甲午戰爭給予側面援助的所作所為，對樺山海軍軍令部長而言更是難忘之事。我想這些也是和他被起用有所關聯。此事暫且不說。讓我們來看看即將渡台之前的伊澤對台灣是如何認識，又披瀝了何種抱負。

終於成為大本營的隨員，忙於準備渡台的伊澤，於即將渡台之前的1895年5月25日，在《廣島新聞》上，發表了如下的台灣教育談：

> 本來台灣地接支那本部，因此支那教育自古既已施行，雖非無文字之蠻族，但由今日之教育觀之，無非沉居於蠢愚之一動物境界者也。皇天何之恩惠驅此可憐蠻民投我大帝國之治下。彼等未能享受高等人生幸福而漸營幾近動物界之生計者，爲無教育人類正應受之罪孽也。偉哉吾聖天子之凌威光被八紘，台灣五百萬之蠻族亦將拜天日之時近也。若立於聖化之庇蔭，以計策台灣教育爲帝國臣民者當然之義務，開拓事業中愈益居其先登。今日自教育施行上看台灣時，須將其分爲東部台灣與西部台灣以觀察之。西部台灣大多係由福建州之移民組成，如其中有些許土民亦已受福建風習之感化，如言語亦爲福州語即支那南邊語言，如同西部台灣殆爲福州移民所占有之也。故到處咿唔之聲（讀漢書之聲）非不聞亦不過《千字文》、《文選》、《四書》、《五經》之背誦，因此二十歲尚無一已能寫書信者也。彼等之教育係唯一之儀式即僅止於裝飾而非實用。豈能得

以啓發天授之才能，以使其人性之品位高尚耶。

東部台灣即生蕃地方，於教化上卻有優於西部者也。彼等先前雖曾一度立於荷蘭之治下，但彼等遲鈍腦裡之日用文字有用羅馬字者也，此完全出自耶穌新教派宣教師之薰陶之故。今日彼等之教育者猶依然以宣教師充當之也。是故欲扶植台灣之教育，首先應輸入日本語以片假名替代繁雜之漢文字爲第一，盡早致力於語言融通而後漸次著手彼等智慧之增進外，別無他途。至於其他教育施行之瑣事雖無談論之必要，然而意欲教育台灣者非具有非常之勇氣與忍耐不可也。忠勇之帝國軍人既已完成其本分以發揮國威，欲扶植國家百年大計之教育者，焉可不勵精從之者也。（信濃教育会編，《伊沢修二選集》）

「沉居於蠢愚之一動物境界者」、「可憐蠻民」、「台灣五百萬之蠻族」等言，是傲慢者之粗暴言語之外無他。尊重科學認識的伊澤，居然如此這般吐露其無定見，也是日後如其所自白一般，直至基隆登陸為止，尚未想出任何有關台灣方策之故吧。

或許善於把握時代潮流的國士伊澤，乘街頭巷尾陶醉於勝戰之氣勢，而講一些迎合好聽的話而已，也未可知。

當過隨軍記者和《國民新聞》的文藝部長、博文館《女學世界》編輯者的松原岩五郎，曾以筆名「乾坤一布衣」把當時台北之情況寫成〈台灣風土記〉〔〈台湾風土記〉〕一文留傳下來：

台灣百物茂生，植物、動物之產，多種多樣，非高麗、遼東所能相比。然而其土地不只天賦之大寶庫……台北府城……簇集

> 一萬餘户人家……市街之房屋大抵爲兩層建築，無如遼東、北支那地方之平屋者。市内人力車猶多，其數不下二千……此邊多有名製茶所，一所擁有七、八十名到二、三千名的撿茶婦。此處盛行精心建造可謂半支那半洋式的大廈高樓，又此邊猶多……市中一般係富庶之模樣，比之其他北清地方生活程度頗高。市中到處皆有如酒店、飯館之處，也有如青樓之處，百貨之豐富比遼寧之營口更顯富庶，而其富美之豪華更使之有數層之盛觀。貨財金銀洋溢，人民之意氣高昂，且其人民不如遼東地方，無隨便向日本軍隊奉呈「彰德表」者，每人之傲慢自顯於鼻端，視日本軍隊如其他旅行者一般，一副汝等以戰爭奪取國家，我等以金錢與物產過自己活之神情，完全是妄自尊大，横行闊步於市中，無些許忌憚神色。

乾坤一布衣接著又描寫了艋舺（萬華）的繁華，物質的豐富，勞動者的勤勉，穿絲、麻等布料做成的豔麗衣裳的庶民風采之後，更加上「又至於其身上的修飾，則巧以金銀珠玉裝飾，極為華美鮮麗」。再把貧民窮人所住街巷之污穢也一併記錄（民友社發行，《社會百面》〔《社会百方面》〕，明治30年5月2日。本稿所引用者皆引自風間書房，《明治文化資料叢書第11卷世相篇》，1960年10月30日版）。此外以台灣為富庶之地、是寶島這點，客觀地做了報導的日本方面文獻，在日本占領台灣之前與之後，例如於《太陽》的第一卷第五至八號（明治28年5～8月）等內文中，也頻頻出現，在此就不提了。

話雖如此，那又是在何處如何亂了章節的呢？如今卻只是把舊時的台灣做為瘴癘之地、化外之地來記憶。實情是因為台灣是富庶之地，日本帝國多年來一直垂涎欲滴。《馬關條約》交涉之際，即使李鴻章為免於割讓不得不耍文弄字，將其說成是「化外之地」、「瘴癘之地」，伊藤博文還是不理會，不肯退讓一步。恕筆者畫蛇添足地說，除伊澤之外，連後世的社會科學者也以「萬里瘴癘之地」等依樣畫葫蘆來承襲（如前引的上沼八郎等），真不能不說是遺憾。

這暫且擱下。有關伊澤對台灣實際狀況認識之不足，把台灣機械性地分為東部與西部，以前者為生蕃之地，認為係布教的結果使得羅馬字被使用，將西部住民認為僅有福建移民（不知有客家人的存在），更把福建移民所用語言稱為福州語，是完全的錯誤（正確為漳州語與泉州語，一般也謂之廈門語），簡直是粗糙得太不像話。與其粗糙的台灣認識相比，伊澤擁有壯大抱負的忠良臣民面目、國士之風格躍然紙上。也許是因其遭遇不佳而所做的虛張聲勢吧。

伊澤的抱負第一次被印成鉛字當然不是「台灣教育談」。他口述有關戰後教育的展望與希望內容，以「明治28年的教育社會」〔「明治二十八年の教育社会」〕為題，發表於《國家雜誌》的33號（1月28日）。此口述論文是思考伊澤的甲午戰爭觀和他所主張的做為「國家主義教育」發展的「國家教育」論，是珍貴的資料，在此暫且割愛。

他對於新領土的看法是：

置兵鎮壓反叛，此係由外形上威服民心、維持新領土秩序必要之事，唯只令之威服而不謀令之懷念之道不可也。故以威力征服其外形之同時，另應征服其精神，不令其去舊國之夢發揮新國民之精神不可。即不將其日本化不可，改造彼等之思想，同化爲日本人之思想，成完全同一之國民不可。而如此征服彼等之精神即普通教育之任務也。故有果得新領土施行普通教育必要之同時，應由我國政治家感悟之。而精神之征壓比威力之征壓更加複雜，因之至於其施設方案實需深奧之思想不可。絕非普通教育政務官能勝任者。一方面依歷史上之觀察其遺傳之傾向，仔細考慮以之導至新方向同時，另一方面依心理學上生理學之觀察，重新創造精神界方案不可。以最廣泛的觀察力與學識所立之方案、以最堅定之意志與最熟練之政略實行不可。（中略）擔當此困難局面之教育家人數應非少數即足。然教育家中之人才於現時尚不足，何況一時須增加此需要，絕不認爲能有十分應付之準備。

雖為敵人也不能不稱許其分析與前瞻之高明。此「科學」性分析與梗概的開陳，可想像是在樺山面前做的。有意思的是訪問樺山後，他好像還去訪問了山縣有朋的大本營，展開了同樣的論述。也曾有山縣期望在新領土上「無陷入教育過度之弊」的一幕。伊澤答曰：「依孔孟主義，應採取尊敬四書五經之方針，故無斯虞。」（伊澤修二君還曆祝賀會《樂石自傳教界周遊前記》〔《楽石自伝教界周遊前記》〕，明治45年5月9日）擔心「教育過度」之帝國臣民化，即台灣人之日本人化教育，是在台灣的殖民地教育創始伊始的精髓。以歐美合理主義與儒教倫理巧妙結合以奉獻明治體制之強化，擔當起促進「帝國教育的輸出」的角色，為宣揚漸趨成形的日本帝國主義的國威在教育面的使命感，使伊澤自告奮勇地想擔負起這個使命。

被極力宣傳的後藤新平的生物學殖民統治策與對舊慣的尊重，並非後藤的專利，伊澤也持同樣的觀點，透過前述加了重點部分之發言，就可明白那是理所當然的。他從美國留學歸國後，馬上翻譯了哈克斯列（T. H. Hakes）在美國進化論講義的一部分，以「物種原始論」〔「生種原始論」〕為名於1879年（明治12年）發表，又於十年後翻譯了全文，於1889年以「進化原論」為名發表。誠如伊澤之自負，僅以他是將進化論做為著述介紹給日本的第一個日本人而言，此間情事也沒有什麼可奇怪的，後藤從伊澤之譯著中學習到進化論的可能性，也是可以想像的。

伊澤渡台之前，在前引《國家教育》（第38號）上，以「帝國教育之輸出」為題的論說中，對明治政府提出要求的要點為：⑴為對鄰邦朝鮮民族的帝國教育滲透；⑵為將新領土台灣土民教化成帝國臣民。此要求一語道破了甲午戰爭日本真正的企圖何在。在這個意義上，可以說台灣教育是被視為進入中國大陸後勤基地教育的實驗地。

伊澤懷抱以上的認識與抱負，於同年5月17日從京都出發前往台灣。時值45歲，正當年富力強。

從前面提示的後藤簡歷中可知，後藤與台灣開始發生關係並非擔任民政局長之後。從德國留學後將所學的醫事行政、衛生制度、社會政策、細菌學等導入處女地日本，努力耕耘的後藤道路與伊澤同樣，係小藩出身佼佼者，並朝向「遠大志願」的回歸之道。然而「好景不長」，因捲入相馬事件（後藤因被捲入有關相馬子爵家爭奪財產的家庭糾紛而坐牢，後來被判無罪）丟掉衛生局長之職。是時正當甲午戰爭劇烈之際。

1895年以無罪雪冤後，後藤猶豫再度仕官。無論怎麼說，能處理復員軍人檢疫大事業的人才，除後藤之外別無他人。以此之幸，後藤令其接納自己的條件，受邀就任改制後臨時陸軍檢疫部事務長官。在兒玉源太郎部長之下，短短三個月期間，運用當時而言可謂巨款的108萬日圓，完成了大任。日後，透過兒玉獲得伊藤博文信任，被推薦為民政局長之機緣，即孕育於此。

台灣的占領統治對日本而言，在衛生方面首要的問題是如何防止鴉片毒害向日本蔓延。因此，直到占領台灣之前，輿論與當局的方針均以禁斷為主流。然而，台灣占領軍所面臨的鴉片問題不僅止衛生問題，更不是如同蔓延日本內地一般「悠長」的問題。反對「割讓」的台灣民主國抗日軍（當初係官、民的統一戰線軍），以「日本要禁止鴉片！」為抗日標語之一，開始煽動寄生地主階層為首的有產吸食者階層參加抗日戰線。本來已遭受游擊隊頑強抵抗，很難制壓台灣的占領軍當局，陷入對斷禁鴉片所帶來軍事、政治的反彈而不得不苦思的難局。

第一代民政局長水野遵，考慮當地情勢而從台灣帶回的漸禁論，遭到了日本國內的輿論、議會、台灣事務局的全面反擊。反擊的理由當然與其說是為台灣人的衛生考慮，還不如說是恐懼蔓延到日本以及違反國法，再者對國際輿論的顧慮也是主要理由。對於尚未有結論的鴉片議論，且必須盡早做出論斷的內相芳川顯正而言，向剛恢復衛生局長一職的後藤徵求意見，也不是沒有原因的。

撰寫這份意見書，是促使後藤與台灣掛鉤的端緒。

意見書首先嚴厲駁斥了鴉片禁止反對說，力陳嚴禁的必要，然後以「對應時宜之禁止制度」提倡漸禁。到此為止與水野等的主張無大差別。後藤之「見識」，倒是在其漸禁的手法，以及由漸進所獲得財源的運用中可看出。

禁止鴉片的自由貿易通商「歸入衛生警察施行之內，在於顯示政府之威信，應是第一占有地位之事」，倡導施行夾帶政治效果的專賣制度。這是深知自鴉片戰爭以來，在清朝鴉片之禍蔓延的主要原因，係清之威信衰微而無力取締一事的基礎上所做的發言。由於專賣所獲得的利益：

> 鴉片輸入稅據說達80萬日圓……以此做爲政府之專賣，以禁止稅之意，於此輸入稅額之基礎上，將其價格增加爲原來的三倍……對帶有政府發行摺子（即後來的執照）者，給以吸煙用販售。如是則……國庫更可以增加160萬日圓收入。

——預計可增加至240萬日圓以上。

> 以此費額，充當在台灣地方殖民衛生之費用時，即根據所謂生存競爭之原因，踐履以毒制毒之自然定則者也。在此情況下，即可改變危害健康之禍源，而得增加國民福祉之利益。

這可說是顯現了其生物學殖民地統治的一個片段。基於財源還原之運用，不用說是從德國社會政策的衛生行政中學來的。後來，後藤在台灣執行的「胡蘿蔔加大棒」構想之一端，在意見書的前文，即針對反對禁止說的駁斥之中也可見到。後藤說道：

如對台灣鴉片之制流於姑息時，將遺留千載之悔，故在戡定土寇之同時，與內地同樣鴉片吃煙不可不嚴禁。即使萬一多少不平之徒因之企圖行暴舉，則以兵力鎮壓之，如稅關收入一般，即使出現幾十萬損失毫不應有反顧者。此時斷然適用鴉片吃煙嚴禁之制爲最良。然據近來渡台人之說，多以此斷行策爲不可，以爲定人心之後再制定方法之外無他。否則兵亂連年相繼，沐浴王化無期。傳朝廷之說亦多傾於此。果眞信乎，嗚呼危矣。不得已則取第二策（漸禁策），然此際失去斷然發布禁令之勇，號稱待人心安定之日，勝於徒然忽視唯一之好機乎。

此氣魄被與心狠手辣相連結是理所當然的，這也是第一代長官水野所欠缺之處。後世之人舉出後藤係站在長期展望上訂定方案，為其特點之一。然而水野雖無誇大調查研究計畫那種程度的「誇口」（與其說其個人資質之欠缺，不如說水野所擁有的政治社會地位與政治力量不容許其有此舉動），但對於台灣統治的長期展望，水野也是有的。

從水野即將渡台之前的5月7日，於愛知社主辦的送別會上所述即可窺知。他說道：

今後於該地（指台灣）應做之事業，應取之方針爲，輸入科學、因其力而親切誘導，徐徐以圖富源之增殖……然觀頃日報紙等所筆，聞政客所論，御用商人等所言，概皆非徐徐扶植其富源，卻是諸如一時吸取彼地之富源之類。如所謂的製砂糖即可博大利、若生產樟腦則可獲益多、應發掘礦山、輸出紅茶以獲取遺利等等，僅是一些話柄而已，彼等生蕃之人種如何，是否應將之導引為文明之民，然其方法又如何。若到底無法教育，又該將其如何處置。或做地質調查，農業適合種植何種植物等，踏實立論者極為稀少，唯多投機之論，至為可歎。（〈台湾赴任の辞〉，《太陽》1卷7號，明治28年7月1日）

日本國內有關鴉片漸禁論、非禁論的猶豫，是如前所述，除考慮對吸食者階層主流的寄生地主階層和商人階層的人心向背外，鴉片輸入稅收益也纏雜在一起，這是矢內原忠雄所說，早熟的帝國主義日本的墊腳，伸腰逞強去統治殖民地台灣的一個猶豫表現。水野所感歎的露骨掠奪性、投機性資本家的台灣傾向，也是未成熟資本主義行動的一個真實反映。

這暫且不管，後藤的意見被採用，經過閣議的決定確立了台灣的鴉片制度（次年2月15日）。接著3月22日，再度被徵詢有關台灣鴉片制度施行方法的具體意見並做答詢。4月24日，後藤任局長之同時，為了鴉片令的調查與確立其他衛生行政，接受台灣總督府的囑託，當了總督府衛生顧問。

顧問就任後立刻行動的實務家後藤，向樺山總督提出設立台灣衛生會議的建議書。樺山不久被更換，將就任新總督的桂太郎在同年6月1日，和以視察為目的的伊藤首相、西鄉海相一起伴著後藤渡台。這是後藤第一次踏上台灣土地。

可說是愛提建議又進取的他，在視察後立即提出題為「有關台灣島全部酒類的釀造、菸草的製造應予免稅」的意見書。其宗旨為：

> 一、採取使其從「毒害最多的嗜好」鴉片，轉到相比而言「毒害比較少的嗜好」政策。
>
> 二、「此免稅之酒類及菸草之販賣營業者，許可只限給予完全沒有吸食鴉片之癮者，以此營業者爲工具，暗中探知走私及犯規之鴉片吸煙者。在禁止鴉片上可收事半功倍之效。」
>
> 三、「台灣產菸草葉，其品種優良，據說可充分滿足各人之嗜好。（中略）今其製造倘若無稅，相信這另一方面將可成爲獎勵其生產的有益方法」等等。

從以上簡單的三個宗旨中，足以表明後藤腦筋之敏銳。所謂的嗜好轉換誘導、利誘方式（這點後來被發展應用在對游擊隊的誘殺與各個擊破政策上）、產業振興之企圖，而且此三者是被有機地連結在一起進行考量，對此感到驚歎的應非僅止筆者一人吧。

甲午戰爭後，由於頻頻發生政變，與難以鎮壓的游擊隊，曾使輿論紛紛，連以1億日圓將台灣賣給法國的賣卻論也迸出。在此狀況下，第三次組閣完後的伊藤博文，也因桂陸軍大臣的推薦，想使兒玉與後藤的治台搭檔能實現。但是讓一個衛生技官承擔台灣的難局，認為有困難之點的高官也不是沒有，最甚者為井上馨大藏大臣其人。井上首先兼有考驗他的意圖，委囑後藤起草台灣統治急救案。

我們再稍微從渡台前的後藤，由鴉片問題到衛生行政建議，更將其範圍擴大到整個行政過程，來看他是如何提出治台急救案。「台灣統治急救案」是窺知此點的方便資料，此案的基礎是放在反映台灣統治的難局，應該如何圖謀「開源節流」（開發財源、節約開支）、如何維繫台灣民心、如何緩和外國人的抱怨與批評，以及關於政治上的人與學問（科學）應該如何有效利用等問題。

非常有趣的是，以往盛傳後藤把尊重舊慣做為治台基本，其原來的提議是：

> 破壞其自治的良習，取而代之的新政不能獲得效果。雖可施行文明法令，人民尚未脫離舊慣，所謂具有《水滸傳》遺風要如何。面臨此人民，欲施之以母國亦難行之繁雜新政，愈益過分。堡庄自治破壞之同時，堡庄自治費亦不得不以國庫費用開支。其經費不堪其多，其事務不堪其繁，固是理之當然也。

不用說，尊重舊慣的另一個主要意圖，在於舊秩序的急遽破壞所引起的民心叛離這點。堡庄（町村）自治的舊慣恢復即是之後《保甲條例》的發布（1898年8月31日律令第21號），在連帶責任下頒布連坐制，與其說變更舊慣，不如說是透過再編強化舊保甲制度以資確保地方治安是廣為周知之事，也是心狠手辣的行政表現之一。

後藤還拒絕從法學制度上急遽地施壓以及形式主義的政治。後藤說：

> 夫台灣人民爲由清朝政府以化外之民長久放任，比之其文化程度，其自治之制反而有驚人之發達。即於堡庄街社等，可視之自治、自衛之舊慣者確實存在。於此等各自治團體，其方法適合今日之學理與否暫且不管。至於警察、裁判、士兵，直至收稅之方法，無一不具備。此自治制之習慣正可說是台灣島之一種民法也無不可。然而當局者不察之，倉促草率破壞此制度，漫無道理發布新法令，急於徒裝外觀，不深顧民性之特徵，立即施以急進的文明之政，爲施政方針之過失不言自明。

雖然後藤未能注意到倘若未達到一定程度的生產力階段，是不能構築在台灣所能看到的自治制度邏輯，對其「比之其文化程度，反而其自治之制有驚人之發達」這點不可認同，至於其他的看法都可謂明晰的見解。

後藤在「案」中，雖然使用了前面引用過的「化外之民」，以及在別處他主張官制的合理化過程中，使用過「蠻煙瘴霧之間」之類的語言，但從文章的整體脈絡來看，並未把台灣看作未開化之地。

與伊澤的「壯士」之言不同，而是有如自然科學者一般的客觀分析，也未見有如同口舌之輩一般，耍弄文字遊戲之處。

正因有此科學精神之故，在「案」中也進行了必然會引起總督府在任者不悅的積極批判。特別是道破總督府官吏：「然而其官吏為無經驗之書生、非新聞記者，則是被母國政府排斥者占多數。其如此招致土匪反抗、外國人抱怨、土人蔑視，亦係易懂之理也。」這一段，可說是栩栩如生描繪其面目。到任台灣後，以行政改革之名裁汰冗員1,800人，整頓八成被亂發布的日本內地式法律等，大刀闊斧之作為是其很有名的事蹟。

特別是用現在的話來說，如同基礎設施或社會資本投資首先予以明示建設順序之意的，是以下的「案」：

> 拓殖之要領，雖說主要應斟酌民情以定其方針不可，至於拓殖事業，則要採取最近之科學政策。即第一要以鐵道、郵政、電信、汽船等爲開始，講求設置道路、治水、水道、下水道、醫院及學校等方法。次之應著手改良殖產工業之稅收等也。

比伊澤的赴台僅晚不到三年，卻有很大的差距，此「案」係循著何種手續起草的呢？從「案」中也可見到研究英國殖民政策的痕跡，所以雖有「說大話」的綽號，卻不能不說是內容極為充實的「大話」。大概也是此「大話」使井上不得不折服吧。後藤於3月2日獲得民政局長的聘書，3月20日開始向台灣出發。時年僅42歲。

舞台終於轉移了。伊澤因與水野發生意見衝突，在乃木總督時的1897年7月被免職，在任期間僅短短兩年。但國士伊澤為「國家教育之輸出」與「皇民化教育」而奔走；做為讀唇法研究者的伊澤將精力傾注於對台灣人的日語教育、日本人教員的廈門語（即所謂的台灣話）習得法的設計之中。此間之經過與「成果」有待伊澤修二研究家研究。

芝山巖事件真相

伊澤被免職歸國後告白道，在基隆上岸之前誰也沒有治台的方策。與西歐所進行的殖民地化過程——經過長期間的布教、貿易、調查活動、對當地語的學習才下手的殖民地化——相比，完全可說是「瞬間」領有，通曉台灣普通話者無一人，據說主要依靠經由北京話而進行的雙重翻譯。

伊澤說道，隨著施政的開展而形成的台灣統治大方針，其結果是「恩威並行，即一方面以兵馬之威大加以征服，另一方面又布施善政以收攬民心」。此收攬民心手段是讓彼此語言互通，「因此在彼此思想可相通之同時，必須令其知道我日本帝國之善政所據之處，只有以教育去開發人民的心情之外無他」。

然而，伊澤還繼續指出「雖說是生蕃，雖說是土匪，也還是具有人心這是沒錯的」來論說生蕃教育之可能性。土匪雖逞凶暴，襲擊辦務署、警察署，但還沒有過襲擊學校的例子，他還同時也一起報告了台灣人對教育的熱心。對在芝山巖遭游擊隊攻擊而殉難的六人真相，也做了與以往所傳不同的報告。伊澤繼續說：

> 方才所說六人之死完全可說是一時的戰亂之事，其時此六人也不是在自己的學校內被屠殺，而是在離開學校後前進的途中終於戰死的。此時也絕未襲擊學校。我們回去看到學校依然存在，沒被燒也沒變化確實存在著。（《台灣協會會報》第2號，明治31年11月）

關於芝山巖事件，繼任的總督乃木希典在寫給吉田庫三的書信中，向我們展示了更大的真實：

拜啓：

頃接厚情之圖書等相送致謝，立即配與生蕃童等。上次台北土匪起義之際，楫取道明君遭難之儀，一時疑惑終成事實，何其憐哀之至！恐察之台灣施政亦誠皆不痛快之事而已。人民謀反亦不無理，如乞丐得馬，不能飼養、不能乘騎，終致被咬被踢，令人惱怒之結果，貽笑世間，深感慚愧。今後混亂越發相加間消磨日子，可曰意外之幸福。

右致謝

順此頓首

1月30日（明治29年）

希典拜

吉田賢吉　尊下

沒有比木訥樸實的武人乃木之言，更能把芝山巖事件的本質，以至日本所謂領台的本質「一針見血」道破。「乞丐得馬，不能飼養、不能乘騎，終致被咬被踢，令人惱怒之結果，貽笑世間」等等精采的好比喻，不是絕妙的諷刺又是什麼呢。（書信出處：尾崎秀真《台灣四十年史話（四）》，《台灣時報》昭和9年4月號。附帶說明一下，楫取道明為芝山巖事件受難者之一，與吉田松陰家為親戚關係）

做為日本的台灣「教化」標誌，芝山巖被奉祀，神話就被創造出來了。此事件發生之後，對游擊隊的起義做了報復，與遇害日本人同樣數量的台灣人在芝山巖附近被殺（這其中也包括日本方面所擁立的士林街保良局長潘光松也被拷問、凌遲至死的慘事。楊卻俗〈記芝山巖事件——一樁反奴化教育史〉，參照《台灣風物》第4卷第5期，1954年5月31日）。

後藤神話解密

後藤應該說是來自「被馬咬、被馬踢而惱怒之結果貽笑世間」受困擾的暴發戶之國——且不以乃木所比喻的乞丐來說——的所謂最後王牌陸軍的頭號才人，做為長州出身但也得到薩閥厚實信任的（〈後藤新平子（爵）座談會〉，《文藝春秋》昭和2年4月號上的後藤發言）兒玉源太郎的搭檔，提著「台灣統治救急案」，把伊澤所說的「恩威兼施」轉換成「胡蘿蔔加大棒」政策，直至其1906年11月13日轉任滿鐵總裁為止，實際上在台灣施行將近十年的心狠手辣統治。

他的施政與「成功」，已有很多日本人稱讚、談論過，在此就割愛了。

可是這種談法，當然並未反映出台灣民眾如何被後藤的心狠手辣政治所挫敗並呻吟的事實。戰前因社會情勢不許可的理由或許能容許，但是對在戰後民主主義下「享受」研究自由的社會科學界而言，缺漏有關後藤的治台研究，並不是件太名譽的事。

有關後藤「成功」的神話現在還在繼續存活著。

在後藤的「成功」之背後有「兒玉為總督，百姓苦難當；害人無米煮，父子分西東」的流行歌，普遍流傳於台灣民間的史實也應記起（春暉，〈兒玉總督之苛政〉，見《台北文物》第8卷第4期，1960年2月15日）。歌裡雖然指的是兒玉，事實上的指揮者卻是後藤，這一點是眾所周知的。

為了分化台灣人之抗日戰線，後藤不惜施以甜頭展開懷柔政策。鴉片政策即為其一環，一方面分工讓兒玉發起「饗老典」（邀集耆老舉辦酒宴賞以果錢以表敬老之活動）、創辦「揚文會」（招待士紳儒者共吟漢詩）、頒發紳章（列富農、寄生地主、商人階層的有力者為士紳，聲稱為讚揚其榮譽而賜與勳章之類）令之佩戴等，雖是敵人也不得不讚其手段巧妙。另一方面，後藤親自不客氣不手軟地揮起鞭子，將造反者全視為土匪加以取締。

> 回顧起來，政府於明治30至34年之間，所捕拿土匪之數爲8,030人，殺戮者達3,473人之多。更於明治35年大討伐中，成爲俘虜經審判被判死刑者539名，附之臨機處分而殺戮者數爲4,043名之多。（鶴見祐輔，《後藤新平》第2卷，頁149，勁草書房）

完全與「武士道」無關的，把俘虜加以審判並處以死刑，或以臨機處分之名的誘殺等惡毒方法敲下其鐵鎚。就連碩學矢野仁一也毫不置疑地把當時的抗日游擊隊單純地當作土匪，把誘殺事件看成是：

> 據說兒玉總督是這樣的……在給全島匪賊的「到何月何日洗面

革心改匪賊行業爲順民出面投誠。這是給你們的最後機會（中略）」的布告中附上「勿忘此期日」以催促投誠。然後在嘉義稍北、名爲斗六之處，設一廣大的歸順儀式會場，將來投誠歸順的全島匪賊集中，以武裝警察包圍，一起射擊將之屠殺。（見《中國人民革命史論》，頁16～17）

有關在台灣的殖民地經濟發展，如筆者在其他刊物所發表（〈晚清期台灣的社會經濟〉，《日本法與亞洲》，勁草書房，1970年刊〔參見《全集》6〕）的，由劉銘傳的洋務運動所象徵的發展階段，在日本占領前就有，特別是其寄生地主階層很多，商品經濟已相當程度滲透到農村。在已有走向資本主義、強烈胎動的台灣經濟「台木」上，後藤在鎮壓游擊隊之後，基於科學的手法將其進行接枝結果的一個顯現而已。

台灣如果真係其極力宣傳的瘴癘之地、化外之地，就應該不需要兒玉與後藤給的甜頭才對。因為從瘴癘之地、化外之地，理應不會產出人數如此多的士紳。關於後藤的神話不外乎後藤的孫悟空化、猿飛佐助〔譯註：日本漫畫中的一個角色，是功夫高強的「忍者」〕化。所謂後藤擁有使瘴癘萬里之地、化外之民從無到有，而且是產生出大量財寶的神通力說法，只不過是後藤神話而已。

後世善意的人們說，伊澤的台灣教育成為使台灣文盲率降低的契機，並與普通教育的普及相連結。然而被剝奪了語言的民眾不能因為已不是文盲而這樣想吧。

想想，繼台灣之後，一連串的日本帝國主義的對外擴張根源，是與在台灣的「成功」相關聯的。把一時的成功錯認為永遠的成功，妄信可征服、馴化他民族而使其猛衝突進的吧。

在某種意義上，或可說我們台灣人先進之懦弱，對日本人給的甜頭，先是不情願，後來卻高興舔食的罪孽結果，讓日本人全盤的對台灣認識，進而是對亞洲的認識產生錯誤，從而導致吃下兩顆原子彈的後果。也可說是令日本人嘗了50年相反的甜頭。真是罪過之深！

在這個意義上或許可說伊澤、後藤並非其中的英雄，而是給日本人帶來苦頭的「罪人」也未可知。名為台灣的陷阱是很可怕的。不要再多管閒事吧，親愛的鄰人們！

補記：字下黑圓點點全為筆者所加，有關後藤新平的引用，如無特別註明，全部引自鶴見〔祐輔〕之《後藤新平》。

本文原刊於《朝日ジャーナル》，1972年5月12日號

郁達夫[*1]與台灣

——中國新文學運動一個斷面

◎ 陳鵬仁譯

郁達夫事件在台灣的報導與反應

在光復後不久的台灣，有一本於台灣省行政長官陳儀上任的1945年10月24日[*2]創刊，後來因為各種情勢而夭折，由台灣知識分子主辦的《政經報》半月刊。

《政經報》第一卷第五期（1945年12月25日）刊有以「關於郁達夫」為題的短訊，這樣寫著：

根據新加坡二日（可能是10月2日）中央社消息，在日本占領新加坡期間，避難蘇門答臘的前新加坡新聞、教育界人士十人，已經安全抵達新加坡。其中包括胡愈之、沈茲九、王任叔、邵宗漢等人。郁達夫曾在西蘇門答臘匿名開酒店，於8月29日突然

＊1 郁達夫（1896～1945），中國作家，為五四重要作家。

＊2 據《台灣史料研究》第10號，頁36註明，《政經報》第1卷第1期（創刊號）為10月25日。

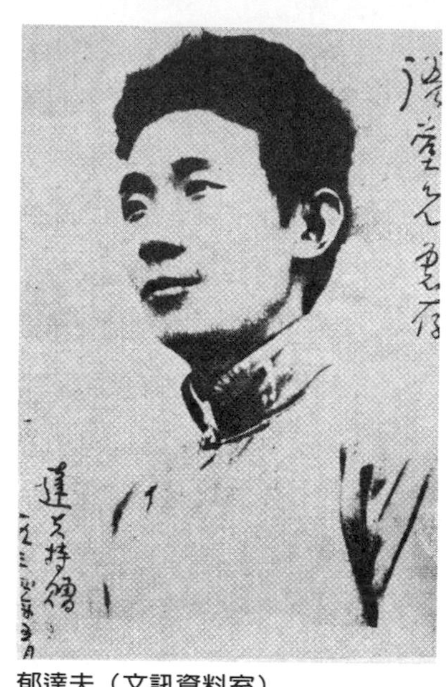
郁達夫（文訊資料室）

下落不明。可能被日本人逮捕，目前搜查中。

繼而介紹郁達夫的簡歷和作品，最後說「期望郁先生無恙回來，為新中國的文壇有所貢獻。」

這個中央社電（當時國府中央通訊社外電）的短訊，與胡愈之在〈郁達夫的流亡與失蹤〉下（《民主》第50期，1946年9月28日號；這是戰後在上海發行的刊物，主編為鄭振鐸）的敘述：「胡自己於（1945年）9月30日回到新加坡之後，令中央社記者向中國國內發出達夫下落不明的電報」符合，所以筆者推測，《政經報》的消息可能是上述外電的轉載。

這個轉載，曾帶給認識郁達夫之台灣知識分子很大的衝擊，經過大約一年九個月，胡愈之以「給全國文藝界協會報告書」副標題「郁達夫的流亡和失蹤」，發表在《民主》第48、49、50期（1946年9月14日、21日和28日）之後大約一年，在台灣第一次由台灣知識分子，當時的台灣大學副教授黃得時，以紀念郁達夫被害二周年為名，撰寫了〈郁達夫先生評傳〉，連載於《台灣文化》第二卷第六、七、八期（1947年9月1日、10月1日和11月1日）。《台灣文化》是台灣文化協進會（成立於1945年11月18

日，以揚棄台灣的舊殖民地文化，促進台灣文化回歸中國文化，創造新文化為主要目的而創設的團體）所創辦的月刊，因為協進會的性質，不但台灣出身的文化、教育界人士，從大陸來的所謂外省籍學者和文化人，譬如魯迅的朋友許壽裳、著名的中國文學家臺靜農、英國文學家和散文作家的味橄（錢歌川）、許壽裳的徒弟，中國古代神話研究家袁珂（聖時）、陶行知的徒弟，曾追隨魯迅學過木刻的美術家黃榮燦（據說後來在台灣被處死刑）、法國文學專家，曾任《申報》副刊「自由談」主編，為台灣文壇帶來新氣象的台灣大學教授黎烈文等人，都是該刊的主要撰文者。1949年春天，即中共席捲大陸之前，迄至第四卷第一期（該年3月1日），做為多采多姿、格調極高的綜合性文化雜誌，《台灣文化》在邊陲之地台灣享有很高的聲譽。

不諳當時台灣情況的日本讀者諸君，如果看到〈史沫特萊筆下的魯迅〉、田漢的〈漫憶魯迅先生〉，在日本統治下不許公開紀念魯迅的台灣，在光復第一年就出版專號，並在編輯後記說明能夠出版《魯迅逝世十週年特輯》（第1卷第2期，1946年11月1日）的歡欣，以及出版在其住宅被他人暗殺的許壽裳追悼特輯（第3卷第4期，1948年5月1日）等版面構成，一定會非常驚奇。

這些版面的編輯負責人，為現任台灣大學教授楊雲萍。他曾經在文化學院向菊池寬學習，回到日帝統治下的台灣，與總督府體制派的西川滿等人接近，大多時間用於賞玩文物上，對底子裡抗日的台灣新文學運動消極且少有關係。

台灣出身的撰稿者中，有東大法學部肄業，因日本戰敗回到台灣而嶄露頭角、前途無量的劉慶瑞（曾任台大教授，已去世）；在東北大學（日本仙台）專攻社會學，念到研究所，唯因是台灣人，連在台灣都找不到教職或研究職，至台灣光復之前悶悶在民間專心研究民俗學的陳紹馨（已故，台大教授）；乃父為著名抗日詩人洪棄生，為數不多的北大留學生之一，在北大時代以洪櫘為名參加《南音》，從北京聲援台灣新文學運動的洪炎秋也是其中的一人。在日本占領期間之北京大學的洪炎秋，因國民黨當局的意思，留下來擔任教授，戰後回台參加新台灣建設。他除了在台大講授中國文學以外，也擔任《國語日報》社長，致力於國語的普及運動。其中特別引人注目的是與謝春木（南光）同鄉，也是謝南光老友，已故的王白淵。

王白淵在抗戰期間，與謝南光等在上海一帶從事地下抗日運動時，被日本官警逮捕，移送到台灣，關在牢裡直到日本投降前夕。

《台灣文化》從第二卷第四到七期，王白淵不僅是發行人，還將其舊作詩〈佇立在楊子江邊〉，譯成中文刊載*3，要知道這在當時台灣的情勢下，是非常有趣的：

佇立在楊子江邊

黃色的濁流不斷地向東海傾注，

從四川的奧地悠悠一千餘里，

在興亡五千年人世的眼底，

比歷史更悠久的楊子江的流水，

*3 此詩刊於《台灣文化》第1卷第2期，1946年11月，頁22。

岸邊的楊柳比時間更古老！
你那清濁齊呑的形狀，
像哲人般的寂靜無爲，
但也像咆哮的猛虎般的雄猛！
你是幾億民眾底心臟，
中原四百餘年的大動脈——
清朝的惡政繼之以列強的榨取——
桃源之夢，華胥之國，今在何處？
乘你的血潮未冷之時，
奮起革命的呼聲，
燃燒著果敢的鬥爭與犧牲，
青年中國的民眾，
從砲火與流血中向我們
——說些什麼？……
古中華在黃河的流域，
發育繁榮而衰老，
老子冥想孔子教訓，
貴妃結夢的過去呀，
葬了罷！把一切的過去葬了罷！
連同封建的殘滓與殖民地的壓迫——
青年中國與楊子江同時振羽而醒了！
未開的千年扉，
楊子江啊楊子江！
曙光訪問到了偉大的楊子江，

孕育著赫赫的光輝——
（民國20年9月作於上海）

《政經報》完全由台灣省出身的知識分子主持和主導。《台灣文化》則是由台灣省出身的知識分子所發行和編輯，由大陸出身的知識分子協助運作。一看這兩個雜誌的篇幅結構，就可以明白，從光復後到中國大陸落入中共之手前的期間，住在台灣而有良知的知識分子，不分其出身省分，都超越在台灣的日本文化「遺毒」，滿腔要回歸中國文化和融會貫通世界文化，其氣息溢於版面。

現在言歸正傳。為何這兩個雜誌對於郁達夫事件，有這樣敏感的反應呢？

對此筆者不打算從這兩份雜誌所擁有台灣新文學運動的激烈氣息和趨向，來對其敏感的反應做說明，因為這樣的說明太公式化和太呆板了。

中國新文學運動傳遞到台灣的兩個管道

筆者認為，把中國新文學運動堅韌不拔的氣息傳到台灣的管道，有由留學中國大陸的台灣留學生，以及居住或旅行大陸的台灣知識分子，直接從大陸帶來的；和留學日本的台灣留學生，以及居留日本的台灣知識分子，經由日本間接帶回來的兩個管道。

經過這兩個管道，進入台灣島內之中國大陸的新氣息；在公然層面的痕跡，可以由當時所發行、由台灣人主持的雜誌和報紙尋找。

看看從1920到1930年代，相繼問世的《台灣青年》、《台灣》、《台灣民報》（但為其後身的《台灣新民報》，因筆者未見過，故不談），以及以新文學運動之活動為中心的《南音》、《Formosa》〔《フォルモサ》〕、《先發部隊》、《第一線》、《台灣文藝》、《台灣新文學》等各種報紙和雜誌，我們的許多前輩所感興趣的大陸作家有：胡適、陳獨秀、魯迅、郭沫若、周作人、徐志摩、張資平、胡也頻、蔣光赤（光慈）等人，而好像並不是郁達夫。當然，台灣的知識分子應該知道創造社和郁達夫的活動與名字。

事實上，郁達夫以外的前述作家包括其作品，比較正面地常常刊登於上述的雜誌；至於郁達夫的只有一篇，而且是無關痛癢的散文〈故事〉（《台灣民報》第300期，1930年2月15日）而已。

這也許由於在歷史上，台灣是中國的「國內殖民地」，許多台灣知識分子是拓荒者的子孫，因生活在異民族日本人的差別、偏見壓制之下被強制禁欲，而他們自己也以禁欲來予以對抗，所以不屑接受郁達夫那種感傷頹廢的作品風格，和沒有包容此類作品風格的閒情逸致吧；或許因為台灣的「殖民地的經濟發展」，比「次殖民地」大陸的混亂，給予台灣知識分子「溫水的」生活環境，使他們無法共有郁達夫所描寫生活之窮困、滿足不了的性欲的苦悶、情愛的矛盾，可以說不能共有帶著無法言傳之脆弱、陰鬱而頹廢境地的真正生活面所導致。

因此郁達夫對於台灣新文學運動的刺激和影響，不是透過作品，而是因為他到台灣來，在台灣的期間，直接與台灣作家接觸所給予的影響。

由於這種原因，郁達夫失蹤的消息一傳到台灣，便立刻有反應，胡愈之公開發表其遇難的經緯之後，不久便出現紀念的評傳。

因為發表失蹤消息的《政經報》社長，是肄業於東京帝大法學部時代與新人會（1920年代，以東大學生為中心的社會思想運動團體）有關係，畢業以後進入布施辰治（法律）事務所，以自由法界之成員很活躍的律師，其所寫評論和小說不是頂高明，但還算不錯的陳逸松其人。

而撰寫評傳的黃得時，是在台北帝大專攻中國文學的文學士，郁達夫訪台時他還是大學三年級的學生，隔年畢業遂進《台灣新民報》，擔任學藝部的記者。傳說黃得時精通中國的新文學，不但在《新民報》介紹魯迅和郭沫若的作品，還參加台灣新文學運動。

不消說，陳逸松和黃得時是郁達夫訪台歡迎會的出席者。因為這個關係，日後陳逸松訪問了福州，黃得時在歡迎會上不僅多處請教郁達夫，還討論有關台灣與大陸的文化交流，郁達夫回國之後，繼續與其通信，常常請教。

郁達夫訪台的經緯

根據郁達夫「年譜」（伊藤虎丸、稲葉昭二、鈴木正夫編《郁達夫資料》）的記載：

1936年2月2日，應福州陳公洽〔譯註：陳儀〕主席之邀，經上海於4日黃昏抵達福州。

2月7日，受託經濟計畫，正式就任福建省政府參議。月薪300元，但未有將來的計畫。以後頻繁與當地名士交遊，應邀到處演講（2月27日，在華南文理學院演講關於前一天發生的日本的二二六事件），來訪者很多。

4月2日，因省政府財政狀況欠佳，上任以後只領一百多元薪水，故很窮困。

6月2日，「中國文藝家協會」成立，爲其會員。

10月19日，魯迅去世。在福建南台的宴席得悉魯迅死訊，立刻趕回上海，會同安葬。

11月中旬，以購買印刷機器名義赴日。造訪亡命日本居住千葉縣市川的郭沫若寓所，在東京與佐藤春夫、村松梢風等舊友、日本作家聯歡。

12月17日，出發東京，遊覽奈良和京都，經由台灣和廈門回福州。

現在我們利用一點台灣方面的資料，把郁達夫在台灣的活動加於其年譜。

12月22日，乘「朝日丸」抵達台灣（參考《台灣新文學》第2卷第1期編輯後記，和《台灣時報》，1937年2月號，台灣日誌）。

12月23日，在台北鐵路飯店，以講師身分出席《台灣日日新報》所主辦的文化演講會。

12月24日，參加台北帝大東洋文學會所主辦的歡迎會（於台北鐵路飯店）。出席者有島田謹二、神田喜一郎、矢野峰人、原田季清、稻田尹、黃得時、吳守禮、田大熊等八人。

12月25日，出席《台灣新民報》所主辦的座談會（於台北鐵路飯店）。

10月26日至28日，由台北前往台中、嘉義考察。

12月29日，於台南鐵路飯店，在日本特高監視之下，與中華會館（居住台灣的中國籍人，所謂華僑所組織的團體）代表二、三人，郭明昆（當時為第二早稻田高等學院的臨時講師，從1934年6月至1936年2月，以日本外務省文化事業部在「支」第三種補給生身分留學中國大學，在此時期與郁達夫有交往）的表弟郭水潭（事先獲郁達夫訪台的通知，拿明昆寫給郁達夫的介紹信，訪郁達夫於旅館）、住在台南附近的文人莊松林（朱鋒，後來據說以朱鋒之筆名在《台灣新文學》寫過〈會郁達夫記〉，但筆者未看過），以及與林占鰲會面。當日離開台灣。

以上是筆者所查證郁達夫在台灣的大致動靜，因未能查看當時的報紙（包括《台灣新民報》），所以此文是未定稿。

總之，與他的訪日一樣，郁達夫之訪台仍然有不少不清楚之處。

以下，我想來設法解開這個「謎」。

第一個問題，郁達夫為什麼訪問台灣。對於其訪日的動機，有各種各樣的說法，所以要搞清楚其訪台的動機，實在很不容易。

也許是錯誤的，但對此我做這樣的判斷。

郁達夫（前排左二）訪台留影。前排左一：神田喜一郎，左三起：矢野峰人、島田謹二；後排左起：田大熊、吳守禮、黃得時、稻田尹、原田季清。（翻攝自《台北文物》第3卷第3期）

年譜告訴我們，郁達夫擔任福建省政府參議，似乎要草擬經濟計畫。當時福建省主席為光復後台灣行政長官陳儀。陳儀的福建治政，因受廈門集美出身的新加坡華僑陳嘉庚的批判，而受內外注目，但事實上應該是毀譽參半。被稱譽的是，陳儀雖然是政學系的軍人出身，卻是一個不可多得的開明政治家，他起用曾任《浙江潮》的主編，在長沙教書，與湖南的文化運動具有密切關係的沈仲九為顧問，多年來建立了與國民黨主流體質不同的制度。

的確，他挑戰以往因傳統的「牽親引戚」弊端，而陷於混亂的國民黨人事制度，在福建他建立了政務官和事務官權限分離的人事制度，引進行政幹部的訓練制度，尤其因大多數的台灣人為福建出身，以及台、閩在歷史上和地理上的密切關係，他有很想學習日本在台灣的治政跡象，如：土地調查事業、地租的徵收方法、經濟建設（包括產業和水利）、建立立足於包括鴉片專賣的專賣制度、財政的確立政策等措施，其中最典型的例子是，舉行日本統治台灣40周年紀念博覽會之前*4，福建省曾派遣台灣實業考察團（以建設廳廳長為團長，包括建設、財政、農林行政、電氣業者和職業學校校長等一行22人），1935年11月13日考察到該月29日，於1936年春天，出版了很厚的《台灣考察報告》這件事，擬以鴉片專賣來確保財源一事，本要委託住在福建的大財閥林本源家辦理的，唯因爆發盧溝橋事變而不了了之。

從以上所述，我們可以判斷，郁參議之考察台灣，很可能是陳儀所派遣。

同時或許有人會想不通，為什麼要請郁達夫出任負責經濟計畫的經濟參議。這是因為郁達夫是東京帝大經濟學部的畢業生，1923年繼陳豹隱之後擔任過北京大學的統計學講座緣故。

郁達夫之所以屈膝在文化沙漠的福州不做文人，出任官員，在中國文壇曾經引起很大的回響。

我不擬費屋上架屋的工夫去復原那回響；我認為，王映霞（當時郁達夫的妻子）已經開始疲倦丈夫沒有固定收入的文人生活，加以郁達夫自「創造日」（政學會——以後之政學系——的

---

*4 應為「當時」。博覽會舉辦時間為1935年10月10日～11月28日。

《中華新報》副刊）以來，對政學系有某種程度的好感，這使他接受了政學系的有力政治家之一，同鄉、同時又是日本留學前輩陳儀的邀請。當時福建治政實際上的主導者，是與國民黨主流異質，又是同鄉，以及主編在日本留學界評價相當高的《浙江潮》文人沈仲九，可能也是促使郁達夫前去福州的一個原因。（關於沈仲九，請參看曹聚仁〈一代政人沈仲九〉，收錄於《文壇三憶》）

至於郁達夫對陳儀的評價不算低，這可以從胡愈之說可以窺悉：

> 達夫與我個人友誼的層面是不錯的。但政治觀點就不相同。在新加坡編報時，我們甚至爭論過。後來流亡時，因陳儀問題，我們幾乎要打起來。一般來說，達夫對國內政治不滿，但這只是對於個人的不滿（這個人是誰實值得玩味，中國人讀者應立即明白），我是不滿獨裁貪污的制度。達夫對抗戰時有悲觀的傾向，但這不是對於抗戰的不滿，而來自對抗戰領導者的不滿。（前引胡愈之論文（下），頁1247）

具有中日交流管道層面之福建、台灣的往來

九一八以後，中國多事多難。1931、1932年滿洲事變、上海事變，日本接連侵略中國。中國內部的排日運動風起雲湧，討伐中共，南京、廣東兩個政府合併；1933年中共發表「抗日合作宣言」，日「滿」軍討伐熱河，第五次討伐中共，召開反法西斯大

會，閩變（福建人民政府）；1934年中共軍西遷，汪精衛、蔣中正、黃郛舉行三方廬山會議（檢討對日外交方針，「南京政府」轉換為親日的半公開意志表明）；1935年，日本積極插足華北，國民政府禁止抵制日貨，瞿秋白被處死刑，汪精衛辭去行政院長，中共發表為《抗日救國告全體同胞書》，汪精衛遭暗殺（保住一命），唐有壬（在汪外交部長下當次長，居於對日外交之衝）被暗殺。華北學生反日大遊行；1936年，召開上海各界救國聯合會成立大會，上海救國會四領袖（沈鈞儒、章乃器、鄒韜奮、陶行知）的七月宣言，在南京奉命調整對「支」國交之川越〔茂〕大使和外交部長張群舉行外交交涉；西安事變……。

以上是郁達夫訪台前，中國大陸的大概情勢。在日本強力壓制下，不只日本，國民政府的動作也是虛虛實實，真真假假。在此種情勢之下發生了閩變，但於1934年1月底便被鎮壓下去。在這稍前的1月12日，陳儀被任命為福建省主席，揭開了陳儀治理福建七年的序幕。

前面我們說過，陳儀曾擬以日本治台的模式來治閩。現在我們來看看郁達夫訪台前後，福建與台灣之往來，尤其福建治政有關人士訪問台灣的情況。

（一）1935年4月6日，李擇一（關於這個人，待後述）訪台。

（二）11月21日，台灣、福建親善飛行，回航台灣。

（三）1936年8月10日，日本第一艦隊和第二艦隊，分別由馬公和高雄往廈門出發。

（四）12月2日，廈門市長李時霖一行來台，13日回去。

（五）1937年2月28日，福建省參議林知淵、外交科長關仲儀來台，3月12日離台。

（六）3月16日，福建省記者團來台，17日見總督，22日離台。（皆取自前引《台灣時報》每月的台灣日誌）

以上頻繁來往的背後，實際上有談及台灣史所不能欠缺人物辜顯榮的暗裡策動。

如所周知，辜顯榮是1895年日軍侵台時當日人嚮導，因對日本諸多協力而致富的人物，由於此種經歷，他被台灣大眾斥為漢奸。

日本占領台灣以後，辜顯榮因日本當局的指示，曾三次往訪中國大陸，當「日支親善」之轎夫。第一次是自1934年4月30日至7月下旬（？），帶著來台灣的辜鴻銘，以宗親關係在大陸利用他大肆拓展其人脈。在這期間，辜顯榮見了段祺瑞、林長民、熊希齡、黃郛、馮玉祥等人，除約定要對西山礦業開發公司共同投資，並受段執政聘為實業顧問外，還授了勳二等大綬嘉禾章。有趣的是，辜顯榮由北京回台途中，在天津造訪謝介石（新竹人，後任偽滿的外交總長和偽滿駐日大使）與之懇談。

第二次是從1934年12月11日至隔年1月上旬，這次比上一次，其任務更為明顯，頭銜是台灣人唯一的敕選貴族院議員（1934年7月），他以這個招牌訪問了國民政府的要人。

出發前，辜顯榮可能受到松岡洋右之託，就陷於僵局之承認「滿洲國」問題等，從旁協助觸礁的諸多日「支」問題的交涉。請託的內容雖然不得而知，但從與國民政府要人的懇談紀錄來判斷，第一是疏通陷於僵局的交涉氣氛；第二，他以同一民族出身

（在懇談時，辜再三再四強調他是中華民族的出身）成功者的立場，來宣傳日本在台灣的政績，同時稱讚日本人和日本政府在經濟開發方面的能力。以此說明「滿洲國」和中國的將來，只要能促進日「支」的親善，則指日可待。希望國民政府要人因此對承認「滿洲國」有心理上的準備，更以「滿洲國」為交易的內容，以促進與台灣總督府的經濟合作關係為例，以恢復已經開始動搖的國民政府要人的親日感，可想是訪中的主要課題。

第二次訪問大陸時，一到上海就帶著李擇一（福建人，日本慶應大學出身。光復後藉陳儀權勢，在台灣為非作歹，尤其在二二八事變時胡作非為，後來回大陸，據說在中共統治下惡行曝光，被捕死在獄中）到處活動。

懇談的對手是祕書長楊永泰（發行《正誼》、《上海中華新報》），在南京即訪問汪精衛和負責對日交涉的外交部次長唐有壬，其結果皆向有吉（明）駐華公使一一報告。

1936年1月1日，辜顯榮往訪軍事委員會委員長蔣中正。

與蔣中正的會見紀錄中，有蔣對於去年〔1935〕為福建事派遣李君〔擇一〕到台灣時受到照顧而感謝辜的話，因此福建、台灣間來往的密切，可能由此而加重。

辜顯榮在第二次訪問大陸或在此之前，是否認識陳儀尚不得而知，但從李擇一當時是陳儀的部下，從1937年2月8日到3月5日，第三次訪問大陸期間，他曾與陳儀面談數次，陳儀曾送親筆題字的照片給辜顯榮等事看來，辜與陳的關係應該是相當親密的。

總之，中國透過福建接近台灣的背後，日本藉以做為令之承認「滿洲國」之餌，誇耀台灣的政績，以使國民黨主流就範，應該是無可否認的史實。

郁達夫訪問台灣的真正意圖

如上面所說，在中日兩國彼此不同的意圖，與複雜交錯的人脈（陳儀為日本陸軍士官學校出身，太太為日本人，當時被視為相當馳名的親日人士）中，福建與台灣互相來往。我認為，郁達夫訪台的公然背景，應該也是在這大框架裡頭才對。

不知何故，黃得時的《郁達夫評傳》和郭水潭的〈憶郁達夫訪台〉（《台北文物》第3卷第3期，1954年12月10日）都說，郁達夫的訪台係應日本政府（黃說是外務省）邀請往訪日本，回國途中順便到台灣來考察。尤其是郭水潭的回憶更說，當時的台灣總督府外事課，代表日本政府接待他，同時在政治外交上大肆歡迎他。

但根據筆者個人的查證，日本政府沒有邀請郁達夫訪問日本。我判斷，黃和郭都將台灣總督府基於與福建省政府的特殊關係，招待郁達夫前來訪問，誤以為是日本政府的邀請。

郁達夫在台灣受到日方的大歡迎，實與前述辜顯榮的情況同出一轍。

與當局的大歡迎相反，和台灣知識分子的懇談只有兩次，而且都有特高在場監視。

公開演講，也是由於他是總督府的賓客，主辦單位又是御用報紙的《台灣日日新報》才辦得起來。否則與在東京中國文學研究會主辦的演講會一樣，事先就會被當局命令停止舉辦。

對於公開的訪台理由，暫且不談，是否可從做為文人，喜歡撰寫遊記，也喜愛旅遊，能詩允文的郁達夫訪台私情層面的理由，是否全然不能尋出？

我願意做如下的判斷。

郁達夫透過郭明昆的交往，對郭的故鄉又是古都台南發生興趣，同時訪問詩的同好，郭的堂弟郭水潭，把對於九一八以後，日本軍國主義者無止境地侵略中國的怨念，以及台灣受日本異民族統治的痛苦，重疊起來看的吧。

也許自1934年以來，透過居留日本的台灣作家蔡嵩林，稍微了解台灣新文學運動和台灣知識分子之抗日情形；或許受到長年陷於絕交狀態，但原本是知己，又是一起創辦創造社的郭沫若，在訪日期間，受其慫恿訪問台灣，以及與台灣知識分子接觸也說不定。

因為在蔡嵩林訪問郭沫若稍早以前（蔡曾於1934年7月15日的《先發部隊》，發表過〈郭沫若先生訪問記〉），郭沫若的作品已為前述報刊所轉載，似乎也投稿過。總之，郭沫若之首次親自聽到台灣知識分子的呻吟，應該來自蔡嵩林。郭沫若於1934年11月下旬，經由蔡嵩林的介紹，大致正式地傾倒於無產階級文學。1934年5月6日，與大陸回來的張深切攜手，召開「台灣文藝大會」，同時和以該大會為搖籃，推動成立「台灣文藝聯盟」的功臣賴明弘通信。

12月2日，星期日，蔡嵩林和賴明弘聯袂往訪郭沫若掛著佐藤〔譯註：郭的日籍太太為佐藤富子〕門牌的藏身處。從賴作

〈訪問郭沫若先生記〉（《台灣文藝》第2卷第2期，1935年2月1日，其筆法相當保留）的字裡行間，可以看出台灣知識分子的呻吟，討論過台灣世代間抗日意識的鴻溝，白話文運動的爭論（應以北京官話為目標的白話文運動，還是要以台語，即以福佬話為基礎的白話文運動的爭論），並曾得到啟示。

也許如郭沫若所說，郁達夫的訪日，純粹是一種遊覽旅行（請參閱〈再談郁達夫〉，收於《天地玄黃》）也說不定。若然，郁達夫的訪台，也可能是他借福建省政府招牌的遊山玩水。

雖然如此，受訪的台灣方面卻非常興奮和認真。在台灣的一切抗日活動皆被壓抑和禁止，公學校的漢文教育將全面遭到禁止（1937年1月15日）之前，日報的漢文欄傳說要予以廢止（1937年4月1日，但台灣人經營的《台灣新民報》，自4月1日以後即減半，6月1日全部廢止）的快令人窒息的氛圍中，發生台灣具有代表性的民族資產階級，合法抗日運動領導者之一林獻堂的所謂祖國事件（1936年春天，林獻堂一行跟著台灣新民報社所組織「華南考察團」到達上海，在上海的歡迎會席上，林說回到祖國，被奸細報到台灣，除受到《台灣日日新聞》的攻擊外，回台以後被日本右翼分子毆打的事件），正在對日本人的橫暴憤慨和震怒的時候，其歡迎祖國之大作家心情如何熱烈，是可以理解的。王錦江在致歡迎辭時說「盛傳已久的事終於實現了。我們由衷歡迎創造社的大作家」（錦江就是詩浪，也就是一剛，《台灣新文學》第2卷第1期，1936年12月28日的編後記），絕非外交辭令。

從為數並不多的台灣資料，我們看不出郁達夫在台灣享受過像在東京般沉緬於美酒的旅遊。真希望他喝得醉醺醺地……。是不是因為殖民地統治的惡政之一的專賣制度，使台灣酒變成不好喝了？不是，可能因為特高的監視，使他完全失去風趣所致，實在可惜。

在查證郁達夫訪台的過程中，能理解以台灣為媒介，部分戰前中日關係的一部分，以及光復後國民政府治台的主要人脈，算是我滿大的收穫。我差點忘記敘及，沈仲九在台灣也是陳儀的最高顧問，據說草擬台灣第一次五年經濟計畫的也是他。可以說是陳儀治台唯一的良好遺產《台灣省五十一年來統計提要》，是為制訂經濟計畫而提出的。郁達夫如果沒有亡命到新加坡，也許會與陳儀和沈仲九一起來台灣，且成為《台灣文化》的重要撰稿者也說不定。沈於二二八事變後，據稱與袁珂、石延漢（東大教授福田歡一第一高等學校時的同學；東大理學院畢業，來台後，出任台灣氣象台台長，並兼任基隆市長）、李季谷（台北高校，後來的台北高級中學校長）等一起回去大陸。

歷史綿綿延續不斷，有如地下水般，在人們不知不覺之中，默默地流到該流去的地方。曾經在台灣歷史舞台上大顯身手的人、享受天年的人、因造反而被幹掉的人、受到連累而枉死的人、在暗鬱中悶死的人，不知他們在九泉之下，如何看待這地下水的流向。曾經為「風流人物」現今仍然在世的人，不知他們的看法又如何？雖然悶悶，但是不是也想再與過去的歷史接軌？或者是否已經不風流，但想藉喜歡多管閒事者的手，來改變地下水的流向？

將屆郁達夫訪問台灣時年齡的我，突然想到這事。

補記：關於辜顯榮的部分，我利用了以尾崎秀真為首所編纂的《辜顯榮傳》（1939年6月6日台北版）。辜顯榮與國民政府要人的懇談紀錄，以及其來往的書信是很珍貴的資料。希望各位讀者參看。

本文原刊於《中国》第102號，1972年5月，頁24～37。原題「郁達夫訪台の周辺」

細川嘉六與矢內原忠雄*

◎ **林彩美譯**

在此要提起的細川嘉六、矢內原忠雄，都是在戰時因與中日關係相關的言論活動之故，受狂暴的日本法西斯主義毒牙咬傷的鬥士，此事牢牢的銘記在我們的腦海。

不用說細川被逮捕入獄（1942年9月至1945年9月），矢內原被趕出東大（1937年12月至1945年11月），兩人又都是日本名副其實的科學亞洲研究草創者。

細川主要在在野的大原社會問題研究所（1920至1936年）與滿鐵調查部（囑託），而矢內原如同眾所周知的，在象牙之塔東大經濟學部，兩人分別擁有其研究場所。

驟然見之，兩者似乎同是自「殖民地問題」進入亞洲研究領域的，然而不僅其內容極為不同，從當初他們所根據立場的基本觀點來看，從起點開始就是背道而馳。

在中日兩民族的新關係將要開始的今天，日本與亞洲關係應有的狀態又開始變成熱門話題的近來，思考曾是大正民主主義時

---

* 細川嘉六（1888～1962），日本社會評論家、政治學者；矢內原忠雄（1893～1961），日本經濟學者、教育家。

代之子的細川與矢內原，背對背所描繪出的對中國、亞洲認識的軌跡是什麼樣的，未必是徒勞之事。

野武士與洋紳士

從許多傳聞與他本人的雜文中可知，細川是粗野的野武士，在我的腦海裡是具有正面意義的唐吉訶德（Don Quixote）。我與矢內原有過得以拜謁尊顏之機會，那是與細川完全不同的瀟灑洋紳士，正如許多門生所說的那樣，他是被當作神映入我眼裡的。

細川嘉六於1888年（明治21年）9月27日出生於明治維新以降，三次大規模米騷動發生地富山縣新川郡朝日町泊，父親既為漁夫也是魚販。

細川如他自己所說，是出自勞動者的生活環境，經由故鄉前輩（當時快要畢業的大學生）介紹，去當後來也是其師的小野塚喜平次（東大政治學教授並擔任過二屆該校校長）的書童。

後來因不習慣小野塚家的禮節規矩而離開，一邊當報童一邊經由錦城中學而入學於第一高等學校的英法科。有趣的是，英法科的同班同學裡居然就有矢內原忠雄其人。

細川不只是苦學生，進入錦城中學之前的學歷是僅讀過非正規的正則預備學校（補習學校）而已。

與此相比，矢內原忠雄是在晚細川五年的1893年（明治26年）出生於愛媛縣今治的富裕醫生之家。

優秀會念書的矢內原，由其父謙一寄養於神戶親戚家，就讀於譽滿天下之名校神戶一中。當時神戶一中的校長是與內村鑑

三、新渡戶稻造等一同受教於札幌農學校的克拉克，和以禁欲克己教育而聞名於世的鶴崎久米一。

細川與矢內原於1910年入學於第一高等學校。細川當時年齡22歲，矢內原17歲。

靠工讀出身，依賴他人的錢（加賀藩的加越能獎助學金等）上學，可以說在某種程度上嘗到了生活辛酸經驗的老高中生細川，與順著秀才路線一路走來，未受過學資、生活困擾才氣煥發的單純未來菁英矢內原之間，從起跑線到思考方式、行動模式都有不同之處也並不奇怪。

不曾當第一，對學資供與者也不表顧慮的野武士細川，從頭到尾即和舞出長五郎（後來的東大經濟學部教授）競爭首席，很早就去叩內村鑑三之門，願做神之使徒的精神家，又以人格受同輩敬重、也是雄辯會領袖的矢內原，想來是如同水與油一般，不能相容的。

在此可記起的是，於新渡戶稻造一高校長的排斥問題發生時，兩者是站在對立的兩極立場。細川做彈劾演說，矢內原是做為至今猶傳為美談的留任運動領袖。據說他走在數百位同學之前頭，從本鄉走路把新渡戶校長送到小石川的台町自宅，還在美國人的新渡戶夫人面前，做了有生以來第一次的英語演說。

這個矢內原的所作所為是在裝腔作勢……也許是孤陋寡聞，我還沒有聽到過這種說法。此外，先是有末弘嚴太郎（後來的東大法學部教授，有名的中國農村慣行調查指導者），後又有細川發表的對新渡戶稻造的彈劾演說，但我至今未聽到有人對其在日本近代思想史上有何意義這一點有所言及。只聽到過日俄戰爭後的一高風潮下，日本第一時髦——西洋的文化主義——校長新渡戶代表進步的、而對其排斥彈劾是保守論調的傳聞，果真只是那樣嗎？

正當西洋文明的停滯被開始意識到，新的「思潮」逐漸推進到遠東的日本之時，在被稱為保守的這一部分裡，是否有對近代化被洋化所默默取代而感到不屑，立足於日本的優良傳統上為民眾利益的近代化、也就是說是否沒有真正民族主義形成之萌芽呢？做為關心日本近代思想的一名中國人學者因為有疑念，所以請求有識者不吝賜教。總之，野武士細川與洋紳士矢內原均可說大致定型於此一時期。

人道主義者與神的使者

細川與矢內原在此之後，同時升學進入日本東京帝國大學法科大學政治學科。當時的教授之一，是剛從歐洲學成歸國、初嶄露頭角、朝氣蓬勃的吉野作造。不用說，吉野也是辛亥革命前，從日本被派遣到中國的「教習」之一，在天津的北洋法政專門學堂執教鞭之外，同時兼當時清朝第一權力者袁世凱的家庭教師，在1906至1909年間，體驗到中國的新氣息。在此之後，以透過歐洲留學把第一次世界大戰即將發生之前的歐洲，特別是德國社會民主黨等的動向傳回日本，因「論民本主義之發達及於我國憲政的將來之影響」而成為大正民主主義的意見領袖。在講壇上談民主主義，對中國問題，則在自身體驗的基礎上，談孫文思想在中國革命的意義，剖析出渾沌的中國根柢本質，而披瀝其見解。

矢內原雖然從吉野之處有所收穫，但據說細川對吉野的講義未得感應，而師事以往在公私兩面都曾得到照顧的小野塚教授之外，也去聽《周公之研究》〔《周公と其時代》〕著者林泰輔教授所講「中國古典尚書」之課。細川日後在談自己的回憶時，說《尚書》的學習，表示對他尋求自己的民主主義發展志向，這一點是值得注意的。《尚書》是《書經》的別名。此外與矢內原傾倒於信仰之師內村鑑三相比，細川更被日本古代法制史的宮崎道三郎教授「和平溫情之人，有古武士之風格，安於貧乏，不為名利所惑，過著學究生活」的人品所吸引、所感化，這做為兩者氣質的寫照是很有趣的。

細川於俄羅斯二月革命發生的1917年春，與矢內原一起大學畢業，因小野塚教授的緣故，與所謂「帝大銀錶組秀才」〔譯註：成績優異者畢業時獲賜銀錶之謂〕同格，被住友銀行總行採用。此「銀錶組秀才」很明顯是對矢內原有所意識情況下的細川之言吧。因為矢內原在畢業前，曾拜訪小野塚教授，表達他要「去朝鮮填平日本人與朝鮮人之間鴻溝」決心，後因考慮到對家庭應盡的義務更為重要而放棄，與細川不同的是，他經過入社考試而就職於住友總行（但在故鄉附近的別子礦業所上班）。

在兩人就職後沒多久的同年11月，俄羅斯的十月革命發生，成立了蘇維埃政府。次年1月主張民族自決原則的美國威爾遜（T. W. Wilson）總統發表十四條和平原則，同年8月於細川的故鄉富山縣漁津村發生的米騷動，發展成規模空前的大眾運動，並拓展到全國的主要都市。

血氣方剛的漁民之子細川，對盛開的民主主義論共鳴，不是以腦子而是以身體領悟俄羅斯革命的世界史意義，從以往一直被壓抑的勤勞大眾在米騷動中發揮出來的激烈能量之中，感知到新歷史氣息而向住友提出辭職，亦屬理所當然之事。

細川在此之後，經由讀賣新聞社而回到東大經濟學部，做為助手參加了高野岩三郎主宰的月島勞動者街的勞動者生計調查。在月島的同一辦事處裡一方面和勞動者交往，另一方面受吉野作造之託，也去橫須賀的勞動組合演說會進行演講等。

此時，矢內原又在追求什麼、做什麼呢？依「年譜」之記載，他在別子礦業所上班之同時，住在同所的社宅，參加當地的基督教集會，在同年5月迎娶信仰上的兄長藤井武夫人喬子的妹妹愛子為妻。最能看出這時矢內原心境的，是其母校第一神戶中學校校友會《會誌》第39號上所登，他的〈寄自新居濱〉〔〈新居浜より〉〕一文吧。同文先報告了長男伊作誕生之消息後，寫道：

> 鄙人踏入所謂「世間」所感之一爲在此世界形而上之問題不流行。進入社會後要再把頭鑽進形而上之問題屬於極難之事。我感覺學生時代最應重視的在於此點，我要說的就是：「在你年輕之日記住那造物主吧！」

在這裡他訴說了神的使徒與「俗世」矛盾的存在，更於末尾提到同校之前輩在採礦課勤務的鷲尾某的消息，他寫道：

> 鷲尾因病休職中。諸君如遊別子，請一定入礦井內看看，如入

> 礦井內務必與礦工交談。於地下數百尺黑暗之中，在煤油提燈旁坐下「談有關鷲尾」之事，他們的熱心一定會令諸君吃驚。挺著並不強健之身在切礦石、推礦車，組構支柱示範礦井內之勞動，以提高勞動效率。在礦井外則設塾與礦工起居與共盡其教養以應商量。人各有其天職，然小生以爲鷲尾之精神偉哉。於今鷲尾養病九州，奉獻其身而罹病，遠勝於爲瓦全食高薪萬萬，小生願爲其祈禱天帝之保佑。

中學同窗會誌也是有其局限的吧。同時也可以認為因為是同窗會誌，故介紹前輩的消息，讚賞其奉獻精神。但是，根據後述中年以降的矢內原想法，與其說對礦工勞動之苦寄予關心，還不如說是以神之使徒的奉獻精神，更使他感到美這一點是其信仰之顯現，也可由此窺知其人格。

捨棄赤門〔譯註：東大〕秀才最尋常之路，即走向官僚、財閥的管家之路，而選擇火車尚未通行的鄉下小鎮別子就職，「然而都會與鄉下亦是隨各人之喜好。只是無書店與接觸之人有限是為遺憾。」（〈寄自新居濱〉）的心情，倘若沒有信仰之心、使徒的奉獻精神，是難以想像的。在鄉下小地方擔任會計科調查員的同時，一味地邁向思索信仰之路的矢內原於1920年3月辭去住友之職，做為調任國際聯盟事務局次長新渡戶稻造的接任者，就任東大經濟學部副教授，擔當「殖民政策講座」。

在矢內原即將回歸東大之前的一個月，發生了震撼日本思想界、大學人的森戶辰男筆禍事件。其結果是細川與矢內原一出一進，細川與櫛田民藏等一起為了抗議官憲的鎮壓，而辭去東大之職，轉而任職於甫創設不久的大原社會問題研究所。

在民間做研究、從言論活動以至於挺身實踐的細川，與神之使徒而後走上大學學術人之途的矢內原，兩人在此明確地開始背道而馳。

細川並不單純是學究，他之所以辭去讀賣新聞社（現在的讀賣新聞社的前身，據說同一時期的記者有市川正一、青野季吉等，曾給人道主義者、民族主義者細川以「好的影響」【細川自己的話】）說起來是因為圍繞著同社的轉讓而曾進行罷工等。再說要再度深造而回去的東大，參加了高野岩三郎為領導人的同人社——實質上後來發展成大原社研，該社研長期以同人社名義做出版事業——研究報告選擇了「英國的煤礦罷工問題」。到大原社研任職之後，當初的研究題目也是前面報告的繼續。研究煤礦勞動組合運動，而寫成《國中之國》〔《国家内の一国家》〕，又研究礦工的工資制度寫成《工資制度的展開》〔《賃金制度の展開》〕做為該研究所的小冊子叢書出版發表。另一方面，出身之血的蠢動還在持續著，他自己也親身加入勞農黨運動，跳入反對言論鎮壓運動之漩渦中，一而再、再而三地遭受檢舉之禍。

驅使細川參加實踐運動的，當然不單只是出身之血的蠢動。與曾是讀賣新聞社的同僚、更加傾注熱情於勞動者運動的市川正一，以及進出大原社研的勞動運動、農民運動的實踐家們的交友所受的影響，也是不能忽略的要素。

這暫且不談。在勞動組合運動的研究與實踐之中，細川找到、並且可說為之著迷的不是別的，正是列寧的帝國主義論。以帝國主義論為基礎，他整理寫成〈帝國主義與無產階級獨裁〉

〔〈帝国主義と無産階級独裁〉〕一文，與之相關的，他又將列寧的《中國戰爭》〔《中国戦争》〕（全集第4卷）以「支那侵略」為題翻譯出來做了介紹。這是1924年末之事。

列寧的論文，不用說是尖銳地挖掘出1900年發生的中國人民反帝主義運動——義和團（拳匪）事件——的本質，激烈地數落俄羅斯、日本伊始的帝國主義列強的武力干涉。

日本初譯時，細川是出於何種意圖將其翻譯登載的，到現在我也搞不清楚。但是如果將附在譯文後面的譯註與譯語的表現，再把列寧對中國問題的見解與邏輯有機地結合起來思考，就可明確地看出譯者是假託列寧的論文，試圖批評日本帝國主義吧。細川在註裡寫道：

> 1900年這一年，是早在19世紀中葉以來由於英、法的侵略政策而被喚起的支那民眾的排外感情，再經1894至1895年的甲午戰爭，以及繼之發生的以俄羅斯爲急先鋒的法、德、英諸國的帝國主義侵略政策所激化，這種局勢最終引起拳匪事件之年。（中略）今天雖未發生拳匪事件，而發生張、吳、馮諸將軍間的戰爭，不管怎樣都是止於表面上的波瀾而已。資本主義列強在支那的帝國主義的鬥爭，與在此鬥爭過程中被遂行的支那資本主義的發展相互作用的運動，是出現在表面波瀾的原動力，寫此文章的二十幾年前與現在沒有任何不同。因爲對支那起伏的帝國主義爭鬥的各國無產階級的立場上，也不能有所不同。不，毋寧說是此文章之所敘述，是對帝國主義的鬥爭無產階級的立場一般不能不說是妥當的。

被甲午、日俄、第一次世界大戰、二十一條條約等，一路在順風裡不停地持續向大陸伸張的新興帝國主義日本，破竹之勢衝昏頭的日本人知識分子中，細川儘管受到列寧的影響，把義和團事件定位為反帝運動，這雖然有點含混不清，但把軍閥抗爭的本質也在某種程度上看破是可給予充分評價的。細川把「中國戰爭」看成是侵略而非戰爭。此外，本來應可譯為掠奪政策，卻用「小偷政策」這個用詞進行翻譯。「此小偷政策，是歐洲諸國政府長年以來對支那所行使的，今天俄羅斯君主獨裁政府加入了其行列。一般所謂殖民政策就是此小偷政策」——這段譯文應可說是既「巧」又「妙」。

我之所以解讀細川有假託的意圖，除了以上的事例以外，還因為如果把譯文中的俄羅斯換成日本，完全可以適用於當時的日本帝國對中國的態度。

即使如此，同班同學細川與矢內原之緣也可算奇特吧。前者將義和團事件做為反帝運動來把握，透過翻譯列寧數落帝制俄羅斯在「滿洲」的暴虐之罪行的《中國戰爭》，從而開始進行中國研究。與之相對的矢內原，在從東大被放逐之後，受人推薦而翻譯了蘇格蘭人傳教醫師克利斯蒂（Dugald Christie）所撰寫的《奉天三十年》（岩波新書）。如矢內原所說的，克利斯蒂是過完了他「無私純愛的奉獻生涯」的人，同時也是對中國人充滿善意之人吧。但是，這位克利斯蒂在親眼目擊俄羅斯軍在「滿洲」罪行的同時，卻與列寧不同，對俄羅斯軍沒有批評的語言，對義和團的本質，也最終只能把握到以「狂暴的拳匪」來形容的地步，其眼睛如同被雲霧所遮蔽。

那也是不無理由的。因為義和團當前的敵人是基督教徒，對於傳教醫師來講，義和團確實只能是「拳匪」而已。

與此基督教徒在中國的所作所為有關的，列寧在前述論文中有過敘述——

> 我們的政府，還硬說沒有和中國打仗。政府只是鎮壓叛亂，鎮定暴徒，只是在幫助中國合法的政府回復法的秩序而已。（中略）那麼，中國人對歐洲人的襲擊，英國人、法國人、德國人、俄羅斯人、日本人，以及其他如此拚命鎮壓的這個暴動，是因何而起的呢？「黃色人種對白色人種之敵意」、「對歐洲文化與文明的中國人憎惡」所引起的，主戰論者硬是這樣主張。對，正如所言，中國人的確憎惡歐洲人，但是他們到底憎惡何種歐洲人，又是爲何而憎惡呢？中國人對歐洲諸國的人民——中國人與他們之間沒有任何衝突——沒有憎恨，而是憎恨歐洲的資本家，以及聽從資本家的歐洲政府。只是爲了賺錢來到中國，將其引爲自豪的文明僅利用於欺騙、掠奪與暴行，爲了獲得販售麻醉人民的鴉片的權利而與中國打仗（1856年英、法與中國的戰爭），僞善地以傳播基督教遮掩掠奪政策的人們，對這樣的人，中國人能不憎恨嗎？

當時的中國大眾看基督教徒，正如同列寧描寫的那樣。然而，不只是克利斯蒂，一部分中國的近代主義者，不管是神的使徒與否，充其量也僅把義和團看成單單是受囿於迷信的野蠻農民暴動而已。

拜倒於無產階級使徒列寧的細川，與稱讚神的使徒克利斯蒂「無私純愛的奉獻生涯」的矢內原之間，當然有相當大的距離。不是晚年，而是在研究的起跑線上所存在的這種不同，在以後的中國認識上也展現出差距來。

留學之路

把話題拉回。身材高大、皮膚白皙的矢內原副教授，在回東大「娘家」不到半年，便因「殖民政策研究」之課題而受命留學美、英、德整整兩年。矢內原於1920年10月從東京出發。經由上海、蘇州、新加坡、可倫坡、蘇伊士運河，抵賽得港，再經馬賽、巴黎、加來（Calais），渡過多佛海峽，於同年12月2日抵達倫敦。

在英國期間，矢內原主要在大英博物館做研究，此間除撰寫了題為「關於英國殖民省」〔「英国植民省に就て」〕的論文，寄送拓殖局調查課之外，還到北威爾斯、愛爾蘭、蘇格蘭等地訪問，做研究旅行。在愛丁堡悼訪亞當・史密斯（Adam Smith）的墳墓等，過著一種殖民政策研究者般的留學生活。

結束了約九個月的英國留學，矢內原9月13日轉到柏林。在柏林大學除聽保羅・Reusch（Paul Reusch, 1868～1956）博士講授的「Nationalökonomie auf Marxischen Grundlage」（馬克思主義的國民經濟）之外，「並沒有像普通的留學生那樣辛辛苦苦地聽德國大學的課，而是去看下層的社會，讀讀《聖經》或到處看畫（大內兵衛）」。在此特別要記下的是，與正在德國的石川鐵雄（一高時代與前田多門、鶴見祐輔等被列為新渡戶稻造門下的十哲之一，由四高的德語教授再經東亞經濟調查局，而就職於滿鐵本社調查課長一職）一起去威廉柏克普拉茲看德國革命三周年紀念日的示威運動。可想此體驗是日後矢內原吐露自己讀羅紗・羅森堡（L. Rosenberg）的書信時「處處不得無淚讀而過之」心情一端之契機。

然後矢內原的留學之國又加上法國。從1922年4月開始，到布拉格、維也納、羅馬、開羅、耶路撒冷等地，特別是撥出長達兩週時間去巴勒斯坦旅行。這雖然與信仰應有關係，但對他而言，因為他認為要深入認識民族問題上，這是必不可少的，此點值得注目。根據這次旅行所寫的〈關於Zionism猶太人之復國運動（猶太民族鄉土建設運動）〉〔〈シオン運動（ユダヤ民族郷土建設運動）に就て〉〕，做為他訂出殖民政策新基調的第一篇論文而結了果。

矢內原此後繞道美國，於翌年1923年2月初旬歸國，同年8月30日升格為教授。歸國不到一年的翌年1924年1月末日，出版了《殖民政策講義案》〔《植民政策講義案》〕全三冊。如眾所周知，《殖民與殖民政策》〔《植民及植民政策》〕（1926年6月）是以此三冊講義案為骨架而完成的。

《殖民與殖民政策》不僅是要知道矢內原學問所不可或缺的著作，也是成為其日後有關台灣與中國問題發言原點的書，因此有必要一提。

在這之前，再介紹一下同班同學細川留學的動靜。

細川在戰後曾做過如下的記述：

1925年夏我去外遊參觀學習。在此次海外旅遊中，概觀了從中國開始的殖民地、半殖民地各國，也看到先進國如何掉入進化的死胡同實際情況。由此我實際體驗到所謂的讀書學習是不會使我受欺騙迷惑的寶貴東西。因此，在歐洲我想已無須訪問學者研究家做問答與求教，所以誰都未做訪問就結束了。只是一意尋求蒐集的，主要是列寧在帝國主義論中所引用的書籍與資料。

或者有人會付諸一笑，以為我所附著重點標記的引用文部分，是多麼笨拙的述懷啊。但是，如果不是我的誤會，此部分是細川直爽的人格表現，也可說是以自己的實踐與列寧的帝國主義論做為主要理論根據而達到的認識，披露其透過實地見聞而得到驗證的自信。事實上，大內兵衛在追悼辭〈再見細川嘉六君〉〔〈さようなら細川嘉六君〉〕時，評論大原社研初期的細川時曾追憶到，「君（細川）之政治論，特別是殖民政策論的自信是相當大的」。

繼續細川留學的回顧：

在此外遊中我深深感受到的是這一點：老實地透過文字研究的話，未知的外國實際情況可照樣被理解；另外一點是，不論人處於任何社會，如果沒有隔閡與無視他人的利欲，在中產階級以下特別是勤勞者的社會階層裡，情意是可相通的、具有國際性的。

在這一段可充分感受到好的意義上的細川＝唐・吉訶德的面目栩栩如生，因此細川受喜愛，又因此被摩登的洋紳士看作「小笨蛋」的吧。不管這些，細川在德國祭悼了羅紗・羅森堡、李布庫涅菲德等殉難者的墳墓，在倫敦與湯姆・曼（Tom Mann, 1856-1941，曾領導倫敦船塢勞動者的大罷工，是片山潛知己）交談，在過了年的1926年3月，為訪片山潛而赴莫斯科。他除了訪問莫斯科的馬克思、恩格斯研究所之外，也去跪拜長年崇拜的列寧之廟，沉浸於感激的思念之中。

細川在與片山潛會談中受到啟發歸國後，開始研究以故里富山縣為發生地的米騷動。先別說細川自身的研究成果，以此為契機，他花了數年時間在全國範圍內蒐集得到的資料，在戰後，井上清教授等加以整理利用，結果完成了《米騷動的研究》〔《米騷動の研究》〕五大冊，這是眾所周知之事。

我想細川除了在米騷動以外，特別是關於中國問題上也受片山很多啟發吧。片山在細川將造訪之前的1925年5月，實地視察了可說是中國大革命前哨戰的五卅事件（以上海日本紡織工廠的罷工為發端的大規模反帝愛國運動），並留下如下的感想：

> 中國的勞動運動雖落後，但其知識階級出身的首領全都是主義之人。都是徹底的……中國的勞動運動比之日本，有其踏實的地方。在團結力上，的確中國勞動者比日本勞動者要強。……中國勞動者是，一般人民更是，沒有半點官尊民卑的感情。特別是對官憲恐懼的觀念更是沒有。……如果這時，他們帝國主義還冥頑不靈，違背中國四億之民意，繼續榨取的話，那麼，

結果中國只有仿效勞農俄羅斯之外別無他途……中國革命之勢，有如不能阻擋的長江流水一樣，以特別的氣勢持續進行著。這是我到中國後所感受到的眞實感想。（片山的〈中国旅行雑感〉）

把細川很早就對中國革命表示關心，以及他的莫斯科訪問是在五卅事件的餘燼猶存之時，且在片山剛歸任不久之際這些相關聯起來思考的話，二人之間中國革命曾成為話題的看法是很自然的。細川的歸國是在1926年4月8日，矢內原的《殖民及殖民政策》刊行兩個多月前。

殖民地研究

矢內原在《殖民及殖民政策》的序文裡，將其研究的意義與自己的振奮心情做了如下記述：

如果本書能得到與同類的書爲伍的一個地位，我希望那是在殖民及殖民政策的實質研究，至少是對其努力之點上。即我是要把做爲一種社會事實的殖民及殖民政策的意義、殖民對人類、特別是利害關係者的殖民國對殖民地、殖民者對原住民的影響、殖民的社會諸關係的特色搞清楚。在如此意義下的殖民研究，對殖民國民與對殖民地人，對資本家階級與對勞動者階級，又對帝國主義者與對非帝國主義者，應該不帶任何偏見地接近。因爲基於客觀分析把握事實關係，可做爲所有實際政策的基礎。

以列寧的帝國主義論為主要根據的細川，認為矢內原的壯志凌雲，在日本的殖民政策學者未曾顧及的列寧、羅紗・羅森堡等的著作方面，矢內原也給予不少注意，因此認為這位教授係日本殖民政策學者中之一異才。但是，批評矢內原的立論，認為其基本上與其他的學者沒有什麼不同的地方。

細川的矢內原批評留待後面再提，從當時台灣的地主階級等來看，以矢內原是東京帝國大學擔任「殖民政策講座」教授來看，是具有特色意圖與問題意識的人物。事實上，矢內原也確實對以往傳統的殖民政策論——大部分是擁護現實的殖民地統治，以「學問」上的根據為殖民地體制的強化做貢獻——有獨特的嚴厲批評。至少他對在殖民地體制中受苦的被統治者人權附加部分的保留，這點是留下問題的，但對他欲以與其信仰之心相結合的形式，來對其進行認可這一點上，則受到熱烈歡迎。

特別是在該書最後一章〈殖民政策的理想〉中有：

> 受虐待者的解放，沉淪者的提升，然後是自主獨立者的和平結合，是人類在過去希望、現在希望、將來也希望的吧，希望！然後是信仰！我相信，和平的保障存在於「堅強的神之子不朽的愛」之中。

強有力記述的結語，是信仰者矢內原信仰的告白，與精神主義者矢內原理念的提示，是通血脈溫暖的，足以打動被殖民者的上層、知識分子，特別是基督徒的心。這一點是值得記憶的。對於早就表明「把學問看成是人生的一部分，人生一切都是建立在對神的信仰之上」（1925年3月〈學問與信仰〉〔〈学問と信仰〉〕）的矢內原來說，是極為自然的表現。然而這些理念的開陳，對於瀕臨深淵的多數台灣人上層資產階級是如同一線救生索，吸引了他們的心（朝鮮的情況也差不多吧）。因此之故，帶有實地驗證在本書所展開立論之一個側面、為了執筆《日本帝國主義下之台灣》而做的現地調查、蒐集資料時，獲得台灣文化協會的中道左派以至右派人士的積極支持。

但是，此矢內原的信仰告白、理念的提示自身，並不能成為震撼殖民地體制現狀，以及轉化成打破這種現狀的思想力量這點，台灣人中的急進主義者也看穿了。雖然晚了些，但將之明記於此。

本來，被殖民統治者是絕對不能容許殖民地體制的。所以，矢內原在〈殖民地價值〉〔「植民地の価値」〕一章展開的「殖民不只增加地球對人口之支持率，又使人類經濟生活之內容豐富。即殖民是擴大人類能利用的天然資源、地域，增大勞動及資本的生產力，使國際的分工發達，以之使人類的經濟在其生產及消費的種類，以及數量上複雜化進步」之論，或者將殖民的利益分成影響到一般的人類、影響到相關殖民國的，以及影響到殖民地原住民的等加以區別議論的邏輯，是無論如何也不能被接受。然而可以分到殖民地統治利潤一杯羹的買辦資本家或買辦地主階層，則在此議論範圍之外。特別是買辦階級發現，做為增大自己權利與增大殖民地利潤可分得部分的理論根據，矢內原理論有利用的可能，自己也做為擔任矢內原神格化的抬轎者而出現的事例，台灣也存在過。

想來做為「殖民地價值」理論展開的前提，不外是對萬民的和平共存因「堅強的神之子不朽的愛」而有可能得到保障的堅定信心吧！

前面提到的矢內原的最後一章〈殖民政策的理想〉中「希望！然後是信仰！我相信，和平的保障存在於『堅強的神之子不朽的愛』之中」的講法，唯物論者細川在明顯是以批判矢內原為主要目的而寫成的〈現代殖民運動中階級利害的對立〉（〔〈現代植民運動に於ける階級利害の対立〉〕最初登載於《大原社會問題研究所雜誌》〔第5卷第1號，後來改題為「殖民政策批判」〔「植民政策批判」〕刊行於1927年5月）之中，猛烈地嘲諷其是「從科學世界升天到空空漠漠的神的世界」。

細川在同一論文中，將所謂的殖民政策學定義為「替資本家階級做鑽研集中資本所必要的海外發展利與害的科學」。而帶著此「從事所謂殖民政策學研究的代言人，沒有一個不主張殖民是為了一國全體民眾的生活。然而真正科學的現代殖民分析，果真對此所謂社會的共同利害會給予首肯嗎？」的疑念，將矢內原給「殖民」的本質所下的定義做為問題提出。

矢內原對研究對象之「殖民」本質做了如下的定義：

> 殖民是一種社會現象。因此要研究殖民的本質就應搞清楚那是具有何種特色的社會現象。然而一社會現象本質的研究，與其將之制約於形式條件之下，我想不如探討附著於此現象本身實

質的特殊性爲正當的態度。但是，人類社會是由種族、民族、國民等社會群或是社會集團的交錯並列所形成。各社會群雖然各自占居於一定的區域，但不必受此束縛，依其必要而做地域性的移動。其新的居住地域有無住地，或已有其他社會群占據的地域。總之，由於供給新的、自然的社會環境而移住的社會群集團生活便會產生特殊的情形。我把這種社會群移住於新地域從事社會經濟活動的現象解釋爲殖民。在此可看到殖民的社會現象特殊的、本質的東西。

細川對此提出強烈的批判：

矢內原教授好像主張，做爲殖民的本質，如果沒有母國民轉住於新的國外地域的事實就沒有殖民的樣子。科學研究的價值是關乎於其研究是否正當地說明事實。果如上所述，那麼該教授的主張就最近的歷史事實來看，特別是19世紀70年代至20世紀初，強弱各國不惜戰爭，驟然大體上把美洲、波里尼西亞分割殆盡的分割史，而且在繼此分割而來的各強國在資本主義開發中國家鬥爭史——其結果導致了1914年的世界大戰鬥爭史——的說明又具有多少價值呢？依我所見，現代的事實一看似乎是該教授主張似的，以母國民轉住爲基礎條件的殖民說，奪去了科學的價值。

細川要說的是，矢內原批評以往有關殖民定義的形式說而建立實質說，卻未能貫徹，甚至還指責其「與其說不能徹底否定在殖民上的階級利害的對立，毋寧說結果是與其他的殖民政策學者同樣是止於資本家的階級利害的代言人地位。」

詳細檢討細川的矢內原批判有其相應的意義，希望他日有此機會，現在還是趕緊往下說吧。

正如到此為止所論述的，兩者都是從正面研究殖民地問題。但是，細川是從殖民地解放運動開始著手，而矢內原是從獨自的殖民政策論開始研究，在其關聯之下也把帝國主義論做為問題提出。與前者把列寧的帝國主義論進行全面掌握，做為立論的根據相比，後者則是不只利用列寧，也零零散散地把羅紗・羅森堡、馬克思（Karl Marx）等的見解加以利用做為分析的手段，活用於建構自己的理論。兩人更以這些為基礎做有關中國問題的發言。

中國問題研究

細川不是透過翻譯而是以自己的手寫成有關中國關係的論文，〈支那革命與世界的明日〉〔〈支那革命と世界の明日〉〕大概就是第一次的吧。這篇論文是細川於1927年之秋，與來到大阪工作的尾崎秀實等同好，商量在大原社研內開辦的中國革命研究會的成果，1928年3月由同人社刊行。

該研究會因尾崎的上海赴任與1928年春的三一五事件的發生而自然消失。

細川這篇論文，與伊藤武雄的〈支那無產階級政黨〉〔〈支那無産階級政党〉〕（收錄於社會思想叢書第1卷《各國無產階級政黨史》〔《各国無産階級政党史》〕，同人社版，1928年）

並列，被記錄為最早介紹中國共產黨到日本的論文。正如細川自己所講，自身的精心著作有負於伊藤著《現代支那社會研究》〔《現代支那社会研究》〕（1927年3月）很多，但是細川以往所受的列寧研究與片山潛的影響，和尾崎秀實等的討論成果都被編織進去，這是不難想像的。該論文發表之後緊接著便被翻譯成中文，由《朝日新聞》上海支局的尾崎寄來。

細川在此論文中以：

> 我（細川）在此當作問題的是，支那現代革命到底僅止於資本階級民主主義革命，或者換言之共產派運動是應先混入資產階級民主主義革命，待資產階級民主主義革命成功以後再達成其目的與否。

上述問題設定做為開始，從中國社會經濟關係的分析而就「支那的資產階級民主主義革命在其進行過程中，應揚棄其自身而躍進為共產革命」這點做了實證的論證。

在「支那通」所帶來的「支那混迷論」蔓延、大革命失敗後的挫折感與法西斯鎮壓下，東跑西竄的左翼知識分子瀰漫的1928年狀況下，有細川論文的發表是可以受肯定的。

細川在此後的1932年，以尾崎的《大阪朝日新聞》歸任與水野成（在上海因反戰運動而被強制送返，後因佐爾格（Richard Sorge）蘇聯間諜事件受牽連，於1945年3月獄死仙台）在大原社研就任細川助手為契機，再度開始中國革命研究。

在這期間，1933年3月因受共產黨支援者事件的連坐（拘禁半年後被保釋，於翌年受到禁錮兩年、緩刑四年的判決），在判決後約兩年左右時間裡，隱身於米騷動研究，之後於1935年又重出展開其論陣。

其一連串的成果被集結在《亞洲民族政策論》〔《アジア民族政策論》〕，於1940年由東洋經濟新報社刊行。其表現雖改口成奴隸的語言，但細川始終一貫不改變其從無產階級的立場出發主張民族自決。特別是1942年7月寄稿於《大陸新報》（詳見吳濁流著《黎明前的台灣》，社會思想社版）的〈日支和平的根本之道〉，在重慶、延安都被提出來報導，是值得記錄的。

細川在佐爾格事件中雖免於被檢舉，但1942年9月，因做為《改造》卷首論文的〈世界史的動向與日本〉〔〈世界史の動向と日本〉〕（同年8至9月號）觸到軍部的忌諱而被逮捕。此筆禍事件後來又被擴大為泊事件或橫濱事件是眾所周知的。

矢內原有關中國的發言，在一高生時代寫有〈一高健兒的滿洲觀〉〔〈一高健児の満洲観〉〕、〈滿洲之旅〉〔〈満洲の旅〉〕等，在此就不提了。又論述殖民地台灣的《日本帝國主義下之台灣》以名著著稱，但並不是所有台灣人都做如是想，特明記於此。

的確《日本帝國主義下之台灣》出版後不久的1931年10月，由上海神州國光社（十九路軍陳銘樞後援的出版社，社會民主主義者王禮錫為總編輯）出版了中文譯本（譯者楊開渠）。又戰後的台灣，有由其信仰上的門徒陳茂源與曾留學過同文書院、京都大學的周憲文（1930年代擔任中華書局《新中華》編輯，戰後來台後曾任〔台灣省立〕法商學院＝舊台北高商院長，後出任台灣銀行經濟研究室主任）翻譯的兩種中譯本出版。然而，翻譯本的存在，並不意味著中國人（包含台灣人在內）全體無條件地接受該書的觀點，這是當然的常識吧。特別是神州國光社版本是出於以1930年發生的抗日運動・霧社事件為契機的認識「台灣問題」啟蒙的必要，以及張作霖被炸死事件以來，緊迫的「滿洲」被侵略危機狀況下，做為暴露日本帝國主義「真面目」的手段，假託日本人，尤其是有「權威」的東京帝國大學教授著作出版刊行，其意義是不能忽略的。日本與台灣的矢內原信仰者，以該譯本的存在為理由，把矢內原「神格」化的風潮還很盛行的此時，特別在此做以上發言。

然而，話雖如此，在瘋狂的法西斯威脅下，左翼知識分子如雪崩般倒塌的嚴峻狀況下，矢內原站在信仰的基礎上，刻意嘗試著將其學問進行有良心的發言態度，是我們所敬畏之處。看出繼「滿洲事變」、「滿洲國」之後的局勢，是擁護日本帝國主義在「滿洲」的特殊權益政策之外無他，此行徑結果妨礙中國統一的話，他認為「日支衝突」是無可避免的。他更敘述自己反戰和平的邏輯，並且強烈主張：

> 日本對支政策的根柢應存在於促成支那的近代統一國家化不可。沒有支那的統一即沒有日本的繁榮，有支那的排日即無日本的幸福。唯有親鄰才是眞正合理的、具有永久意義的對支政策。（見《滿洲問題》，1934年刊）

至今其真理之光還未消滅，是有識者所認同的。

做為上述邏輯的歸結，矢內原在其著名論文〈支那問題之所在〉〔〈支那問題の所在〉〕（1937年2月）中說道：

> 支那問題（中略）其中心點是認識做為民族國家正在統一建設途上邁進的支那。只有符合此認識的對支政策才是科學、正確的，在結果上能獲得成功的實際政策亦捨此無他。只有基於此認識肯定支那民族國家的統一並提供援助的政策，才能幫助支那，幫助日本，幫助東洋的和平。如違背此科學的認識，強行獨斷的政策，其災禍將遠及於後代，使支那受苦，使日本的國民受苦，使東洋的和平受苦。我國的對支政策應復歸如上，基於科學認識的正常之道。日、支國交調整的一大鐵則即此，又，除此之外不得有他。

從而對中日關係敲響了警鐘。時值七七事變將發生之前，緊張度更加高升的時期。不待說，「清國奴觀」、「無民族、國家意識的支那人」、「無可救藥的劣等民族支那人觀」橫行，在冀望「滿洲」建國風潮澎湃的日本，矢內原的正論具有動人的力量，在1960年代的狀況下——看看越戰吧——猶強有力地逼近我們。

然而，自《殖民與殖民政策》以來所持續抱持認識的局限，又全部遺留到〈支那問題之所在〉，因此也帶來把中國統一運動的承擔者，錯誤地歸咎於南京政府＝浙江財閥的結果。

造成對中國新興資產階級過高評價之因，除上述的邏輯缺陷以外，《日本帝國主義下之台灣》邏輯的展開——極少觸及殖民地化以前的台灣社會經濟結構，而立即以殖民地化＝資本主義化來掌握——等，或者也可以認為與台灣出身的資產階級，特別是蔡培火、林獻堂、楊肇嘉等人的親密交往體驗，曾多多少少對他產生一定的影響。還有，據說矢內原戰後曾對其親信講，對有關在〈支那問題之所在〉中，對於自己導致對資產階級過高評價的方法論不能不重新再做思考（參照《朝日ジャーナル》，1970年12月6日號〈從矢內原到茅〔譯註：繼矢內原之後當東大校長的茅誠司〕〉、藤田若雄的發言）。

矢內原是神的使徒，除了基於信仰的基督教運動之外，與政治性的實踐運動完全沒有瓜葛。對那樣的他比較寬大（？）的法西斯主義，也於七七事變後終於盯上他的論文〈國家的理想〉〔〈国家の理想〉〕、〈神之國〉〔〈神の国〉〕（1937年9月與10月），把矢內原從東大趕了出去。

戰後的細川，出獄之後立即加入共產黨，1947年當選為參議院議員，1950年再當選（日本共產黨國會議員團長），1951年9月因散布反占領文書「馬克書信」而被迫放棄政治活動，之後除了主宰亞洲問題研究所之外，也致力於促進中日友好運動。

1958年3月，在以長崎發生國旗事件（於長崎的中國展覽會場發生的暴徒對中國國旗的侮辱事件，因日本政府的處理不當而發展成中日關係全面中斷的局面）為契機的貿易中斷事態之際，與伊藤武雄等發表了「反省聲明」。後於1962年12月2日因腦出血併發急性肺炎而辭世，享年74歲。

免於獄囚之禍的矢內原，於戰後不久便復歸東大，在敗戰後的混亂期，對東大民主化重建運動發揮了一定的作用。

與細川同樣，世間不容許矢內原有待在書齋的充裕時間，但他自己擔任的講座，改組為國際經濟論——開發中國家問題，讓弟子楊井克己繼承，又傳給川田侃，但因1972年川田氏轉職上智大學，在形式上矢內原強烈的氣味，已從東大經濟學部的講座中消失了。

年齡比細川年輕五歲的矢內原，卻比細川早一年於1961年12月25日因胃癌辭世。偶然之一致也令人感到奇異，細川因腦溢血而病倒，其實是在矢內原辭世後第二天發生之事。

不和的同班同學、專攻相同學科卻常以背相向的競爭者，之後又同受禍於法西斯主義，堅持己見終不變節，奮鬥到底的勇士二人，現在到了傳說是平等的彼世，或許正攜手對著我們苦笑呢。「所謂的人啊，所謂的知識分子啊，畢竟，沒什麼大不了的。在重蹈我們論爭的覆轍而並未察覺，至今還不厭其煩地圍繞著中日應有的關係啊、開發中國家的開發問題啊、有關開發中國家『自助』或『援助』的問題啊等在相互爭論。真沒辦法。」……啊啊！感到慚愧的難道就只有我一人嗎？

補記：資料參用《細川嘉六著作集》（理論社）、《矢內原忠雄全集》（岩波書店）等。

本文原刊於《朝日ジャーナル》，1972年12月15日號

輯二

台灣文學先行者

吳濁流*的世界

◎ **林彩美譯**

悼老詩人

〔1976年〕10月14日早晨，接到鄉友C打來的電話。據說是台灣捎來的消息，吳濁流翁已於10月7日在台北市壽終正寢了。

今秋，正與數位知心朋友準備在闊別三年之後，迎接老先生到日本，再一起陪他去泡溫泉，並欣賞他以客家話朗誦即興創作的詩。突然聞此消息，真可謂是晴天霹靂。

非迷信兆頭，不過故老之「言」也是令人擔心。

龍年是吉祥之年沒錯，但也有大人物非常「難於跨過」的傳說。因身邊的大人物噩耗相繼，不免要在意故老的兆頭之說，近來的心情甚為鬱悶。

字濁流，本名為建田，自稱雅號為「饒畊」的吳老，為戰後台灣代表性作家，又係善於作漢詩之風雅人。

因有《黎明前的台灣》、《泥濘》（同為社會思想社出

---

* 吳濁流（1900～1976），台灣文學作家，創辦《台灣文藝》、設立「吳濁流文學獎」等。

吳濁流（右一）至戴國煇日本千葉縣宅，和戴國煇夫人林彩美、長子戴興宇、次子戴興寧合影，1971年（林彩美提供）

版）、《亞細亞的孤兒》（新人物往來社出版）等日文版的作品，聽說也有不少日本人讀者。

吳老在生前曾自豪且充溢感謝之情地告訴我說，他有讀者，特別是訪台的日本人中，有特地去訪問吳家，對他所主持的鄉土文學運動——以《台灣文藝》雜誌的發行，吳濁流文學獎、吳濁流新詩獎的授與為中心——捐出善款的慈善家。

按照日本的作法，老詩人在台灣是屬於贏得多少項獎也不足為奇的人。

然而據說對「政治」「敬」而「遠」之的吳老，是以萬年青年而自負，毫不掩飾自己豪邁的反骨詩人。雖未曾直接受過體制方的鎮壓，但也絕非當局欣賞的人物。

他的親信說，僅以〈無花果〉（大膽直率地描寫發生在戰後台灣的民眾暴動事件之作，《黎明前的台灣》所收）的禁止發行等，就能完事，實屬幸運而鬆了一口氣的風聲一再傳來。

由古稀到喜壽〔77歲〕的今年春天，吳老的確是勤於徘徊在中國大陸周邊〔譯註：當時未開放大陸旅行〕吟漢詩、寫遊記。其思念又在哪邊呢？來日本之時，也朗讀大陸詩人作品而獨自點頭認可，對著遙遠的天空，像是要寄託其思念一般，常常張大眼睛向著西方久久迴誦不已。哪知翁之身影現竟已不在。

民族正氣，永垂不朽。

鐵詩鋼文，千流萬芳。

合掌。

X君……來鴻拜讀，感謝。獲知吳濁流先生的《黎明前的台灣》、《泥濘》已寄到，而且你們輪流看了之後還舉辦討論會，使我感到欣慰。

想起來最初把《台灣文藝》（1964年4月1日創刊，發刊最初目標為月刊，現時1973年3月為季刊，已出版了38號）與吳老的作品介紹給你，是在我修完研究所課程，決定把研究的據點與生活場域放在東京的1965年春天的事。

當時的你，正處於要轉移去美國之前，留學歐洲已經五年多了。

離開台灣後，你從一開始就感到寂寞，到達巴黎後不久的

1960年夏，就早早地將想要的書籍雜誌、催促我寄去《文藝春秋》的信飛進我的信箱。我想像著當時寫著這封信的、你那充滿怨氣的臉。

我在你所要的《文藝春秋》之外又加上《世界》、《中央公論》，有時也把松本清張、大江健三郎、高橋和巳的書也寄給你，你應該還記得吧。不久你在讀了三本清張的書後，就說已厭煩了，清張的作品可不必寄了。而大江的還說得過去，和巳雖與我們是同世代，你卻對他的《孤立無援的思想》〔《孤立無援の思想》〕讀到中途就讀不下去而拋開了。

最初我武斷的認為，你是因為對學習法語與尼采太投入而疲倦之故。

去年秋天，我接到你對我的第一本雜文集《與日本人的對話》很長很長的讀後感。你特別在對「日本統治與台灣知識分子」（以「某副教授之死與再出發的苦惱」為題，收於本書）〔參見《全集》1〕給予評論之部分，甚至言及艾柏特・梅米（Albert Memmi）、沙特（J. P. Sartre）、法蘭茲・法農（Frantz Fnon），老實說令我感到驚訝。

我過低地評價了你，錯以為只對《文春》表示興趣的你，不過爾爾之輩，在此我特向你道歉。

本來我計畫在日本先讀兩、三年的農業問題，再去美國大陸，住進農場體驗大農場經營之後，轉到北歐學做乳酪然後回故鄉。而你與我不同，你的日語、對日本情況的了解都比我高出許多，然而你卻斷然選擇了歐洲，而不是日本，不，是要從世界的屋頂凝視世界、亞洲，以及我們父祖之地的新實驗與動向，而選擇巴黎做為留學之地的。

對你的「哈歐」，我曾一時在內心覺得不以為然，但即使是在台灣，你將河上肇的《貧乏物語》、三木清、西田幾多郎、河合榮治郎、矢內原忠雄，甚至是新潮社版的世界文學全集等等，均從家兄的書架取下，就自信滿滿地做講解。

這樣有實力的你不肯駕輕，而要從法文的第一頁學起的那種「匹夫之勇」，著實有點嚇倒了我。

你不選東京而選巴黎做為留學之地的理由，在「從世界的屋頂云云……」的高遠說法之外，還有其他更深層的理由。知道這一點，是在把過早失去母愛的我，視如己出而疼愛我的令堂，特地招待我到你的故鄉鹿港，為我舉辦惜別之宴時。

記得那時是1955年10月。台灣海峽波濤洶湧，金門、馬祖砲聲隆隆，那餘悸至今猶回響於我們的內心深處。

大學畢業後，服義務兵役的預備軍官訓練班（預備士官學校）的我們的「同期櫻花」中，有從大陸單身流亡到台灣、稍微懂得日語的東北出身者，樂天、金錢留不過一晚、愛吹牛的天津人T君，怕傷害別人而盡量撒播口惠的上海人S君，靜默寡言而經常若有所思的安徽省出身的K君，我們都偷偷地叫他安徽魯迅……。你休假到屏東H君家，讀了尾崎秀實的《現代支那論》（昭和14年岩波新書）而提問道：「日本的新聞記者尾崎說，『真正與日本打仗的不是國軍（國民黨軍）而是八路軍』，K君那是真的嗎？」對此安徽魯迅君把指頭貼在嘴唇邊上說：「啊啊，台北市的公車沒有八路（八號線）呀？」記得當時我們都感到有點牛頭不對馬嘴，莫名其妙。

那K君前幾年也如願出國經由東京去加拿大，而這兩年杳無音信。你在美國大概有機會與他見面吧。你可以向他詢問對有關釣魚台問題與尼克森（R. M. Nixon）訪問北京的感想。

對了，在那軍隊裡特殊的人的熔爐中，特別嗜好吃辣椒的湖南騾子（評湖南人的耐勞與遲鈍之謂）的Y君也是個不錯的人物。

Y君和K君同樣是單身流亡到台灣，因此之故，出國許可久久下不來，但在東京奧運會的那一年突然來訪，教我非常驚喜。

與從《內外時報》（當時唯一許可輸入台灣的日語報紙）上臨時蒐集到的東京知識為基礎，專對土耳其澡堂與船橋、橫濱的脫衣舞表演場，以及松竹、寶塚的少女劇團感興趣的普通留學生不同，他對淺草的庶民街較之銀座、對東北的農村較之大都會，更為關心。

我因為沒錢不能帶他去東北，但代之以東北農村的貧窮與農作物凍災痕跡之一的吉原（花柳街）與淺草觀音為他做嚮導。

現在已因經濟高度成長而很少能見到，但在當時淺草觀音寺院內的入口處，到處可看到斷手、斷腳的傷殘軍人，穿著白衣裳、彈著吉他求乞的情形。好奇而東張西望的Y君，突然走近一位雙手都裝著義手、一隻腳拄著拐杖站立的傷殘軍人。停留了一會兒，他將前天晚上在D飯店櫃台換來，一張嶄新的1,000圓日幣放進那掛在傷殘軍人脖子下的箱子裡。

痛心地看了深深鞠躬稱謝的戰爭犧牲者身影後，他感慨萬分地說：「歷史真是奇妙的組合。如果我那遭遇南京大屠殺而犧牲在九泉之下的父母，看到我把1,000日圓投進他箱子的情景，不知作何感想。」

現在想起來，在野外演習的休息時間裡，孤寂地在樹蔭下沉思，不用說對於北京話，連福佬話（八一五以前占台灣的漢族系住民85％強的福建南部的泉州、漳州出身者的方言，現在又叫閩南話或台灣話）或客家話（占同為八一五以前就住在台灣的漢族系住民約13％強的客家出身者所講的方言，其主流以廣東省梅縣出身者為父祖）都不說，而刻意使用不太流暢的台灣式日語在喋喋不休的本省人（八一五之前就住在台灣的漢族系住民總稱，相對於此，八一五以後從大陸新移住來台的人們稱之為外省人）朋友，以魯迅的眼神浮現出某種受不了的表情在凝視的，他的心情之一端，我有著終於窺見到的感受。

在我寫這封信的同時，也對自己的遲鈍感到生氣。儘管與Y君很親近，而直到他吐露有關雙親悲劇之死的心情之前，我卻不曾聞問，對這樣的自己，我感到無限的自我厭惡。

這當然不是我一個人的問題。我們一般的台灣出身者，太過於在乎台灣自身，認為只有台灣人是中國近現代史的孤兒、棄兒、被害者，僅在36,000平方公里（台灣島總面積）的狹窄框架內考慮中國的歷史，且未能看到現實。

被日本帝國主義的殖民地體制切斷得支離破碎的自己所應有的歷史意識、被沖淡消除的與中國近現代史的活生生共感，我們也不負責任地將這些置之不理，把二二八暴動事件（1947年2月28日，因反抗當局的失政而發生的台灣全島暴動事件。詳細請參照吳濁流著《無花果》）的挫折，說成是被祖國辜負云云，找來所有可合理化自己怠慢的「美麗」且想當然的理由，繼續怠忽其恢復。

如果我們不取回與中國近現代史的有生命的共感，拋棄只有台灣人是百分之百受害者的妄想，就不能成為推動中國近現代史的主人翁。

事實上，我們的世代在感性很敏銳、多愁善感時期——中學時代迎來了大戰後在台灣的第一個歷史轉換期，正開始不分朝夕、積極勤奮地為了恢復被剝奪的語言而努力（回歸祖國之後，在台灣的北京話學習熱是相當猛烈的）。這可能未被很多人明確地意識到，當時對我們來說是回歸中國，亦即可以看作是要把自己置身於中國近現代史的潮流中的原初社會性行為。

因為是無意識，所以不久即發生的二二八事件，把很多人打進失望與挫折的谷底。他們也在沒有意識到對歷史主體性確立的不成熟情況下，不知不覺地將自己扮成尋常的歷史被害者，再從過去清朝的棄民、被丟棄的小孩意識一轉，不，完全不轉變就直接簡單地成為被中國拋棄的棄兒意識，然後更將自己置身於中國史的潮流之外。

被殖民地桎梏所強化、往昔台灣民眾前近代意識表現的「西瓜偎大邊」（靠近有力的一方）、「舉順風旗」（看風向）、「鴨卵昧對得石頭」（無法抗拒有力者），以至「站高樓看馬相踢」（當旁觀者）的無力社會氛圍，以這時候為起點重新瀰漫台灣全土。

這樣的社會風氣，把我們世代的大部分人變得暮氣沉沉，使得他們認為歷史的潮流是在與自己無關的地方流動著。

這暫且不談，與此相反的則是在軍隊內的Y君，不知道二二八事件對本省人的知識分子與青年學生留下的傷痕有多深。不，或許應該說是無法知曉。（在台灣談二二八事件是禁忌。吳濁流著的《無花果》的禁止發行，就是以其敘述了二二八事件為理由）

而即使他能夠知道，因疏散到長沙祖母的家，而好不容易逃過南京大屠殺之難的他，在少年期與青年期的前半因處於中日戰爭、國共內戰之中而奔命繼之奔命、流浪繼之流浪，頑強地如同雜草般地存活下來的他，到底能和我們的夥伴一樣，把二二八事件、祖國回歸後當局的種種失政，當作「祖國」、「祖國的人們」對台灣的重大辜負來認識嗎？與他們是在長年的生活與鬥爭過程中掌握了「祖國」、「祖國的人們」的實質相比，我們是把「祖國」、「祖國的人們」做為未分化的、欠缺具體形象，也就是說僅以抽象的層次來掌握，這是當時的實際情況。這個非科學的、膚淺認識的局限就整個變成我們很重的包袱，至今猶如「尾巴」般拖在後面。

戰爭的殘酷、政治的腐敗、政治上的權謀術數、造反與鎮壓、革命與暴力、權力與民眾，用筆舌無法表達的從半殖民地、半封建狀態中脫逃的彎彎曲曲、血淋淋的極限狀況，不，在他的逃命、流浪的過程中，更有比二二八事件大好幾倍的悲劇與事件，不勝枚舉地頻頻發生的事實。鑑於他的體驗，就是我們以「你對二二八有何看法」問他時，也許得到的只能是「哦，這種事情是經常有的」這種不足為奇的回答吧。

我們的夥伴，做為對現狀的不滿，與對二二八事件所鬱積的反抗與反感的些許抗議表現，處於有意識或無意識的使用日語的複雜心理狀態，應該可以想像他是無法知道的。

我們本省人的夥伴在兵營內，在一起就偷偷地習慣性地講台灣式日語，當然不僅僅只是以上的理由。

我們差不多都是出生於九一八（「滿洲事變」）的前後，未受過殖民地解放運動的洗禮，卻遭受了殖民地的奴化教育、被強化的皇民化運動，還有是愈來愈被煽動的軍國主義教育，可以說是在這個三重滾輪之下，屬於比前輩更加幾乎被奪盡做為母語的閩南語、客家語，以及高山族各方言的世代。我們的世代，是「殖民地的傷痕」與普通話（北京話）的掌握不成熟——開始學習的年齡太晚，另一方面又因有二二八事件及以後當局的失政等，而對外省人的單純反抗存在於深層心理等理由，特別是在我們世代的學習遲遲不前——諸如這些重疊在一起，使得我們除了台灣式日語以外，沒有其他可以溝通的共同語言。

連我與你之間也是如此。高中時代在台北度過，在台灣算是比較自由地讀了各種書，學生運動也在某種程度被容許的時期——從1948到1949年春——能盡情地浸淫在那種氛圍中的關係吧，我們能比較早的從把二二八事件單純地看成是台灣人與外地人也是「闖入者」的大陸人即外省人抗爭的非科學俗論中，逃脫出來，比中南部，特別是受長老教會影響比較大的台南夥伴們，對所謂外省人的偏見與抗拒在程度上都比較小。

也許是沾了客家出身的光吧，我的國語在班上算是比較好的，而福佬出身的你發音則特別差。

做為出生於鹿港，代代以「書香之家」而有名望的世家之後，你的福佬話比班上任何人都好。但對即使會講客家話、福佬話卻只會隻字片語的我來說，與擁有多數者傲慢的通病，對少數者的客家話一句也不會說的你，兩人之間的會話便毫不例外地，只能以摻雜福佬話的台灣式日語充數。現在想起來都有慘痛與羞恥參半的複雜感慨。

為了救濟從大陸來的「流亡」青年學生，並且以培養在台灣的國民黨新體制官僚為目的而設立的短期大學、行政專科學校與行政專修班（後來合併為法商學院，現在為中興大學法商學院），你還記得嗎？那裡的畢業生也有很多在我們「同期櫻花」中，其中有位雖是外省人但日語卻特別好的遼寧省出身的F君吧。

他是依靠舊滿洲國關係的日本人而來日入學W大，但因患思鄉病而曾在東京鬧過一次瓦斯自殺。後來聽說他本來沒有「流亡」台灣的必然性，但因父親被問罪漢奸，他本是希望留學北京，而到達北京後卻因共產黨軍入城，慌張中混入一群人從北京—青島—上海—廣東而流浪的過程中，不知不覺地便在台灣上岸了。在台灣完全沒有熟人，好像望鄉之念難以抑制似的。到夏天他甚至獨自去北海道浸淫在大陸情緒中，站在小樽港隔著日本海，對著中國的東北部，一而再、再而三地令其思鄉之念馳騁於對岸，聽說這是記載於他死後被發現的日記中的。

F君也是了不起的詩人與浪漫家。因為他的體驗與台灣人青年的體驗有共通性，所以對本省人反外省人的感情也能理解。

他在東京講給我聽的是，他父親是由於有不得已的理由——知識分子經常為了要合理化自己的行為而利用這個言詞——當了日本的傀儡；長兄是做為國民黨的地下工作員潛入「滿洲國」政府，後來被發現遭槍殺；次兄因反抗父親與長兄而去了西北部就未再有消息。而八一五以後自重慶回到東北或被派遣來東北的「國軍」，裝出一副只有咱們打了抗日戰爭的模樣橫行於街上，到處受到東北民眾的皺眉嫌棄。而因共產黨軍與國民黨軍糾纏在一起，所以他的故鄉東北便無暇爆發像台灣二二八事件一樣的事。不然的話也十分有可能爆發與台灣類似的暴動，這是他的分析。

F君很想回大陸，又擔心會連累從台灣出來時，當他保證人的老師，在獨自煩悶中得了精神官能症，如前面所寫的在東京企圖自殺。之後朋友們擔心他，大家湊錢，也有替他改變環境的意思，把他送到三藩市的友人家。但是他辜負了友人的好意，這次卻自殺成功，現在已不必長歎人生的無常，而安靜地在三藩市郊外的公共墓地長眠了。

我們透過軍隊生活，實際上學到很多東西。不只知道「國軍」的體質，也知道在人的熔爐中，不分青紅皂白地僅依據出身地的不同，而分成外省人與本省人相互排斥，是多麼無意義。

雖然這完全是理所當然的事，卻使我們切身體會到，本省人與外省人中都是具有各種特色的人，就這一點來說，現在想起來也是很寶貴的體驗。

預備士官候補生的我們，不問本省人、外省人都同樣是大學畢業的，所以在軍營內的處境也還算好。那些幫忙洗我們軍服、內衣以至襪子以賺些零用錢，就跑去由於美國軍事顧問團的提案而剛剛設立的慰安所，只能把追求剎那間性的享受做為生存意義的老兵，其心情博得了我們深深的同情。他們在七七（盧溝橋事變）爆發以來，在故鄉從軍，在八一五之後尚未來得及復員卻又被捲入國共內戰，更經過海南島等地而被帶到台灣，未能結婚，日以繼夜地在底層過著枯燥無味的軍隊生活，被思鄉之念折磨著捱過一天又一天。他們的文化水準只有在軍隊內識字教育的程度，因追求本省農村姑娘碰釘子，結局是逼對方或挾對方一起自殺的例子也不少。即使在那種場合也得不到本省人的同情，充其量不過是令人蹙顰而已。

大概是在1955年1月的前後吧，台灣海峽的情勢緊迫，或許我們會被送往金門的風聲不知從何傳來，記得我們都感到很不安。

在上中學的時候，我們被日本教師侮蔑為「清國奴」，因芝麻小事就被高年級或留級的日本學生，辱罵為清國奴或挨雨點般落下的拳頭制裁，對此莫須有的侮辱，站出來反抗的是高我們兩屆的R先生。他被拉去憲兵隊，最後被迫退學。

就是這樣的他常對我們歎息著說：「真想渡過台灣海峽去重慶參加抗日軍唷。」

R先生在戰後，正如你所知，曾復學念完高中，但因不屑就讀舊殖民地大學後身的台灣大學，於二二八發生後的第三年，即1949年夏，以留學北京大學為目的，去了大陸就再也沒有消息。

因與我們的抗日英雄R先生的關係，有關台灣海峽的回憶也令人懷念。

台灣海峽到1950年代，成了美國第七艦隊的巡邏之地，不僅對岸戎克船〔譯註：指中國沿海或內河的帆船。〕的往來受到妨礙，而且變成兄弟鬩牆之場所，真是令人痛心。

也是在兵營享受星期天的外出休閒時，我們誓言不管發生什麼，絕不去當藻屑與「砲灰」。

惜別之宴的回憶，又引出軍隊生活的回憶，冗長地寫了有關「安徽魯迅」的K君、東北人的F君、湖南的Y君、前輩的R君等。

現在暫且把話題拉回惜別之宴的回憶吧。

已經是18年前的事了，當時的情景至今猶鮮明地留在我的記憶中。

這大概是與我們所背負歷史之沉重，與類似鹿港風情，深深印刻在我心中，不易消除的一種東西有關似的。

鹿港對我這個客家出身者來說，完全是福佬人的廢港之街，如果說自己全然沒有不協調的感覺那是假的。但是超越了不協調感，我在此街能聞到父祖之地的氣味，而感到留戀與依依難捨。佐藤春夫在〈殖民地之旅〉〔〈植民地の旅〉〕（《霧社》所收）寫到：

> 鹿港之街，眞是不辜負預期、富於詩趣的市街——即使在內地（日本）舊的港街也常常是有趣的。然而此地是異國的，特別是帶有我所愛好的國家支那（中國）情趣的一種邋遢之美。一種瀕臨腐朽的眷戀感籠罩著整個街市……二層樓的欄杆悉爲亞字欄或綾子紋樣等，窗扉也大多以各式花樣鏤雕而成，檐端也有吊著八哥或其他種鳥鳥籠的家。是很多木器家具店與雕刻手工藝師等的街。

正如其所描述的，鹿港曾經是中部對岸貿易的要港，在殖民地體制下，雖受過激烈的日本化侵蝕，卻完全從日本俗文化的蹂躪中保全自身，飄散著一股濃郁、圓熟的中國情趣之故，我對鹿港有無限的喜愛。

與你一起，從那進深深的二層樓屋頂，觀看台灣海峽晚霞時的感動，是因剛聽完令尊所講的「鹿港的街與日本的殖民地統治」之後，從心底裡湧現出來的。

這裡的街是多麼不可思議的港街啊。街上人們講的福佬話是與其他地方福佬話不同的鹿港腔，強烈地回響在我的耳際。因過去與對岸往來頻繁，所以這口音即使在開拓地的台灣，也不容易消去吧。

腔調還沒有什麼了不起。更引起我興趣的是，台灣著名的抗日詩人洪棄生，和台灣產的大漢奸辜顯榮同樣出生在這條街一事。僅因這個組合的確奇異，卻又是事實，就足以令人陷入苦思。

不只是人的組合，街道的外表也呈現出漫不在乎、無所顧忌的樣子。因為在那充滿著濃厚中國情調的大街後面，有著無非是以台灣民眾一部分血汗錢所蓋的辜家寬廣的洋式大宅邸。

街道的表情乍看似乎保持著「寧靜」模樣，而承襲了洪棄生流派的漢詩人所舉辦的詩會，頑強地留著辮髮、穿著長衫以示對日本統治無言抵抗的文人墨客風氣與傳統，潛藏於底蘊靜靜脈動著，我能以我的切身體驗領會到。

對著風嘯吼，賞月吟詩的漢詩人，留著異民族清朝遺風的辮髮，穿著不適於勞動的長衫，有其保守後退的一面，但也具有反抗異民族日本人殖民地統治，中國民族主義舊形式的表現意義，這是誰也不能否定的吧。

事實上很多舊世代的知識分子，是透過吟誦漢詩唱出其抗日心情，表明自己意志的。

殖民地統治的鐵鍊把我們台灣人從外面鎖得越緊，舊世代漢詩人的集會、詩會活動就益發積極展開的史實後面，其實蘊含對殖民者企圖切斷自身傳統與中國關係的文化活動面的抗日初期型態，這一點是不能看漏的。

當然，也不是說台灣的儒者、漢詩人——他們之中多數也是地主階級出身——全都抱有抗日之意，一意只為追求與自己的傳統和祖國中國心理上的淵源而在吟詩。

台灣的殖民地當局在統治初期，就曾企圖對台灣人抗日運動內部實行離間與分化，在統治的翌年（1896）早早就設立了「紳章法規」〔譯註：即《台灣紳章條規》〕，嘗試對台灣人的儒者、紳士、有名望之士等授與紳章以攏絡他們。兒玉源太郎與後藤新平的搭檔，更以官方的活動舉辦「饗老典」（敬老會）、「揚文會」（招待清朝時代受過生員以上稱號者，即舉人等儒者、士紳，囑之書，令之詠詩，並設宴招待之會），私下又在兒玉有名的別墅「南菜園」，召集台灣人與在台的日本文士，令之以詩文唱和，並發行《南菜園唱和集》以發送。

被這一連串「甜頭」誘惑而受「安撫」之餘，產生出詠漢詩，唱和、讚賞總督府「善政」的買辦之徒史實，我們是知道的。

酒宴正酣之時，令尊突然問我：「戴君，佐藤春夫的一系列記述台灣文章，特別是《殖民地之旅》〔《殖民地の旅》〕你讀過嗎？」伯父又接著說：「佐藤先生在裡頭稱為A先生，當佐藤先生嚮導，並帶他觀光鹿港的人物，是我很熟悉的前輩……」

現在把佐藤的《霧社》（1936年版）中，有關A先生的部分抽離出來，抄寫如下：

> 火車到達彰化，到換車還有30分鐘時間，A君提議利用此時間去看距離車站不遠的公園，一切委任於他的我便默從了。公園在一座名叫八景（卦）山的小山上。（中略）只忘不了的是，那山丘上的樹蔭下有一座大石碑。那是領台當時我軍鎮定匪亂的紀念碑，仰視著碑面的A，對碑文中使用的匪徒或賊徒等字眼不喜歡，揪住我要和我議論，眞是令我感到有些吃不消。從內地人（日本人）的眼光看或許是賊匪，但從本島人（台灣人）的立場看那是愛國者。何況他們是在一個組織下，遵守軍紀的軍隊，將之當成匪賊，與劫盜同視，而建立於並非只有內地人才能目擊的公園，是爲政者的無常識。這是他議論的開頭，並且時時以相當激越的文句摻雜其中，表示出對統治的反抗。至今爲止的旅行中，這種意見，有時會拐彎抹角地從本島人的嘴中透露出來，因此我們已經聽慣了。然而如果傾聽這種牢騷，恐怕得聽上幾個鐘頭，而且若將彼此境遇調換思考的話，並非可付諸一笑之感情，因此我對這種議論自然處心積慮地盡量避開。偏偏又偶然在此發生，所以眞感到有點吃不消。他在駛向鹿港的車中，還一個人繼續著此議論，向我不停地解說光緒21年（1895）5月初旬改元爲永清元年的唐景崧、陳季

同、劉永福等，計謀建立台灣民主國的建國運動歷史，口若懸河。A對以藍地黃虎爲國徽、最終未曾出現過的國家充滿熱情，在我感到簡直無法招架之際，幸運地火車吹響汽笛並同時停車到達鹿港。本來就是空想、南方之民的他們，把這個未建國就已亡國的流產共和國，當作悲歌或歌頌的適當好題目似的，我也想承認這確實眞是個好詩材。我只是在想，他們在背地裡如此地喜好逞口舌之辯，或如A一般身爲受內地人頤使之一小吏而求顯達，或一般好與內地人交遊以求名譽，有如此風習來觀之，以彼等之態度爲卑屈者，無法認同之部分亦不少。

喜好文學的我，不只讀過這部分，而且對此A先生如果是真實人物會是個怎樣的人，也很感興趣。特別是，A先生對當時為殖民者陣營之一的佐藤先生，講述台灣民主國及其有關史實和抗日游擊隊的故事，責難八卦山石碑把抗日游擊隊刻為匪徒或賊徒還豎立在公園，而且以激越的口氣抗議日本的統治等行為，應該如何作想呢？我一直在想，因此伯父的這番話引起我很大的興趣。

伯父像是要回答我的疑念似地，充滿感慨地說道：「佐藤春夫先生來鹿港時，是29歲的年輕詩人。他有關鹿港的手記在當時的日本人來講，可說是比較善意的描寫。因他是對中華文物抱有無限思慕、對魯迅文學也寄予好意的人物，所以在1936年的階段發表了《霧社》，也描寫了與A先生的對答，我願這樣想。可是A先生的發言，你們只是把它當成有勇氣的發言來看，這是不正確的吧。畢竟佐藤先生的來訪是1920年初夏到秋天之間的事，時值日本大正民主主義剛拉開序幕，在中國大陸是五四運動的餘燼未熄，此席捲中國、告知走向現代胎動的暴風雨，也波及台灣各地，台灣青年也有被那熱氣薰昏了頭的好季節。A先生的發言可以說是搭上那個季節的熱氣。即使現在還是記憶猶新，在佐藤先生來鹿港後不久的10月17日，我們的英雄人物、台灣人第一位飛行員謝文達先生在台中做了威風凜凜的鄉土訪問飛行，簡直令我們趾高氣揚地稱快啊！在那清國奴的侮蔑歧視與殖民地體制令人窒息的氛圍下，當時連日本人飛行員都只有寥寥數人，謝先生的大顯身手讓我們愁眉頓開。」

然而關於這位謝文達先生，去年為了調查連溫卿、蘇璧輝（皆為台灣世界語運動早期的指導者）的事，訪問了沖繩學者比嘉春潮翁，已90歲高齡的比嘉先生知道謝先生，反而向我詢問起其消息真是令我吃驚。

正如很多人知道的，謝先生在此之後參加了台灣文化協會的議會設置請願運動，也赴大陸從事過抗日運動。

依前幾年在香港遇到的W前輩所說，謝先生不只是參加抗日運動，還是國民黨空軍草創期的飛行員，曾赴太原轟炸背叛中央政府的閻錫山軍，因飛機失事受重傷而被閻軍擄獲。

謝先生因為是中國稀少的飛行員之故救了他一命，後來被釋放回到南京。但雖是草創期的國府空軍，早已有地域主義與美國派的派閥主義橫行，對於台灣出身受日本教育的人物，加之又因事故已受傷的他，當時的實權派沒有溫暖伸手接納他的從容。謝先生也與其他很多例子一樣，離開南京政府的空軍，據說在大戰末期投到汪精衛政權下的航空關係機關任要職。

不斷地遭受日本特高跟蹤的謝先生，最後陷入只有在汪精衛政權內找到生活場所的困境，這種具有諷刺性的軌跡，因不只是謝先生一人之路，真是令人痛心。

陪席的曾為新聞記者的楊伯伯，像是承繼我的思路一般地開始講道：「謝文達的例子也是一個典型，但與我們同世代或比我們稍前的世代之中，腦筋好又愛吵鬧的一夥，對日本人的橫暴行為發起反抗或罷工（課），受到處分便到日本內地或大陸去追求新的天地。當然畢業後為了留學而赴兩地的人也有，到大陸後在北伐的過程中戰死的也不少。只是一開始就去大陸的人，受到前輩的忠告或早就體悟到大陸的政治氛圍，所以就隱藏自己的台灣出身，而自稱福建人或廣東人在大陸扎根才能生活下去。但從台灣去日本留學時，因在日本與台灣的往來之間受到日本官憲的鎮壓、壓迫而感到厭煩跳進大陸革命熔爐之中的人因年紀輕，帶著透過殖民地教育而滲入體內、既單純又審美的日本式脾氣，與『大陸即祖國，祖國即溫暖』式這種極為單純而圖表式、過於天真的期待，而滿懷浪漫主義回去的例子為多。

「他們不能正確地認識到因侵略與革命而處於混亂的祖國，從半封建、半殖民地狀態中逃脫出來，同時又抱著在歷史上向近代與現代過渡的課題，急遽震盪的父祖之地，各種各樣的矛盾與糾纏赤裸裸地全暴露出來的、處於極度混迷狀態的祖國形象。不，可以看作是他們大多在認識之前已在門口畏縮了，因為期待過大，失望與挫折也就更大且更早來臨。

「而妨礙他們正確認識祖國的理由，是他們之中大多數與我們同樣是地主階級的出身。因為日本的台灣統治在精神面的確是強加歧視與壓迫的，不過在物質面雖限制台灣人的資產階級發展（禁止僅有台灣人的股份公司設立），但因有必要圓滑地榨取農民，台灣的寄生地主被包容、重編，我們的高率佃租是受總督府權力保障的。我們認為以受保障佃租的恩惠所進行的『造反』畢竟只是『秀才造反』，T君覺得如何？他們是觀念單純的愛國主義者，又是小資產階級民族主義者，在激烈的中國革命過程中的動搖，是很容易理解的。克服這種動搖，找尋延安、重慶之路的人雖是少數但有其人。然而找尋後者之路的大多數人，也大約與所謂的克服這種漂亮事大體上是無關係的，只是漂流於中國的政、軍界，一聽光復即認為好機會到來，自以為老子才是台灣人的代表而招搖跳出，使用所有招數想頭也不回地衝向權勢富貴之道。看到他們忘了初衷，喪失了革命的熱情，圍繞著求官與接收的特權而神魂顛倒，實在令人感到悲哀……。」

聽著楊伯伯的話，我的胸中縈迴著游彌堅（已逝，日大畢業湖南大學教授，光復後任台北市長）、黃朝琴（已逝，早大畢業，國府第一位台灣人外交官，光復後曾任台北市長、台灣省議會議長）、黃國書（淡水中學中輟，上海暨南大學而後於日本陸士軍官學校畢業，光復後任立法院副院長、院長）、翁鈐（從龍潭公學校畢業赴廣東，後就學於北京大學、九州帝大，光復後任民政廳長）、連震東（《台灣通史》著者連雅堂之子，慶應大學畢業，抗戰時與謝南光、李萬居等服務於國府軍事委員會國際問題研究所，光復後任台北縣長、內政部長）、李萬居（從北港的公學校赴福州、上海，由上海國民大學而巴黎大學，任國際問題研究所粵港區辦事處主任，1945年春入重慶從事台灣革命同盟會業務，從事台灣研究與日本敗戰後的接收準備等等，光復後曾任《台灣新生報》社長、台灣省議員。二二八過後的1947年10月創刊《公論報》，決心以在野黨的立場從事言論活動，在1950年代末到1960年代初與雷震、高玉樹等一起邁入「反對黨」──在野黨──的結黨運動，後因雷震的被捕入獄而失敗，《公論報》也轉讓他人而解體，於不得志中病故）、謝東閔（從台中一中到上海蘇州大學，再經中山大學，任中國國民黨直屬台灣黨部執行委員，光復後曾任高雄縣長、台灣省立師範學院院長、台灣省議會議長、台灣省主席）等人物。

他們之中一些人已逝〔譯註：1979年時〕，但暫且留到日後再對其做評價吧。

然而在光復後，他們大部分是屬於能置身於照得見陽光位置的人。但是在南京、上海等地因間諜嫌疑被殺的同文書院唯一的台灣人教授彭盛木（阿木）、洪棄生的兒子M、世界語家蘇璧輝等，則是完全無可挽救的了。

當然將他們處刑的權力掌握者中，有日本人也有中國人，雖說是間諜，也有出於自己的意志擔當祖國防衛的一翼而被毒殺的、在混亂中因誤解受冤枉而被處刑的、忘了殖民地解放鬥爭的初衷在革命的熔爐中選錯了處世法則而被殺的，其動機與狀況各式各樣。

不管怎樣，他們在中日兩國間激烈戰爭的谷底苦悶掙扎，結果是尚未能見到他們夢寐以求的台灣回歸祖國、樂土台灣的出現，即已被當作犧牲品獻上祭壇，這真是一場悲劇。

「可說不幸中大幸的，是洪詩人的另一位兒子洪炎秋之事吧。炎秋是當時為數甚少的北京大學的台灣人學生之一。他沒有張我軍（同時期在北京，把五四運動的氣息注入台灣，是在台灣推進白話文運動的第一人。七七以後做為北京大學文學院教授留下，以大東亞文學者大會華北代表身分，參加過1942年11月3至10日間舉行的第一屆、1943年8月25日至28日間舉行的第二屆大東亞文學者大會。光復後搬回台灣，曾任台灣省合作金庫研究室主任等職，安靜度過晚年）的顯赫，但以本名洪槱加入《南音》（1932年1月1日創刊的白話文雜誌，嘗試透過白話文推動思想與文藝的大眾化。隨著第12號的禁止發行而停刊。順便一提，第11號是1932年9月29日發行）的同人，自北京明裡、暗裡向我們傳遞大陸的動向與氣息。

「就是這樣的他，在中日戰爭中，受國民黨的密令，留在北京大學農學院，當了所謂的受當局之命的『漢奸』，對戰爭結束後無原則的抓漢奸感到厭煩，以及因任北京台灣同鄉會會長而致力於華北區台灣人的復員，於1946年5月帶領二百多名台灣青年，告別住了25年之久的第二故鄉北京回到台灣。

「歸台後的他，先是擔任台中師範學校校長開始教育事業，被捲入不久後發生的二二八事件，危機中逃過牢獄之災，出任國語推行委員會副會長，現在是台灣大學中國文學系教授。洪家在千鈞一髮之際，兩位兒子差點都被斷送非命於地獄谷。

「比起炎秋，他在北京大學唯一的台灣人同期同學、光復後任台灣行政長官公署教育處副處長的宋文瑞（斐如）的死，就更悲慘了。

「宋先生在抗戰中與洪先生不同，他赴重慶，服務於國際問題研究所，擔任被認為是外圍團體的戰時日本編輯委員會發行的日本問題研究雜誌《戰時日本》總編輯（順便一提，在台灣比較知名的編輯委員還有謝東閔、謝南光、李萬居、李純青等），對日本問題進行過活躍的發言並發表研究論文。歸台後被任命為以台灣出身者來說，是破格的教育處副處長之位，但與陳儀等人的台灣施政不相容，遂辭職創刊《人民導報》批評惡政，而丟了性命。

「另一方面，正當我們把台灣總督府的專制與鴉片政策之非，提訴於國際聯盟進行強烈抗議時，為了獲得買鴉片的錢，竟在御用報紙上堂堂發表『鴉片不只無害，卻還有益』謬論的連雅堂，其對台灣民眾的背叛行為一概不被過問，現在被神格化為抗日大詩人、寫了《台灣通史》的大學者，其子則沾盡老子的光，啊啊……真是沒道理的擺弄啊。」

楊伯父皺著眉一而再、再而三地歎息道。

長時間的酒宴與沉重而珍貴的話題之間，我擅自領會到了你未整理好內心、不願踏日本之地的心情。

本來，你經常去消磨時間的吃茶店H，經營者是單槍匹馬的抗日運動鬥士張深切，你寄宿的清信醫院，是由左翼抗日運動的指導者而後漸漸脫離到與汪精衛政權有關的彭華英夫人，彭蔡阿信的醫院，加上你敬愛張先生，對彭先生夫婦表示出特別的興趣，常常強調應將他們的體驗做為教訓來吸取等，如果將這些關聯起來思考的話，我應該能更早理解你不是口頭上裝樣子的反日家，也不是單純的哈歐派，不夠靈敏的我還不能到達完全理解你想法的地步。直至今天我想還有不少未能理解的部分。

這個暫且不談。你做為讀了前述吳濁流老兩部著作的感想，表明自責之念，說我們的世代是如何地怠慢，對此我要舉雙手贊同並與你唱和。

吳濁流作品之世界一言以蔽之，可說是以殖民地體制與人為主題的殖民地文學。身為美國鄰人的你的發言我可理解，希望吳老描寫我們世代的體驗與意識，但有些不好意思講的是，那是太過分的要求，與此同時我要指出，那是放棄自己必須肩負的責任。

1900年出生，已過古稀又三年的吳老，現在還拋出自己的私有財產培育後進，致力於提倡做為中國文學一部分的鄉土文學之餘，自己也繼續作詩，寫長篇的《台灣連翹》，這已是足以令我們驚訝的了。

對吳老的付出應表感謝的同時，正確地繼承他的工作，且有表明讓之更加發展決心的義務，應已沒有苛求的理由。我是這樣想的，你認為呢？

聽說你另外一位激進的年輕朋友好像提出過吳老的作品主要是處理殖民地體制與人的問題，欠缺衝擊力，也缺少動人心弦的切入，這種批評也可在日本的年輕讀者中看到。可能人家會說我過時，但我不能苟同那種讀法。

本來吳老的作品風格，他表明自己對老莊哲學有共鳴，而且也正如他說過的，他喜歡「像無花果一樣，從不顯眼，在人所不知的地方靜靜結果」的生活方式，因此他的作品裡不出現英雄，也難找出高聲疾呼的聲調。

但是作品的趨向卻洋溢著重量感，從字裡行間聽到的是自然溫和的告發。我感覺到一種徹底地，以自己僅有的率直肉聲貫穿於他的語調中，有迫近讀者、不散的魔力。

他又常以「我」——這個我有時只三分之一，有時或三分之二，更有時是百分之百的吳濁流自己——開始說起，以事實為根據，極其正確地把圍繞在自己身邊的殖民地體制下的各種政治、社會現象的諸多型態放進歷史的脈絡中，細緻地為我們描繪了殖民者與被殖民者、殖民者與被殖民者在殖民地體制下栩栩如生的行動軌跡與糾葛。

眾所周知，戰前派的台灣作家中直至戰後的現在，未曾中斷過創作活動的人除了吳老別無他人。換言之，儘管不利於創作的政治狀況對所有台灣知識分子而言幾乎是共有的，然而只有吳老一人能精力充沛繼續工作的祕密是什麼？除了做為作家主體的吳老，其凝視政治、社會及其歷史的眼光與態度之正確性，我認為沒有其他的理由可尋找。

你讀了我的〈霧社蜂起事件的概要與研究之今日意義〉（《思想》，1973年2月號〔參見《全集》1〕），你說，第二次霧社事件是日本當局所導演出的事件，當時的警察官小島源治做了自白，不是在戰爭剛結束之後，而是在現在這個時期有這種自白，這一點你願給予正面評價，但從那文章的脈絡來思考的話，有點危險也看得太單純了。很遺憾我不得不這樣指出。

小島自白的意圖，和引導出他自白的江川博通的主觀意圖，都絕不是你所期待的「基於殖民者應有的反省發言」，所以有問題。又不巧的是，江川先生的《霧社的血櫻》是自費出版，很少有人可看到。即使可以看到，書整體的基調是與你的期待完全相反的話，小島先生的自白被正面手段化的可能性就很小。

最近我有機會讀到曾經是取締台灣文化協會抗日運動總掌管，前台灣總督府警務局長本山文平的回憶錄《夢的九十年》〔《夢の九十年》〕，可惜也是自費出版。

台灣人的無賴漢去當日本權力的爪牙，在我們父祖之地的福建、廣東舞爪張牙地施虐，祖國同胞把台灣人稱之為「台灣呆狗」（台灣的瘋狂呆狗，狗字通爪牙之意）敬而遠之，這個史實應該聽說過吧。

有良心的台灣人很容易忘記那些「害群之馬」的存在，只認為祖國的人對台灣人太冷淡，這也存在於諸如尊父所說的、吳濁流作品中也出現過的，一般台灣知識分子的意識底層中。

本山先生寫道：

在台灣警務局長時代，《福州日報》的記者李呂冀曾當過我的嚮導。李在當時改名爲李子堂，得到板垣陸軍少將的後援，當上天津大報《天津庸報》的社長。有關李呂冀，當時的軍部說，有可以表明他是如何地粗暴的故事。李以前是台灣萬華黑道幫派的一員，受我的友人《福州日報》社長鎌田正威君提拔，在《福州日報》當社員時，受台灣軍司令部Y副官之密令，爲製造出兵南支那的藉口，在福州殺日本人，地位愈高愈好，軍艦的艦長也行。李考慮之後，就去殺了正在生病、看樣子活不了多久的日本人小學校校長。台灣軍司令部以此爲藉口，向日本的軍中央部申請出兵。然而日本軍的中央部，以出兵僅限於北支〔譯註：中國北部〕，而把向中國南部出兵的請求駁回。領事館警察不知其來龍去脈，尋找出犯人，檢舉了李，將之護送回台灣，以殺人罪審判。李主張受軍部之託，社長鎌田君也向台灣軍司令官眞崎大將抗議。辦案的二反田裁判官當初不信李之言，但後來向軍部查詢後才知道屬實，遂將李以不起訴處分，並將其放回中國南部。

像這種殖民者的證言，最近在各式各樣的層面均可撿拾到，可惜日本一般的庶民，到現在遠未達到從本質上把握殖民地體制的程度。

從日本具有代表性的日本近現代史研究者遠山茂樹教授開始，到1960年代具有代表性的青年作家大江健三郎，對問題的認識的射程，也只是剛夠到達沖繩而已。

所幸，隨著日本與亞洲所應有的新交往方法成為日本的新課題，慢慢地出現有良知的研究者和青年學生階層以殖民地問題與殖民地史做為研究題目，總之，我想這是一個可喜的徵兆。

在此意義上，可說是吳老的作家活動原型《亞細亞的孤兒》，在繼他的兩部著作之後也將要出版，這是可喜可賀之事。

誠如你所說，吳老的諸作品是台灣知識分子要當創造歷史、推動歷史的主體，以自己的意志回歸到中國近現代史的脈絡必讀的文獻。

我們不能像《亞細亞的孤兒》中的主角胡太明一樣，停留在被孤兒意識——這也是百分之百的被害者意識——折磨而到發狂的階段。

因為那樣，所以吳老以「很像是太明的男性……乘漁船到了

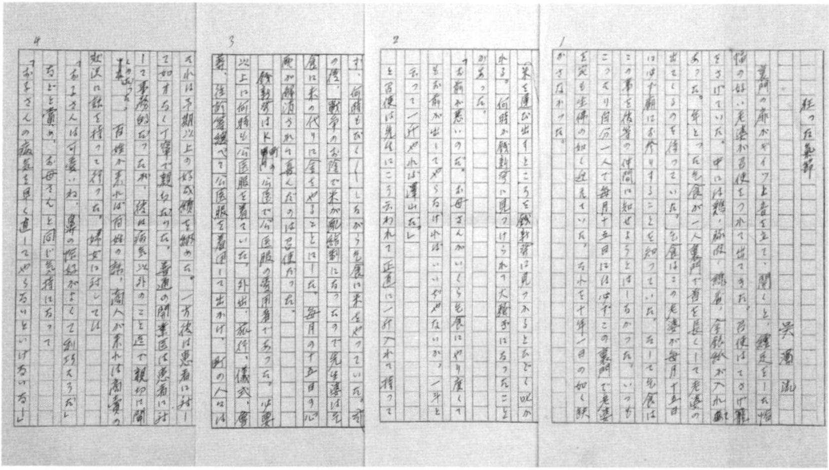

吳濁流手稿（原件典藏於中央研究院人文社會科學聯合圖書館）

對岸。也聽到太明在昆明的廣播電台做對日廣播的傳聞」來暗示胡太明的下落。我們不應該將之簡單、武斷地做為對自己約定之地的「認同」證言吧。

我們的緊急課題不是別的，是要徹底思考——對於我們來說日本是什麼，日本的殖民地統治到底是怎麼一回事，克服與揚棄殖民地體制所留下的對祖國與日本根深柢固被害者意識，確立自己的主體性，雖是晚一點，但應準備好去參與改寫中國史吧。

對於日本的讀者諸賢，我希望各位把吳濁流先生的作品當作確立亞洲真正的和平，與創出中日兩民族應有的新善鄰友好關係的食糧，並做為理解殖民地體制所造成的人性破壞本質，與肉眼看不見的殖民地體制傷痕之啟蒙書來讀。不是台灣人，正是日本人自己在變成亞洲孤兒的危機狀況正在迫近，因此我做出這樣的期望。

X君……請原諒寫成這麼長的信。這封長長的信，坦白地說，我是在自身被刀割的感覺中，花了50天才終於寫成的。

最後把濁流老最近的詩作自《濁流詩草》中摘錄如下，擱筆於此。

回憶淪亡五十秋，爲奴半世愧前羞。

幾多憂憤言行外，借問同胞記得不。

祈勇敢奮鬥。

再見！

1973年4月15日

本文原收錄於吳濁流，《アジアの孤児》解說，新人物往来社，1973年5月25日。文前的「悼老詩人」（老詩人の死をいたむ）一節，原刊於《京都新聞》，1976年11月15日

【附錄】

吳濁流致戴國煇函

◎ 林彩美譯

敬啟者：

上週以水陸郵件寄上兩冊《濁流詩草》，書中頁329下段漏了一行，請把附上的紙片「風清月白無聊夜」貼上。接著還會寄出20冊。

為孤兒〔譯註：《亞細亞的孤兒》〕在日本的再版大力相助非常感謝。《泥濘》，據東京的朋友來信說甚獲好評。〈泥濘〉、〈陳大人〉與〈波茨坦科長〉編在一起出版，而且以一個觀點的結論做了解說這一點使小說更加生動。

那麼（依我的看法）這次〈孤兒〉與〈瘋狂的季節〉編在一起，如果能夠加進〈功狗〉我想會更精采。〈功狗〉也不過七、八千字，稍微勉強應可編為一冊，真是得隴望蜀，這也是老人的貪得無厭吧。謹供參考。

最近非常忙，大量的來鴻，光是寫回信就讓我疲勞不堪。一直到四月的大會一點閒空都沒有。或許這樣身體也因之愈來愈好。徐先生似乎還不能去。

吳濁流

1月21日

穆罕默德．阿里*的「火種」

◎ 林彩美譯

異常引起關心的錦標賽

1974年10月31日的運動報各報，當然連《朝日》、《讀賣》、《每日》所謂三大全國性報紙的運動欄也一起大大地報導了非洲的「黎明對決」，即職業拳擊世界重量級錦標賽優勝者，喬治・福爾曼與同級第一位原優勝者，穆罕默德・阿里（Mohamed Ali）的15回合拳賽因阿里的「世紀大逆轉」——於第八回、二分五十八秒擊倒福爾曼——而戲劇性閉幕。

最近以「這裡特報部」的出色版面編排而得到好評的《東京新聞》，則在同日的同欄匀出相當於一整頁的篇幅，登載了「黑的世界所舉辦世紀大型體育活動——重量級決戰非洲——蒙博托（Mobutu）〔譯註：1974年時的非洲薩伊總統，1960年與卡薩武布聯手發動武裝政變，自己當總統，1961年把元首地位還給卡薩武布，1965年發動武裝政變奪回政權當總統。1970年再任〕演

* 穆罕默德・阿里（1942～），美國知名拳擊手。

出的另一個勝利。」（順便一提，對「這裡特報部」的報導有聽到一些批評：「玉石混淆、不均」，但僅限於本特輯報導來說，運動部與他部記者的合作成果精采橫溢紙面，是很有看頭的名報導。）

連不是運動報的一般報紙都勻出相當版面，為此比賽做報導也是有其理由的吧。

本來在熟爛了的資本主義社會，重量級冠軍保衛戰本身就是最大的秀。因為是最大的秀當然就引起關心。

然而，如果是尋常的錦標賽就不會引起如此大的關心吧。我所說的尋常的錦標賽，不用說是純粹在運動面的選手組合——僅限於強與弱、有聲望與無聲望、好與壞來講。

純粹以運動面在本比賽選手的組合來說，不一定能說是世界重量級錦標賽史上最佳組合，至少在比賽前的預想……。

賽前，幾乎全世界的職業拳擊相關人士都一面倒的看好福爾曼、賭率為15比4、14比5、3比1等等對阿里的不利報導充斥於街頭巷尾，恰好做了證明。

那也難怪，冠軍的福爾曼正處於年富力強期的25歲，而挑戰者的阿里是32歲的老頭兒。從戰績上看，福爾曼在過去40戰全勝，37次擊倒對方，而且3次的錦標賽的合計僅4回合，11分35秒就解決的強擊手。他方的阿里是通計46戰44勝33擊倒2敗，加之此2敗的對手喬・弗雷澤（Joe Frazier）、肯・諾頓（Ken Norton）兩人，都讓福爾曼像對付小孩般擊倒在墊上。這些事蹟強烈而鮮明地留在預測者的印象中。促成阿里不利的預測當然不只是上面的資料。

世界拳擊協會（WBA）把阿里的王座以拒絕徵兵之名，從拳擊台外非法地剝奪，因此使阿里有長達三年半的拳擊台生活空白。回歸拳擊台後，對弗雷澤之戰，看不到阿里往年「飛舞如蝶」的輕巧移動步法，接著是去年〔1973〕3月對諾頓之戰被擊碎顎骨而附加不光榮入院的「實績」，從以上等等，因此大部分相關人士預測阿里不能忍受福爾曼的強擊。衝擊力、體力、年齡、最近戰績等任何資料對照來看，「福爾曼有利說」是誰都信而不疑的。

但是也有不包含在上述「誰」之中的唯一記者——AP通信的資深記者，W·格林姆斯列——為了他的名譽，筆者有記錄於此的義務。

格林姆斯列記者在同月28日的金夏沙電說「光看表面不能決定勝負」，把阿里比喻為鬥牛士，福爾曼為牛，斷言「聰明伶俐的阿里有利」（請參照《報知新聞》，10月31日）。

他正是唯一的例外之故，贏得、中了戲劇性「世紀大逆轉」之「大冷門」榮譽，即使這樣，當然格林姆斯列記者也沒有左右比賽前的預測大勢的力量。就此意義，在純粹運動面看，本比賽的組合為普通或普通以下之類的賽前情況，一點也未改變是嚴肅的事實。

儘管那樣，這次的錦標賽引起廣泛且異常的關心，不待指出是挑戰者阿里的聲望和其「複雜」的聲望之故，而能舉辦的有特色非洲黎明的大比賽活動吧。

對錯過電視的全球轉播與漏看了新聞報導的讀者，我想稍加說明。

體育記者大肆宣傳的「非洲『黎明的對決』」職業拳擊重量級錦標賽，在舉辦地薩伊共和國首都金夏沙上午時間4點15分，在該地的5月20日足球場舉行，共集合六萬餘觀眾。這個不正常的時間不待說，是配合美國電視播出的黃金時段。

如傳聞，此有特色的大活動，能在薩伊共和國首都舉辦，是蒙博托總統的授意，活動舉辦人的意圖，加上阿里「複雜」的願望的精采，一致存在舞台背後。

在歷史上做假設雖是禁忌，而勉強寫的話，我想如果阿里在過去的十年沒有「光榮的受難」和其有特色生涯的話，就不會舉辦如此具特色的大活動，也不可能舉辦。

我要重新再強調。更基本的是，阿里在1964年2月，在只有20戰的戰績時，對當時的優勝者，桑尼・利斯頓（人們稱呼他為「瞬間的『殺人者』」、「不敗之男」）顛覆了大部分人的預測，在第7回將之擊倒獲勝以來，一直走來的光榮與受難道路上，保持「火種」的「功績」，促成了在非洲具特色大演出和「對決」。

有特色的演出是指下述的事。如前面所舉「這裡特報部」報導的介紹，「非洲黎明對決」的「演出者」是薩伊共和國蒙博托總統其人。這是第一個特色。蒙博托總統的主要目的是，對內的「黑是美麗，黑是最好」不是在黑色非洲，而是在白人優越的世界、「最強」的資本主義國美國堂堂地大肆宣傳，迎接「同胞」黑人穆斯林的英雄阿里，把自己的非洲民族主義，以全國民的規模做鼓舞。又，對外以電視的全球轉播，以及透過聚集到舉辦地金夏沙的新聞記者，把薩伊共和國的最大廣告做世界性規模的嘗試。如果允許再臆測的話，他的次要目的也許是對美國的黑人解放運動、第三世界的民族獨立運動等巧妙地給予刺激。

第二個特色之點，可從非洲是有史以來初次舉辦重量級的錦標賽看出。

儘管大部分重量級名選手出自黑人，然而錦標賽從來不曾在他們父祖之鄉舉辦過。

在非洲比賽對演出者來說也許不賺錢，阿里之前的選手幾乎都是拳擊台上的「工蜂」，只是「傀儡」而已，這樣說是理所當然。

但是時代確實變了。阿里打破傳統的桎梏，在拳擊台上當了第一位「自由人」出現。他恐怕就是以自己的意志，陳述了希望在「『黑人的祖國非洲』比賽」的第一位黑人選手吧。

撲向阿里的願望，而自己做演出的蒙博托總統可說是一位很有手腕的政治家。

記得1961年，剛果總理盧蒙巴（Lumumba）的悲劇嗎？1960年8月15日，從比利時獨立的利奧波德維爾（Léopoldville）（金夏沙）·剛果，有以完全獨立為目標的魯姆巴·剛果總理與以舊殖民地主義勢力為背景的卡薩武布總統，和盧蒙巴總理之間圍繞建國問題展開激烈的內戰。結束此血腥內戰的就是他，蒙博托總統。

眾所周知，他把國名改為薩伊。

薩伊共和國自身是：黑人穆斯林運動，阿里不斷與同伴所追求的「黑色祖國」外在形象，很契合吧。

最佳組合，不是運動本身，而是所謂充分含有做秀要素的職業拳擊附加上新的「政治色彩」，而帶來前所未有的相乘效果。由於職業拳擊與複雜「政治」組合的「共鳴音」迴盪著。那一部分傳到我們的起居間。並不「異常」，完全自然地把大多數的我們捲入其漩渦中。

拳擊酬金的總金額為1,000萬美元（30億日圓）。這也是有史以來的最高額，足以令愛好者們驚歎。受阿里聲望所痲痹因此評論家們忘了解說吧……。挑戰者阿里與優勝者福爾曼以同額的500萬美元受保障。做為肉體上已過了年富力強期的「過去之人」阿里的酬金，是有遙遙超過常識的地方。這同額的酬金直接告訴我們，阿里的聲望並不只限於運動層面狹窄的範圍。

阿里多層且錯綜的聲望，和他的「思想性」（傳統的黑人重量級拳擊選手絕沒有，而且絕不被允許有的、對白人和基督教文明的叛逆思想）與蒙博托總統的思想相符合，因此竭盡心思有特色的大演出，在當地時間的黎明前清晨四點舉辦，可說因此更引起異常的關心。

「火種」被確保了

可用一句話描述阿里的聲望，但聲望本身的結構是極其複雜的。

他聲望的祕密已於1972年4月1日，阿里、瑪克・福斯塔東京戰的前後，由日本的新聞雜誌詳細介紹了。又描寫有關阿里的兩本著作，也被翻譯成日文在我們的手中（①傑克・歐森（Jack Olsen）著，稻葉明雄譯《黑為至高無上》〔《黑が最高》〕，早

川書房；②荷西・多利斯（José Torres）著，和田俊譯《卡西優斯・克雷》〔《カシアス・クレイ》〕，朝日新聞社）之故，如今不必等筆者屋上架屋的敘述吧。

但是，在此有無論如何必須寫下來的幾點。

筆者認為阿里畢竟是理智的人。100分滿分的徵兵測試只拿16分，因此有人懷疑他的智商我是知道的。我也知道，有人說他的即興詩稚拙因而嘲笑他。我也聽說更有承認他是「偉大」的藝人，但全都只是吹捧他的人的演出，提此穿鑿見解的執筆者今猶健在。

儘管那樣，筆者仍認為阿里是理智之人。理由很簡單。因為他利用最老舊的組織，巧妙地運作最新的事業之故。

在此請想起他擊倒了桑尼・利斯頓，射中第一個王座的比賽（1964年2月）之前所做誇讚自己拳擊、著名即興詩的一節「如蝶般飛舞，如蜂似螫刺」。

許多作家把拳擊，尤其是重量級比賽形容為男性藝術之上演，又包含阿里不少的有心相關人士，對舊體質加以挑戰，但圍繞職業拳擊，重量級的黑霧沒聽說散去過。又被看成美國資本主義所生產，培育最腐敗職業運動代表人物的形象、職業拳擊重量級至今猶未拋棄的範圍來說，那僅是舊的「組織」而已。

如蝶般飛舞、如蜂叮刺桑尼・利斯頓奪得王座的阿里，接著以此為墊腳台，正是在那培育「舊組織」的美國盎格魯撒克遜系白人新教徒（WASP）體制所設置的舞台上，如蝶般飛舞、如蜂般叮刺WASP的秩序。

這不就是利用最舊的組織來舉辦最新事業的最好形式嗎？

阿里使所謂WASP與其關聯的追隨者們在舞台上享樂，代之入手莫大的獎金。而他決意不像他的諸多前輩，絕不當WASP的傀儡，以「黑」的自由人，充分活用大眾媒體，更把獎金的一部分編入黑色穆斯林基金，對其運動注入活力，主張包含自己在內的黑人同胞人權。他同時為爭回同夥的尊嚴傾注精力，做各式各樣的嘗試。

要靈巧飛舞如蝶、無破綻地叮刺如蜂是屬於才智，但要實施舞與刺的行為需要有勇氣。特別是在拳擊台之外……。因為負有被剝奪在拳擊台上發揮勇氣機會的風險。

阿里不是蝶也不是蜂，因為是貨真價實的黑人重量級世界冠軍之故，飛舞與叮刺都會惹惱「美國文明」與WASP體制。

在此意義上，阿里可說具有才智的勇士。

他在拳擊台外公開披露他的勇士形象是在1964年2月26日，第一次從利斯頓奪取錦帶的翌日。

在這之前（當時是叫卡西優斯・克雷，Cassius Clay）阿里是不折不扣的，美國黑人現猶持續著的長久受難史中，爬上被給予的、既狹窄又險峻，但是第一捷徑的男士。光這一點來看，他就已是在體育領域有勇氣的男人（1959年，17歲，業餘全美輕重量級冠軍，翌年1960年18歲，羅馬奧運會輕重量級金質獎受獎者）。

眾所周知，爬上這第一捷徑的美國黑人，除阿里之外還有很多，但像阿里那樣，爬上第一捷徑，獲得最高座位——職業拳擊世界重量級冠軍地位的翌日就發表：

> 明智者誰也願與自己的同類在一起。青色的鳥與青色的鳥、紅色的鳥與紅色的鳥。……螞蟻的頭雖小，儘管那樣，紅色蟻與紅色蟻、黑色蟻與黑色蟻希望在一起。……我要信奉伊斯蘭教，亦即，阿拉之外無神，我相信伊利賈．穆罕默德就是神的使徒。這是亞洲、非洲有黑皮膚的七億的人們所信的宗教。……人們所期望的形象，我沒有必要去遷就，我要選擇誰，那是自由的。……（前引和田譯，《卡西優斯．克雷》，頁186）

向全世界大聲宣稱自己是黑人穆斯林一員的男人，除他以外就沒有了。正是他22歲時的事。克雷接著從奴隸變成自由之身，要在外在形式做主張之故，把父親所給予、同時也是過去的奴隸主所「授與」的卡西優斯．克雷改成卡西優斯．X，四週過後他又更改名字為現在的穆罕默德．阿里，更明確地證明「自己」。

順便一提，黑人穆斯林是1933年由伊利賈．穆罕默德（Elijgh Muhammad）所創立，主張要取回黑人的尊嚴，在美國之內建設「黑色祖國」，黑人解放才能實現的黑人解放運動的一個團體。

阿里現在已不僅是重量級世界冠軍，而也成為黑人解放運動「希望之星」。

越戰徐徐擴大、劇烈化的1967年4月28日，阿里照以往的公開聲明，拒絕服從美國陸軍的徵兵。他勇敢的挑戰是向「美國文明」、WASP體制，更向前數步對著美國權力本身。阿里從黑人的希望之星，到付出光榮獲得之王座，伴隨著它而來生活依靠的喪失，以及坐牢的昂貴代價，而勉強獲得美國反戰運動、市民運動的旗手之座。據傳聞他的反戰言論與行動，未被正統派反戰運動正確定位。這個訊息如果屬實，真可謂遺憾。因為可推測他的言論與行動才是能給正統派反戰運動家，不容易滲透的階級與階層以及人種以強大的影響。

總之，雖然阿里在1964年2月第一次獲得王座，宣布是黑人穆斯林的一員，到1967年4月，因拒絕徵兵被WBA剝奪王座的地位為止，實遭受很多妨害、辛酸，更嘗到與父母在信仰上傾軋的痛苦，可是在拳擊台上完成九次錦標保衛戰。又在拳擊台外也高聲說：

> 看今天此國的情況，靜坐示威也不行，遊行大會也不行，步行示威，滾動，一切都空轉無進展。在洛杉磯，三、四十人像禽獸般被槍打死。有小孩的母親哭叫著。想生存、想呼吸神所賜給的新鮮空氣的小孩們，已死並進墳墓中，那只是因爲，他們想要得到正義而已。大概就是這樣子，這個國家除了破壞以外沒有什麼。應是神自己出現的時候來臨了。而神出現了！而伊利賈・穆罕默德就是滿足此必要的人物。如果不相信，只要聽他講，然後注視他。

疾呼著高舉黑人穆斯林的燈。又對要把阿里從黑人穆斯林拉開的人或其企圖，「我絕不離開回教，拿掉回教，我就什麼也不是啦」毅然回答如上，即使半步也絕不後退保護著「火種」。阿里又說：

是，我只是要與自己在一起！如今我認識了我自己！我已不是黑人〔譯註：意指被白人指使的黑人〕！已不是死人！連克雷也不是！已不是奴隸！我要和我自己，還有我們的同夥在一起！這樣的話，我與諸君（指白人）便能相處的更好！因如今已知道諸君的事！我能理解諸君，已知道我是何者！所以能更好地相處下去！

阿里的「火種」的確強烈地包含告發白人和基督教文明，但同時對一直不斷被虐待的同胞的憐憫與同情，更對至今猶沉睡著的「白人的黑傢伙」、「奉迎白人的黑人」宣告挑戰，似乎可看出其內部深處藏著發現與克服自己內部敵人。

阿里演戲又旁白：

假設這裡有一間房子燃燒著。你睡在你夥伴的旁邊（打呼嚕聲）。你打開一隻眼，發現火災，夥伴還在睡（鼾聲與口哨聲）。你看到很燙的火星與燃燒著的屋樑快掉落到夥伴身上，下了牀，也不叫醒他就從屋裡逃出去。……到户外，你（抱著胳膊，抬頭看看房子）這樣說：「啊啊，糟糕。我犯錯啦。我自私、貪心，因只擔心自己的事，卻忘了在屋裡的夥伴。啊啊（扭著雙胳膊），大概那傢伙死掉了吧，家正在倒塌。」（戲劇性空白）

於是夥伴在千鈞一髮的時候逃脫出來，盯著你的臉凝視著。……那時候的你，感到自己被殺也無話可說。如果你也被置之不理留在熾烈的屋中，你知道你會對對方做什麼。然後你

> 也感到被他憎恨也沒辦法。他有足以憎恨的權利。於是他說：「喂，你爲什麼不叫醒我？爲什麼把我留在屋內？（大聲叫）那屋子燃燒著呀。你是存心要讓我燒死！到底什麼事讓你不稱心，老大？」
>
> 因此你擺出防禦的架勢，這樣說：「我不知道，我沒有那個意思，請不要殺我！」你好像有被他殺的感覺。……那麼這就是美國白人的面貌啊。屋子已被燒了310年，然而白人一直讓黑人睡著，黑人受私刑、被殺、被強姦、被燒、傷口被灌入酒精與松節油，被吊在車鏈子在全市中拖著走。今天黑人充滿恐懼原因在此。從嬰兒的時候即被植下這種恐懼。請想想看！全美2,200萬的黑人困苦、打仗，受了任何人都不能想像的殘酷對待。1966年在美國的街上，沒有食物餓著肚子，沒有靴赤著腳，只依賴人情，住簡陋的房子。爲美國竭盡忠誠，不辭辛勞，愛自己敵人的2,200萬黑人，至今猶被虐待被蔑視著。……
>
> （以上全引用自前引書，稻葉譯，《黑が至高》）

人們責難他的「火種」過於活生生地充滿對白人與基督教文明的憎惡與不信任，也許會敬而遠之。但是冷靜思考時，腳被帶上腳鏈的奴隸，遭長久虐待與受難的結果，連心也被奴隸主帶上鎖鏈，更用自己的手在不知不覺、無意識中將自己的心帶上鎖鏈。從這種悲慘狀況，「奴隸」要以自己的力量重新站起時，做為第一個扶桿，他們身邊可利用之物，除對敵人（外部與內部）無限憎惡以外，還有什麼？

只要細讀阿里的隻字片語，就會領會他的憎惡絕不是封閉、靜止之物。他的憎惡本身並非目的。是開拓未來、不花錢的，而且是不會蒙受鎮壓者方彈壓風險的唯一「武器」。

要輕蔑對阿拉的信仰心也並不難。但取回自己的尊嚴，重建歷史、文化主體的確立為目標，「回歸到自己的原點」皈依別的可與自己的「神」，或是「敵人」的神相對等的神或許是不可或缺的。他們「敵人」的神，在時間上過長地，在精神上深深地折磨了他們，他們相信現在還是未改變的範圍之內……

第三者，特別沒受過神詛咒與拯救過的「我們」，沒有任何權利去非難阿里和其夥伴否認基督教，去信仰阿拉，這樣的主張是說過頭了嗎？

這暫擱一邊。阿里拒絕徵兵後不久，不是在拳擊台上，而是在拳擊台外被剝奪了王座，此事前面已提過。

剝奪王座之後，超級快速追上來的是下級審的判決，五年的刑期與1萬美元罰金的宣告（1967年5月）。

如今，不只阿里以血和汗保衛下來的錦標，從拳擊台外像搶劫般被掠奪，連參加比賽也被禁止，正在被剝奪生活之道。

他一直以來在拳擊台上賺大錢，但絕不富裕。他窮困的理由，並非如一般拳擊選手，贏得世界錦標賽，便和壞朋友來往，吃喝玩樂而散盡錢財。如果是的話，既存的「秩序」也不致窮追他至此，而他複雜結構的聲望，也不會產生了吧。

連支付因宗教理由而離婚的前妻頒汲每月1,200美元都很難。

處在這樣的逆境，阿里非但未受誘惑，誠心保護「火種」變為更堅固。

1967年末以降，美國反越戰運動越燒越旺，對阿里的拒絕徵兵而罵他「膽小鬼」的聲音，對引起爭議的「我對越共沒什麼怨恨！」（1966年）的阿里聲音起共鳴的年輕人數目，確實在遞增。標榜反戰的黑人穆斯林，不僅更增長對黑人的影響力，也在白人之間漸漸獲得尊敬與認同感。

連羅勃・甘迺迪（Robert Kennedy）也對堂堂實行「對國家叛逆」的阿里朋友荷西・多利斯說：「『我們』奪去一個人的生活之道是犯罪的。」

進步派的政治家、想以「長出金子的樹」做為手段而獲得財富的全美（錦標賽）演出者們，也對阿里事件程度雖有差別，但發出批評的聲音。

在拳擊台外穆罕默德・阿里的最大、最好的勝利即將到來。

當然1971年6月28日的美國報紙，和全世界所有通信社與報社，在同時間報導美國最高法院法庭以八比零擊倒穆罕默德・阿里的徵兵忌避罪大新聞。

阿里所保衛的「火種」，很諷刺地現在已變成美國最高法院的法庭所確認的「合法的火種」。

阿里生涯中最大、最高的這種勝利，不只是他個人的勝利，有人還評價為美國正義的勝利。又可看成繼基督教教友派教徒之後，黑人穆斯林也基於宗教的信念，在美國法庭確立了拒絕徵兵的權利。

汽油已被潑下

10月30日晚上12點55分左右，我抱著複雜的心情坐在電視前面。為了觀戰「非洲黎明的對決」的全球轉播。

所謂複雜的心情是，與一般的預測同樣，我也以為阿里會被福爾曼擊倒而敗北，且懼怕著。而相反地，我又與大多的阿里迷一樣，不希望阿里被擊敗，抱著極為強烈的主觀願望觀戰。

我所害怕的當然不是純粹在體育面的阿里敗戰。我懼怕的是，阿里在他生涯的最高勝利——不是在拳擊台上，而是在美國最高法院法庭以八比零擊倒徵兵忌避罪的勝利為立腳點，又乘其餘勢，再利用最老舊的組織，去進行新事業最有效手段的機會，因拳擊台上的敗戰而再次喪失。

為了「美國正義」的擴大，又為了讓阿里自身罕見的資質能充分發揮，惋惜著他太早被關閉在黑人穆斯林「狹窄」的回教寺院之故。

中國的名言有「英雄創造時代，時代創造英雄」。名為阿里的英雄創造出新時代的同時，新的時代與狀況創造出叫作阿里的現代英雄。

或許說WASP體制所創出也絕不過言，乘上電視與人工衛星，叫作阿里的英雄更加繼續演「如蝶飛舞，如蜂叮刺」。

現在舞台不只是WASP體制所集中代表的美、歐，而已擴大到全世界。

這次的「非洲的黎明」對決，可說就是最完備的首次舞台。

鑼聲敲響了。阿里好像忘記帶來「如蝶飛舞」般不用腳。一回合、二回合、三回合，阿里背靠著攔索，像是竭盡全力在躲閃並對福爾曼的強擊做掩護。福爾曼以可怕的相貌像重坦克車般邊威脅邊前進。阿里的表情沒有因強擊而有恐怖之形跡，就算是唯一的拯救。他時而左手直擊，或者兩手連續出擊，然後立刻扭住對方。

四回合，阿里開始轉入攻勢。對福爾曼右眼給以連續刺拳。退而照舊背靠攔索，以手臂阻攔。福爾曼沒有往常的力量，也沒有速度感。

進入第五回合。福爾曼的動作越發鈍化，對著阿里的臉與身體左右揮拳，但遭阻攔，而明顯地表現出焦急與疲勞。六、七回合門外漢的筆者也分明看出拳擊台上的阿里直接借用「沒有什麼怨恨的越共」戰術的模樣，將憑物力做威脅的「美國」福爾曼引入「密林」迷路的作戰法。「越共」阿里在等著「唯力是恃之男」福爾曼的疲勞。

第八回合，終了前30秒，從一角出而轉攻勢的阿里使出漂亮的兩手連續打擊，2分58秒，迎接了世紀大逆轉的最高潮。「白人希望之星」被「黑人希望之星」打沉於墊子上。

阿里基於宗教的信念，獲得拒絕徵兵的法庭鬥爭勝訴以來，約經三年四個月的臥薪嚐膽，把從拳擊台外被不法剝奪的王座地位，七年後在拳擊台上又奪回來。把他的勝利評為「頭腦比賽運作的勝利」也正確吧。姑且不論「阿拉的加持」、守衛「火種」的戰鬥精神對他的勝利沒有任何貢獻，持此看法的除了「運動呆子」以外是沒有吧。

只顧數算著非洲「黎明的對決」的演出者，兩拳鬥家所賺取而安逸享樂也好，但是別忘了，賺了500萬美元的阿里最不屑而嘲笑的不外是「錢」的世界喲。

按照在電視上，如預告所說非洲時代的黎明，黑人、民族主義的熱氣與興奮的坩堝，分明是阿里以自己的手，一直果敢地保護，擴展下來的「火種」——不只通用於他在美國的同胞，追求人的復權屬於世界少數族群的人們，再者是第三世界呻吟著的人民帶有普遍性的此「火種」——證明強有力地潑下大量的「汽油」。

阿里對自己潑在「火種」的「汽車」，會否讓「火種」變成燎原之火好像漠不關心。「總之拳擊賽已結束。我還有別的比賽在等著我。即是為4,000萬美國黑人的自由的鬥爭。這比福爾曼更有勁兒。」（《朝日新聞》，11月1日）他留了這些話撤回美國「根據地」。

本文原刊於《展望》第193號，1975年1月

我所認識的丘念台先生*1

報告前的一些交代

（1）本報告人自二二八事件的悲劇性體驗後，家父禁我記述日記，並勸我少與他人來往書信，以免惹禍。因此本報告僅憑一些周邊文字及記憶來構築。

（2）本報告人不曾做過有關丘氏父子史績的學術研究，在本報告所呈現者，勉強只可以說自念台先生直接聆教的些許「第一手祕辛」而已。

（3）本人將不會故意作假，不過深怕難免會有些許誤記及錯遺，盼望在天的念台先生及遺族後代諸賢有所寬恕。

三代的交誼，淡如水

（1）逢甲先生，在台客籍人士，一概尊重他係我客家，抵抗割台侵台日本軍領導層的首屈一指人物。

桃竹苗一帶抗日客家人士，不分直接或間接，尤其在精神上

*1 丘念台（1894～1967），丘逢甲之子，政治家，歷任政府要職。

受到他的影響，是眾所皆知的事。來自祖父輩的耳濡目染，祖父及家父還常朗誦逢甲翁之〈離台詩〉第一首：「宰相有權能割地，孤臣無力可回天……」而感歎！我們兄弟輩深植有抗日、反日情結於此心曲。文人之於他，在抗日軍事上雖然難有顯功，但他所喚起的抗日精神是客家族群普遍肯定的。（這個是屬於家祖父之年代）

（2）父兄輩與念台先生的交往

記得1950年初夏，韓戰爆發不久，返台客家人士深怕台北遭受對岸空軍的來襲，頗多人在物色鄰近方便疏散暫住之鄉下宅邸。

有一天翁鈐與鄒清之兩先生[1]陪著丘念台先生來訪中壢市近郊現屬平鎮市的敝宅，是晚輩晉見丘翁之初次。

面聆指教於東京，念台翁所言及的祕辛

1955年11月21日，我東渡日本留學念研究所。近日，為了撰述此報告，翻我書庫找出了丘老贈我的《嶺海微飆》（《中華日報》叢書，民國51年12月30日，初版）一書。書上題有贈言及年月日之簽署，據贈書與我之年月日（民國54年7月1日）來推測，本報告人在東京重新會晤念台翁該是1965年之初夏（身旁無其相

1 〔鄒清之的兄長為知名的〕鄒洪故將軍，鄒將軍在保定軍校和陳誠將軍同期，勝利前病死於大陸。流傳當年鄒若未病亡，蔣介石委員長擬派他返台就任長官，負責對日接收業務。

丘念台（前排中坐者）赴日時與戴國煇（二排左一）等東大留學生合影，攝於1963年（林彩美提供）

關年譜，有待查證）。記得，受贈書前，已有多次會晤。有時受僑商林以德先生（日本僑選第一屆立委，林以文先生之胞兄）夫婦之招待，一同共享家宴，有時陪伴老先生逛街等，宴後當然是晚生請教於老前輩的絕妙良機。

早在1950年代後半期，我已開始蒐集二二八相關資料及力求造訪在日台籍前輩，聆聽二二八事件前後之台灣實況。

念台翁為何有時借宿於林以德先生夫婦在東京・飯田橋之家，我不曾詳問。但早知林氏在台經營過台灣煉鐵公司，失敗後再度渡日重新拓展其事業。「台灣煉鐵」後來的實際經營龍頭為陳逢源先生。陳氏在日據時代是一位台籍難得的經濟評論家，

「七七」以後，可能一時失察，他的言論愈走愈靠日帝之政策方向。台籍上層有識人士明言，光復後，陳為了因應新時代之社會風潮，想盡方法高價收購其相關自著，送進火爐。另外，還頻傳已故「脫線」（粗線條）陳重光先生不時藉機用福佬話說：「逢源啊！汝後壁有陳炘[2]在騎咧（在你背後站著）。」來消遣陳逢源抑或嚇唬他。

當年，我年輕稚嫩，有話直問。

第一問：「到底陳逢源與陳炘兩先生間所爭者為何？」丘老答：「二二八之前我不在台灣。我所關心的主要面在於大陸人（包括半山）與台民間之矛盾及摩擦，至於在台台籍人士間的矛盾及互鬥內情卻不甚清楚。」我一直企盼能做好兩者間「架橋」之角色，但效果不彰。

第二問：「您籌辦『台灣光復致敬團』，用心良苦，效果可好？」丘翁答：「對南京該是效果頗佳，但對台灣的陳儀一幫人來言，當然得打『對折』的吧！說起來，我在籌辦致敬團的開端（1946年6月），陳儀的周邊即提防著我。到了籌備階段的後期，他們發現無法阻擋我們時，加了幾個難題。不該讓林獻堂當團長。陳炘因有案底不能當正式代表。更希望我能安撫林等，少說台灣當前的政、經、社的實況。」

第三問：「當今頗多台籍人士以上述陳儀周邊的『阻礙』抑或干預動作，來詮釋陳儀之剛愎性格及忽視當年台灣民意的『暗流』，您認為呢？」丘老答：「客觀地來言，獻堂先生對自己在

2 陳炘先生早在二二八事件時被暗殺。

台抗日、反日事業上的貢獻，自負相當大。他原本便有光復後台灣的總領導人自非我林獻堂莫屬之『自我內心定位』。但此種『既是自知之明，又是自知不夠明』的心態，在中國國民黨政界是行不通的。他一直看不透傳統中國政治之權力運作，更摸不到陳儀等人之治台方向，這是一種悲劇。他一直具有與黃朝琴爭台灣省議會（先是參議會，繼之為臨時省議會）議長之企圖，迨他晚年，他還誤解我代國民黨壓制他。反觀，陳儀一幫人，他們意圖的治台政策，早有來自於治閩經驗的『主見』。」

戴插話：「陳儀一幫人想活用的是他治閩時的老班底及他選取的『半山』。基本上，他不認為台籍士紳值得他去拉攏，以資穩住台灣政局。陳儀等人被台民迎接他及上岸時的歡呼熱潮的表象搞昏了頭。他們又可能受到了半山之建言或灌迷湯的影響，不分〔青紅〕皂白地把林獻堂及陳炘在日據期為了『明哲保身』而與日帝虛與委蛇的表現當為真，認定林與陳等人為近似『漢奸』的親日派對待。陳儀治閩時，因其日〔籍〕妻等因素，而遭受閩人及旅南洋的著名華僑領袖陳嘉庚等人之激烈批評及排斥，陳既對福佬（本為閩省人）系台民鄉紳不懷好感，又意圖迴避或太過於親近冠有日本貴族院議員頭銜的林獻堂（其實，林沒有正式諾聘，僅止於曖昧性敷衍，未曾就任），及具有皇民奉公會幹部虛銜的陳炘，以免大陸內反陳（包括政學系人士）勢力之輿論攻擊，我此種評判不知正確與否？」

丘老續答：「沒有想到，老弟還有如此般的剖析，很好，很好。至於我為何說，台籍人士不懂國內政界內情、權力鬥爭之錯綜複雜性，千萬不該忘記，自己與祖國政情被迫疏離有半個世紀，被迫習慣於日本殖民法制已久，用對付或因應日本人的作法來對待大陸來人及國府官憲係易於惹禍的。相互間的認知差距過巨是個大問題，有待加強交流，加深相互間認識的迫切需要。」

第四問：「李友邦被槍斃（1952年4月22日），據傳與陳誠和太子之爭權有關，不知內情如何？」

丘翁答：「先告訴你們台灣年輕人一些國內政情之複雜性。你們接受了日式殖民教育，極度陷入既單純又習於二分法的思考方式。你們年輕人，年輕氣盛，一開口便大罵國民黨，大罵外省人，還把兩者劃上等號。我告訴你，我前些日子（該是1964年深秋～1965年初春間）返台去慰問陳誠。陳患肝癌將不久於世，上層人士間已傳開。我自日本特別返台看望陳，他把警衛、護士、家人統統請出病房，只留我一個人。陳整整花了二個小時大罵蔣家父子兩人。你看多複雜呀！」（人快到大限時，言誠話實可比也。）

戴續問：「我們留學生，目擊陳誠之子履安沒有念過台灣的大學，便經過高中畢業，特別軍訓就出國，頗感不滿。哪有行政院長為了自己兒子的出國，來個『特別處理法』[3]？（或許是行政命令，待查）」

丘老續答：「國煇，你們有無想過，陳履安若留在台灣，將會不會遭遇到意外的『事故』？只要把太子之兒子們與陳履安比一比，你們即便發揮該有的想像力了？你們知不知道陳系將軍及要人反而不去『榮總醫院』，卻到主要由台灣人主持的

3 陳履安出國前，有意出國留學者，一概念完大專院校，受完了軍訓及經過留學考試合格後，才能辦出國手續。

『台大醫院』看病（近年有位著名外科教授予我證實），其真正的理由在哪？」丘翁只點到為止，能聽到的僅是他老人家的長吁短歎。

至於李友邦被捕及槍斃，我所了解的是因李妻（嚴秀峰）之共產黨嫌疑而惹來的禍。但奇怪的卻是，李被槍斃的當天*2，恰好是在陳誠出訪後之次日（出訪何處待查）。因而，便有人說，老蔣顧慮陳誠會為李友邦「請命」。與此說有關聯的是，李本來屬於陳誠之三民主義青年團[4]系人物，因李是台籍名人（與其他半山具有相當大差異的黃埔出身人物），蔣深怕陳・李（可獲得台民之支持）結盟對抗太子局面的出現，而著手先下手為強的鐵腕處置。

丘翁續曰：「國煇，我再告訴你二個事例吧。」

「一、我與林獻堂先生本有親戚關係。他的聲望，斯時台籍人士沒有一個人能勝過他。若他出來選台灣省臨時省議會議長，當然非林莫屬，哪有黃朝琴之份呢？我除了在籌備『台灣光復致敬團』及其相關行程上，與他有過多次深談外，我與他的交往中也逐漸加深了我對林先生的認識。林老是善良的，但光復以來，他一直認為他被壓制，並沒有受到相應的待遇，因而頗感鬱悶及不便申訴的挫折感。我亦深具矛盾，內心深知為台灣之大局，不熟悉國府政情及政治運作的林不該出來與黃爭位。但私人感情上不便直說，只能婉轉地規勸他，讓給黃吧！不然將對你不利。不

*2 日期為1952年4月22日。

4 李被槍斃的前夕，1952年3月29日，蔣介石總統發表《告全國青年書》，呼籲創設「中國青年反共救國團」，大有取代「三民主義青年團」之意圖及勢頭。

知花了多少時間及多少日子，好不容易才把他老先生說服了。

「二、眾人知道，林先生後來亡命於日本。旅日台灣青年（因為他既有清望又有錢）想把他抬出來，先搞『託管』，續搞『台獨』。我又跑來日本規勸他，託管及台獨都沒有實現的可能，你一上了熱血青年們的『轎子』，你家裡人、你在台的家產將會遭遇到何種『對待』，你該清楚的。我不代表政府和國民黨來說服你，我只是以親戚、朋友之情給你說些情況而已。後來我陪鄭介民國安局長與林先生會晤，終於說服了林老放棄了參與託管運動之念頭。」

戴插話：「難怪，台獨會罵你是國民黨的特務！」

丘翁續而笑答：「是呀！老弟你認為呢？」

戴答：「當然，我不會那樣看待您老人家的。」

念台先生既是「大台灣主義者」又是「大中國主義者」

本報告人續說道：「我認為您是『大台灣主義者』，不分閩、客，凡是有困難者，不管公、私事[5]，您老人家都願意拔刀相助，因而獲得無限清望。不過，我還得問您，為何還未著手推行託管或台獨運動，您怎麼可以判定，它沒有實現的希望？」

丘翁答道：「老弟，你應該熟悉，抗日戰爭初期日本首相近衛文麿對中國大言不慚之例子。近衛發表了惡名昭彰的《近衛聲明》，第一次於七七事變翌年1月6日，說不以國民政府為『和平

5 例如擺平了李建興（礦業巨子，台灣光復致敬團的財務支持者）和李建和（時為台灣省議員）兄弟之分產糾紛，獲得雙方衷心感恩。

交涉』之對象，將於三個月內把整個中國制伏（大意）。眾所周知，往後的戰事進展，那麼大的國土，那麼多的人口，若不以利服人，哪有可能全面制伏全大陸，日軍只能占據點與線也。」

戴插嘴：「您所說的以利服人的『人』，係指大部分老百姓之意？」

丘翁續答：「當然囉！別看老百姓之窮，文盲之多，社會之混亂，外來的暴力及凌辱將逼老百姓站起來，覺悟起來的。諺語所說的『人窮志短』，在個人貪功利之層次上是常例，尤其是欠缺恆產的讀書人階層尤勝。但興起來的民族主義之浪頭上，老百姓之社會性行動將展顯量及質的變化也。老弟，台獨是不可能的呀！日本因有慘痛的敗戰經驗，不會支持你台灣人的。美國人可靠否？美國人要的是遠東防衛線中的島嶼台灣也。千萬不能陷入美麗的誤解。國煇有空時多看些中國史書，你將會逐漸體會的。」

丘翁的念舊，不分黨派的交往

念台先生，早在留日時代的1920年時，已與台籍人士謝溪秋[6]、吳三連[7]、黃南鵬[8]、翁瑞淡[9]、賴玉進[10]等人借東京中華留日

6 旅日婦產科專家謝國權醫師之父，光復後台灣棒球之父謝國城先生及陳炘先生夫人謝綺蘭女士等人的堂叔父。

7 東京商科大學（一橋大學之前身）留學生。

8 日本陸軍士官學校留學生。

9 明治大學留學生。

10 後改名為賴正山，東京商科大學留學生。

基督教學生青年會址開東寧學會[11]。丘翁為實質上的會長，其弟丘琳先生[12]及念台先生夫人梁筠端女士[13]等親人亦一同參與。同時期，因受五四的影響，台籍抗日青年們亦在中華留日基督教學生青年會，舉辦有關抗日公開活動。

有一天，報告人前赴林以德先生宅，造訪丘老。丘老說：「國煇，有時間陪我去鎌倉看黃南鵬先生嗎？」我即刻反應：「時間是有，但那位黃先生不是華僑界所傳的『台獨、漢奸將軍』嗎？」在旁的林以德夫人搖著頭說：「戴桑（先生之日文發音），別那麼說。黃將軍不是喔！人家在日據北京時代（抗日淪陷期）可救了不少中國人哪！當然包括台灣人。」前幾年，在東京偶然遇上了亡兄之友，他說：「台灣人可複雜呢，那位被傳誦一時的台籍親日將軍黃南鵬先生『返回』北京『客死』他鄉了。」我聽了之後，真是一頭霧水。既是「返回」又是「客死」，其中之辯證邏輯如何解讀？同時亦憶起，丘老在林夫人勸我話後的一句話：「那有什麼關係，黃將軍是我東寧學會之老友也！」

同一個時期，晚我來日留學東大的同學，有一位黃昭堂（筆

11 在此時代脈動中，念台先生借「東寧學會」（鄭成功時代台灣曾稱東寧府）主導了來自故鄉台灣的留學生們，學習中國文史及革命政情等的小規模組織運動。它已呈現了老先生在其中、老年時期待人處事的方式和基本原則，值得我們後人驚歎及學習。可參照馬伯援先生（湖北省人，畢業於早稻田大學，同盟會會員，主持過中華留日基督教學生青年會會務）的《三十三年的賸話》（新竹：清華大學出版組，1984年2月8日〔非賣品〕），此書為馬家後人為紀念其先父而出版者。

12 念台先生胞弟，東京高等師範（東京文理科大學→教育大學，目前擴大改為筑波大學）留學生。

13 東京女子高等師範（御茶水女子大學前身）留學生。

名黃友仁）兄。在台獨系留學生界夠我尊敬的人士不甚多，但黃的人品及學術造詣，可以算是出類拔萃的一位[14]。他是台獨運動的活躍分子，當然變成丘老「工作」主要對象之一，黃君在其博士論文《台灣民主國之研究》序文上有對丘老之謝詞，不僅有外省籍朋友評判丘先生為「大台灣主義者」，我還得另加「大中國主義者」及不分左右派的「大中華民族主義者」等諸頭銜，給丘老來個錦上添花。

自1954年10月30日，廖承志先生戰後初次陪李德全女士訪日以來，在日本的客家系僑界，可以說圍繞著廖及丘間，中間另有楊春松先生[15]在玩「統戰」的拔河賽。我在東京重晤丘老先生時，謝溪秋[16]、賴正山兩先生在僑界是頗負盛名的左派台籍華僑。丘老依然如既往地與他們交往，可窺知念台先生坦坦蕩蕩、磊磊落落的正派作風。

暫時的結語

丘老的為人風範，無須我等區區晚輩的贅言及推崇。在二二八迄白色恐怖期間，他老人家不知援救了多少身處逆境之台籍人士。為了節省時間，本報告人在此僅舉各界菁英之大名如下：

14 黃君的博士論文，《台灣民主國之研究》（東京：東京大學出版會，1970年7月10日，初版）。

15 楊春松先生，老台共，中壢的客家人，抗日戰爭期間僑居日本，對客家系華僑頗有影響力，中共政權成立前後，赴北京在廖麾下肩負對日暨對華僑之工作。

16 有關謝溪秋先生及東寧學會事可以參照《謝溪秋～其詩和為人》（東京：1961年12月30日，日文，自家版非賣品，由其夫人謝鴛鴦女士發行）。

（1）文化界人士：朱朝陽、華陽兩先生兄弟；王白淵先生[17]。

（2）政界人士：林日高[18]、顏欽賢[19]、蔣渭川[20]、張吉甫[21]等先生，郭國基、劉闊才等先生。

（3）台獨或台灣自決運動者：廖文毅先生、彭明敏先生（丘老為彭明敏教授向蔣老總統有過辯護性建言，鮮有人知悉，特此附帶奉告）。這些不是丘老告訴我的。是我在研究過程裡向他確認的。有的人士，我去向陳儀要人，陳說沒有呀，他們亂來，「先斬後奏」而有深顯困惑之情。

當丘老對晚輩抱有信賴感後，才贈書與我。正在簽署時，他低著聲音說：「別忘記，這一本封面上印出『丘念台述著』，我只是口述其梗概，很多部分是別人代我加進去的，千萬別把全文當成我本意來判讀。下一次找出時間來，你又可帶來錄音機，一節一節地再來一次敘述，把『真話』留給你。」不多久的1967年1月12日傍晚，丘老從東京地下鐵青山一丁目站走回住所亞洲會館時，途中因腦充血昏倒不得再起。晚輩與丘老的「口頭約定」亦隨他而遠飛天堂去了！這是我追悔莫及的遺憾事。

藉此報告，向我敬愛的客家老鄉長暨老學長丘念台先生，致以最深切的悼念與追思！

---

17 自日本投共的謝南光（春木）先生之好友，被認為是左傾文化人，在台北被捕多次。

18 因二二八案入獄。後來因共嫌被槍殺。

19 基隆顏家大家長，因二二八案通緝逃亡，後獲解救。

20 因二二八案通緝逃亡，後獲解救。

21 台灣光復致敬團員，在擔任屏東縣議會議長時，被疑為反三七五減租政策而被捕下獄。

謝謝！

本文係未刊稿，於逢甲大學人文社會研教中心主辦「丘逢甲、丘念台父子及其時代」學術研討會之專題演講文，1999年5月16日

大魏*！你爲何要忙著先走

不可能是你的主觀願望，但嚴酷的現實卻已呈現在你的親友們的面前。

你的音容，尤其冷靜寡言的笑貌，仍然浮現在人們的腦中。大魏！你將活在千百萬（或許沒有那麼多？）理想主義者的心中。你的優秀品德——反法西斯的精神將永存於這個已被污染得滿身創傷的「美麗島」。

弟想起了1980年代後期，你尚在大阪教書，我倆有過幾次相處的一些美憶。

有一次，邀你來東京一遊，夜宿我「梅苑書庫」。

提示了後藤新平相關資料，並婉轉地勸你離開政界的污泥，找出時間盡快完成博士論文〈後藤新平與日帝的治台政策〉。亦云：我大概可以推薦你返台謀個教席餬口，這是書庫和住房的鑰匙，當然一切都是免費供用。

你並沒有正面地回答了我的建言。大魏，你一直在猶豫。我深知你對法西斯的那一口怨氣並沒有真正克服，難以達到揚棄的境地。要樸實誠厚的大魏，邁出「出污泥而不染」談何容易。

---

* 即魏廷朝（1936～1999），客家知識分子，人權運動者。

弟與你相處（包括邀你同遊北美）多次，我甚早發現，你比我還不適於從政。你的才華可以往政界以外的世界求其發展，時間絕不晚！

但，不須多久，我領悟到你的周遭好友們中有另一類對大魏的企盼。

我深感自己的「無力」、「少理」及「無權」來說服你。轉而只能從衷心寄希望於大魏，能早一天重新為己尋覓更佳的「自我定位」，能加一層地「自愛」，繼續為你、我的理想打拚下去。

上述已成為「廢話」的一些回顧，或許可以變為我對大魏的無限哀思和深深的懷念。

本文原刊於《聯合報》，2000年1月2日，15版。原題「他活在理想主義者心中」

【附錄】

魏廷朝致戴國煇函

煇哥足下：

時間緊迫，已無從通電告別，唯有預留一函，失禮之節，尚請見諒！

日前接悉楊梅國校及成功中學之學弟許博明（二專出身，任私人公司廠長）來函，懇求照顧其長女許碧珊，甚感無能為力。碧珊去年淡江日語系畢業，今年三月來日，就讀東京インターカルト日語學校，擬入大學院研修教育學，現居停新宿區北新宿……

弟於日本學制既欠了解，又正整裝返台，正不知如何打發！非存心轉送hot potato也，實未得已也。博明君以業務關係，常往返海峽兩岸，並赴東南亞，為桃園南區許氏兵團之幕後資助人之一，弟雖未有緣見其長女，自認尚有援手之餘地，應非去歲所見之明星大學王○○之流也。兄熟諳學制，又有地利之便，尚請撥冗相助是幸。

弟遠離是非圈兩年又半，此次返台，實未有任何把握，「自零起步」而已。明日起飛，夜深難眠，猶憶和游鄉長贈詩中「三逢強敵驚青史，百戰雄心忘白頭」領聯，不禁閉目長歎。廉頗老矣，尚能戰否？

即祝

事事如意

弟廷朝頓首

8月12日夜

戴國煇全集 15

人物與歷史卷

未結集：我的人生導師

翻　　譯：吳亦昕・林彩美・林琪禎
孫智齡・蔡秀美・蔣智揚
日文審校：吳文星・林水福・林彩美
校　　訂：陳梅卿

輯一

中日近現代人物

岡田謙博士*與台灣

◎ 林彩美譯

前言

東京教育大學教授岡田謙博士，1969年9月5日傍晚於東京世田谷的關東中央病院，因宿疾支氣管氣喘惡化而永眠，享年62歲。

岡田博士於1930年4月赴任剛創校不久的「台北帝國大學」（今國立台灣大學，創設於1928年3月17日），時年僅22歲，擔任文政學部講師（社會學）。1941年10月，因就任東京高等師範學校（今東京教育大學）教授，而離開台灣，實際在台12年6個月，其間過著研究生活。做為研究者，他最重要的研究時期是在台灣。由於岡田博士與台灣因緣匪淺，謹撰成此文，並致哀悼之意，藉此聊表紀念。

主要著作及論文

岡田博士的主要著作，以下依出版年次列出：

---

* 岡田謙（1906～1969），社會學及人類學者。係《民俗台灣》發起人之一。

1.《原始社會》〔《原始社会》〕，弘文堂教養文庫，1939年。
2.《未開化社會的家族》〔《未開社会における家族》〕，弘文堂，1942年。
3.《未開化社會之研究》〔《未開社会の研究》〕，弘文堂，1944年。
4.《朝日新講座——民族學》〔《朝日新講座——民族学——》〕，朝日新聞社，1947年。
5.《理解社會學》〔《理解社会学》〕，馬克斯・韋伯（Max Weber）叢書，春秋社，1948年。
6.《基礎社會》〔《基礎社会》〕，弘文堂，1949年。
7.《社會人類學的基本問題》〔《社会人類学の基本問題》〕，有斐閣，1959年。

因為上述代表作中第二本《未開化社會的家族》一書，1947年8月岡田氏獲頒東京帝國大學文學博士學位。而第三本《未開化社會之研究》與第六本《基礎社會》，也是與台灣有關實證研究的直接產物，亦成為其代表作一環的成果。另外其他四書，則可被視為啟蒙書。

除上述著作之外，做為這些著作的素材，執筆發表的研究論文也為數不少，筆者依調查結果，按發表年月日排列如次。

1.〈馬克斯・韋伯的理解社會學研究〉〔〈マックス・ウェーバーの了解社会学研究〉〕，《社會學雜誌》，第69號（1930年1月）、第70號（1930年2月）、第71號（1930年3月）。
2.〈馬克斯・韋伯的宗教社會學——特別是他的儒教・道教論〉〔〈マックス・ウェーバーの宗教社会学——特に彼の儒教・

道教論——〉〕，《理想》，第21號（1931年1月）、第23號（1931年5月）。

3.〈魯凱族蕃移住的故事〉〔〈ルフト蕃移住の話〉〕，與馬淵東一合著，《南方土俗》，第1卷第2號（1931年7月）。

4.〈布農族資料斷片〉〔〈ブヌン族資料断片〉〕，與馬淵東一合著，《南方土俗》，第1卷第2號（1931年7月）。

5.〈年齡階級的社會史意義〉〔〈年齢階級の社会史的意義〉〕，《社會經濟史學》，第1卷第4號（1932年1月）。

6.〈青年集會所的軍事意義〉〔〈青年集会所の軍事性意義〉〕，《季刊社會學》，第4輯（1932年7月）。

7.〈未開化社會中合理之物及非合理之物——鄒族的例子〉〔〈未開社会における合理的なものと非合理的なもの——ツオウ族の事例について——〉〕，《南方土俗》，第2卷第1號（1932年12月）。

8.〈關於阿美族撒古流社的青年集會所〉〔〈アミ族サクル社の青年集会所について〉〕，《南方土俗》，第2卷第1號（1932年12月）。

9.〈「高砂族」習俗三篇〉，《ドルメン》，第2卷第2號（1933年2月）。

10.〈未開化社會中集團諸型態的交錯——台灣鄒族的一個例子〉〔〈未開社会における集団諸型態の交錯——台湾ツオウ族における一例——〉〕，《社會學》，第5號（1933年4月），同時《南方土俗》，第2卷第4號（1933年12月）也刊載。

11.〈高砂族相關日文雜誌論文目錄〉〔〈高砂族に関する邦文雑

誌論文目録〉〕，《南方土俗》，第2卷第4號附錄（1933年12月）。

12.〈未開化人中的個人與社會——台灣鄒族的實例〉〔〈未開人における個人と社会——台湾ツオウ族の実例につき——〉〕，《年報社會學》，第2輯（1934年）。

13.〈獵首的原理〉〔〈首狩の原理〉〕，《台北帝國大學文政學部哲學科研究年報》，第1輯（1934年5月）。

14.〈山裡的人們〉〔〈山の人々〉〕，《ドルメン》，第3卷第5號（1934年6月）。

15.〈泰雅族的獵首〉〔〈アタイヤル族の首狩〉〕，《民族學研究》，第1卷第1號（1935年1月）。

16.〈北鄒族的家族生活〉〔〈北ツオウ族の家族生活〉〕，《社會學研究》，第1輯（1935年7月）。

17.〈關於台灣北鄒族的外婚〉〔〈台湾北ツオウ族の外婚について〉〕，《社會學研究》，第1輯（1935年7月）。

18.〈原始社會中的社會關係〉〔〈原始社会における社会関係〉〕，《台北帝國大學文政學部哲學科研究年報》，第3輯（1936年9月）。

19.〈村落與家族——台灣北部的村落生活〉〔〈村落と家族——台湾北部の村落生活——〉〕，《年報社會學》，第5輯（1937年5月）。

20.〈台灣北部村落的家族生活〉〔〈台湾北部村落における家族生活〉〕，《南方土俗》，第4卷第4號（1937年6月）。

21.〈酋長的權威〉〔〈酋長の権威〉〕，《年報社會學》，第6

輯（1938年）。

22.〈台灣北部村落的祭祀圈〉〔〈台湾北部村落における祭祀圏〉〕，《民族學研究》，第4卷第1號（1938年1月）。

23.〈原始家族——布農族的家族生活〉〔〈原始家族——ブヌン族の家族生活——〉〕，《台北帝國大學文政學部哲學科研究年報》，第5輯（1938年9月）。

24.〈紅頭嶼雅美族的社會組織〉〔〈紅頭嶼ヤミ族の社会組織〉〕，與奧田彧、野村陽一郎合著，《社會經濟史學》，第8卷第11號（1939年2月）。

25.〈北鄒族的家族生活〉〔〈北ツオウ族の家族生活〉〕，《家族與村落》，第1輯（1939年4月）。

26.〈紅頭嶼雅美族的勞動與漁撈〉〔〈紅頭嶼ヤミ族の労働と漁撈〉〕，與奧田彧、野村陽一郎合著，《社會經濟史學》，第9卷第2號（1939年5月）。

27.〈原始母系家族——阿美族的家族生活〉〔〈原始母系家族——パンツァハ族の家族生活——〉〕，《台北帝國大學文政學部哲學科研究年報》，第6輯（1939年11月）。

28.〈華南的家族與村落——廈門島的村落生活〉〔〈南支那における家族と村落——廈門島の村落生活——〉〕，《台灣時報》，第23卷第9號（1941年9月）。

29.〈關於民俗〉〔〈民俗について〉〕，《民俗台灣》，第1卷第1號（1941年7月）。

30.〈紅頭嶼雅美族的財產制〉〔〈紅頭嶼ヤミ族の財産制〉〕，與奧田彧、野村陽一郎合著，《社會經濟史學》，第11卷第7

號（1941年10月）。

31.〈排灣族的家族〉〔〈パイワン族における家族〉〕，《民族學研究》，第7卷第3號（1941年12月）。

32.〈未開化成層社會的家族（一）〉〔〈未開成層社会における家族（一）〉〕，《東亞學》，第6輯（1942年8月）。

33.〈未開化成層社會的家族（二）〉〔〈未開成層社会における家族（二）〉〕，《東亞學》，第7輯（1943年3月）。

34.〈座談會：圍繞著柳田國男——大東亞民俗學的建設與《民俗台灣》的使命〉〔〈座談会，柳田国男氏を囲みて——大東亜民俗学の建設と《民俗台湾》の使命——〉〕，出席者：柳田國男、橋浦泰雄、岡田謙、中村哲、金關丈夫，《民俗台灣》，第3卷12號（1943年12月）。

35.〈海南島黎族的社會組織〉〔〈海南島黎族の社会組織〉〕（海南海軍特務部，1944年）。

36.〈民族學的歷史性立場——答覆石田英一郎的批評〉〔〈民族学における歴史的立場——石田英一郎氏の批評に答ふ——〉〕，《民族學研究》，第12卷第2號（1947年10月）。

37.〈民族學的個人紀錄問題——以克羅孔〔Clyde Kluckhohn, 1905～1960〕教授所論為中心〉〔〈民族学における個人的記録の問題——クラックホーン教授の所論を中心として——〉〕，《民族學研究》，第12卷第1號（1947年7月）。

38.〈泰雅族的社會構成〉〔〈アタイヤル族の社会構成〉〕，收入《現代社會學的諸問題——戶田貞三博士六十歲誕辰祝賀紀

念論文集》〔《現代社会学の諸問題——戸田貞三博士還暦祝賀紀念論文集》〕，弘文堂（1949年2月）。

39. 〈特輯・社會調查——座談會〉〔〈特輯・社会調查——座談会——〉〕，岡田謙不僅主持會議，並報告有關「台灣的現場調查」，《民族學研究》，第17卷第1號（1953年2月）〔譯註：出版時間應為1952年〕。

40. 〈台灣〉〔〈台湾〉〕，收入日本民族學會編輯，《日本民族學的回顧與展望》〔《日本民族学の回顧と展望》〕，日本民族學協會發行（1966年3月）。

41. 〈關於皇民化問題——新體制與台灣社會〉〔〈皇民化問題に就て——新体制と台湾の社会〉〕，出處及出版時間不詳，但可從文章脈絡推測執筆年代大約是1940年左右。

岡田謙對於包括自己代表作的單行本如何完成所談不多，後學如我輩擬回溯其學問之源，因而困難重重、備極勞苦，所以筆者想來整理出岡田博士的著作目錄。

研究經緯

一覽岡田博士之著作目錄，可以將他所走的研究之路，以及其實證研究所處理的研究對象，整理如次。

博士於1929年自東京帝國大學社會學科畢業，讀研究所一年之後，即到台灣就任。其間做為研究者之習作業績，是有關馬克斯・韋伯社會學的幾篇論文。

依岡田個人回憶[1]，這段期間除閱讀馬克斯・韋伯之外，也向涂爾幹（Emile Durkheim）學習不少，但他似乎並未直接發表整理涂爾幹相關學說的論文。上述回憶談之中，他傳達出當時社會學教室的氣氛：「是形成對所謂理論、抽象的反省時代，……不過也不僅是理論的意思而已，總之必須捉住事實之中的理論，做為事實基礎的理論與事實一起在動的理論不可。」他向韋伯、涂爾幹學到的是「在其中流著的思想，……透過事實抓住理論」，他又說：「尤其是涂爾幹教導的東西，對於後來要抓住一些事實時，確實很有助益。」

他說，1930年到台灣，完全是因為偶然的機會，而不是對異民族（漢族系台灣人或高砂族系[2]台灣人）有特別學問上的興趣；而且他也不是確立主體的問題意識，才到台灣就任。

年僅22歲，大學畢業才一年，研究資歷極為淺短，對當時的岡田不能有太大的期望是當然吧。

在昭和恐慌、就職困難的大背景之下，可想像，他對自己能在台灣獲得教職，應該是感到非常幸運吧。

岡田一方面對理論有強烈的執著，另一方面在朝向當時學界實證研究風潮中，毋寧說在台灣發現其實證的研究領域吧？

在此實證研究領域台灣，他選擇的研究對象並不是異民族中的多數，而是少數的高砂族。

1 參照〈特集・社会調査──座談会──〉〕，《民族学研究》，第17卷第1號（1952年2月），頁37～38。

2 同註1書。

我一直想找個機會請教岡田博士為何不研究多數的漢族系住民，卻選擇少數的高砂族住民做為研究對象？如今已無法實現此願望，邊寫本文邊感到萬分遺憾。

眾所周知，岡田是戶田貞三博士門下，戶田博士撰有名著《家族構成》（弘文堂，1937年）；雖屬文獻研究，《支那家族研究》（生活社，1944年）一書的作者牧野巽教授，也是岡田的同窗及知交。當時台灣的社會調查，例如人口調查、土地調查、舊慣調查，各種調查不論其性質及意圖如何，都遠比日本國內更進步。以國勢調查而言，日本國內第一次調查是在1920年舉行，然而這一年在台灣已進行第三次，第一次早在1905年舉行。當然，戶田及牧野二人的著作都是在1937年以後才出版的，因此岡田大概沒有直接受到他二人的影響，從表面上時間的理由來看，或許可以這樣說……。

總之，岡田謙之展開台灣研究，是如他自己所言：

我因偶然的機會去了台灣，我想在這裡重新開始。當時也讀涂爾幹或列維・布留爾的作品，我在想與那有關聯的東西時，……關口先生提出台灣青年團的問題教我從涂爾幹的看法做做看，並指引了資料，……讀這些資料時，我萌生研究青年集團的心情，帶著此心情去了台灣，並馬上研究起舒茲、羅威。在未開化社會中，不僅只有血緣關係而已，同時存在著地緣機能，青年集團就不是以血緣組成的重要集團，藉此想實際去做研究，而進入青年集團明顯存在的社會。……我想，此時我的作法還是被當時的習慣所決定，並從涂爾幹說過好幾次的話中得到線索：蒐集百件事實，不如挖掘一件事實，這是學問的神髓。因此受到影響。……當時也受芮德克里夫布朗的影響，大致說來，是理論不脫離事實，要從事實的基礎來看事情。我這麼思考，也不知道會出現什麼成果，但結果確是照這樣進行。無論是在未開化社會或文明社會，都一定有共通的原理，我想試看看用這種方法來探討。我在想，這是一種比較社會學的方法吧。[3]

從上述可知，岡田博士在第二階段的理論研究上，曾向韋伯、涂爾幹以及列維・布留爾（Lucien Lévy-Bruhl）、舒茲（Alfred Schurtz）、羅威（R. H. Lowie），甚至芮德克里夫布朗（Radcliffe-Brown）學習。因此他自我定位說：最後「我是跟著韋伯、芮德克里夫布朗的路線，我所做的社會學幾近那樣。」[4]

岡田博士的理論研究並不是單線進行，以下擬介紹其實證研究及與此相交叉而累積，是不用說的。

起初接觸青年集團，因個別社會的差異，青年集團的形式也各有所不同，爲觀察這些差異，還是要研究許多家族的實際生活以及民族問題。[5]

3 同註1書。

4 同註3。

5 同註1書。

這裡所說的青年、家族、民族研究，當初全部僅止於高砂族。

岡田博士也關心漢族系的家族、村落，但1934年才開始進行實況調查。對於其研究動機與問題意識，他的說法是：

當時筆者對台灣村落的社會組織有興趣，從富田（富田芳郎）的研究[6]得到啟發，而去採集台灣北部的散居型居住樣式，以了解村落的社會生活在何種樣式的集團基礎上營造起來，以及橫跨何種範圍進行社會交涉。換句話說，我認為決定北台灣村落的社會集團的性質與社會圈的範圍很重要，因此從1934年起在台北市附近士林街進行調查。結果得知住民的通婚範圍、市場圈、祭祀圈等有重疊，形成相當於農村社區（rural community）的型態。[7]

此一實地調查的成果，於1937年發表了〈台灣北部的村落生活〉、〈台灣北部村落的家族生活〉（在筆者所整理的岡田博士論文目錄【以下簡稱論文目錄】第19及20篇），以及在1938年發表〈台灣北部村落的祭祀圈〉（論文目錄第21篇）。

岡田所發表的論文，或是所進行的實證研究，關於漢族系台灣人的研究，似乎上記之外就沒有了。

---

6 富田芳郎的研究是指〈北部台湾に於ける村落居住型形成の要因に就て〉，《地理学》第4卷第4、5、6號；〈南部台湾の一部に於ける集居型農村聚落とその経營景〉，《地理学評論》第9卷第7號；〈台湾の農村聚落〉，《日本学術協会報告》第10卷第1號；〈台湾に於ける農村聚落の型態に就いて〉，《台湾地学記事》第4卷第2、3號。

7 岡田謙，〈⑵台灣〉，收入日本民族学会編輯，《日本民族学の回顧と展望》，〔日本民族学協会，1966年3月〕，頁330。

其次，吾人擬探討岡田在台灣任期中的第三個研究對象。研究的時期目前筆者還未查出，但是盧溝橋事變以後，因戰時體制的要求，而去到漢族系台灣人中的閩南系住民根據地福建省進行現場調查，其成果〈華南的家族與村落——廈門島的村落生活〉一文，於1940年脫稿（論文目錄第28篇）。該文完稿次年，更回應金關丈夫的呼籲，而加入《民俗台灣》（1941年7月創刊，1945年元月結束，共計發行43號），成為發起人之一，在該刊創刊號上，岡田寫了〈關於民俗〉（論文目錄第29篇）的隨筆風格小文，以及用「大東亞民俗學的建設與《民俗台灣》的使命」為題，參加在柳田國男宅邸舉行的以柳田國男為中心的座談會（1943年10月13日召開，論文目錄第34篇）。此外，他被稱為是《民俗台灣》唯一專家同人[8]，然而並未有什麼貢獻（順便提一下，《民俗台灣》雜誌的重點，是在於發掘及記錄漢族系住民的各種文化面相）。

上述論文目錄中，也可看到其間有關於漢族系社會的調查研究，但岡田博士仍持續研究高砂族。

筆者擬請教岡田博士的第二個問題是：「老師為什麼不與台北帝大的『土俗人種學教室』研究團隊，合組共同研究團隊（已逝的移川子之藏博士當時擔任教授，宮本延人是助手，馬淵東一為臨時囑託）？」

8 參照金關丈夫的發言，不過這其中有許多外交辭令的說法。參見〈座談会，柳田国男氏を囲みて——大東亜民俗学の建設と《民俗台湾》の使命——〉，《民俗台灣》，第3卷第12號（1943年12月），頁2。

早期岡田進行實地調查時，或許曾以馬淵先生為引導者[9]。最早他介紹高砂族資料的小論文（見論文目錄第3、4篇），是與馬淵東一聯名發表，但其後未見他與移川博士的研究團隊一起進行共同研究。為何沒有組成共同研究團體，其原因我輩局外人無法知曉，不過以現在來看，我會認為他們喪失切磋琢磨的機會，對學界的高砂族研究造成不可計量的損失，這樣想的應該不只筆者一人；特別是就岡田學問的發展而言，顯然這也成為一大阻礙要因。對今後的研究發展來說，我順便指出，這可成為他山之石。

雖未加入移川博士的研究團隊，但岡田曾經對社會人類學抱有一定的興趣。馬淵認為岡田的「調查不是很廣泛，也不集中，……對各個種族的任意就若干部落進行比較短期、兩三週的調查旅行，僅對北部鄒族好像做過兩回的調查，之外大致都只限於一次的調查。因為是在有限的地區內，依據少數人的口述，口述內容多是地域性的，有個人偏向是沒辦法的。相對地對這些事的偏重取向在記述上的確認工作，又有調查旅行過於匆促之憾。……岡田選擇對高砂族的主要種族進行大略的調查後，就做出總結的方向。」在這種情況下，岡田持續進行單獨調查研究。對於自己的這種調查方式，他在戰後敘述感想時，提到其中幾點困難：

第一是語言的限制，休假時去做調查，回來後就忘了那種語

9 參照馬淵東一，〈高砂族に関する社会人類学〉，《民族学研究》，第18卷第1、2合併號（1954年2月），頁98。

> 言；即使記得某一種族的語言，也不能與其他族通用，雖然可以説簡單的會話，但詳情還是必要透過通譯才能明白。……我認爲，語言的限制是很不利的一點。[10]

以現在學界的常識，休假時去做調查，回來後就忘了，或是只具有簡單會話的語言能力（這種語言能力問題，其實不是岡田的才能所限，許多以殖民地統治關係為媒介的台灣研究者，也都不例外。只是，就連像岡田一樣還不到30歲的人，也很少打從心底認真要求自己學習被統治民族的語言，正是有這種研究態度所帶來的遺憾結果），那是不行的，而在後來有與其他學者進行的共同研究，是岡田在台北帝大農學部講農村社會學時，與當時的台北帝大農業經濟學教室的奧田彧以及野村陽一郎，一起做紅頭嶼雅美族相關研究（參見論文目錄第24、26及30）。在1939年之後發表之外，已沒有見到有與台灣相關的研究。

如前所述，岡田於1941年10月回日本任職。轉任之後，即使仍發表台灣相關論文，但並沒有進行實地調查。

思索他沒有從事實地調查的原因，第一點應是沒有到台灣長期出差的機會，又因時局急速進展，他所關心的問題改變；第二點則似乎是他忙於整理之前所發表的論文，輯成《未開化社會的家族》及《未開化社會之研究》二代表作。

隨著時局進展，「日本帝國主義」也要求岡田「為獲得海南島的理黎政策的資料，要深究黎族社會組織及經濟組織的實

10 同註1書，頁38～39的發言。

相。」[11]岡田與當時東京帝國大學講師尾高邦雄一起擔任海軍囑託，到海南島從事實地調查，由岡田負責社會組織，尾高負責經濟組織。對於此時他們的問題意識，尾高（註11所提引文中）說：

> 海南島可否成爲第二個台灣，是未來的大問題暫且不談。目前爲了治安及開發，緊急的課題是審視島上原住民黎族的社會及經濟實際狀態。在治安政策方面，以黎界做爲對漢族，特別是對敵匪的緩衝地帶（字下重點爲引用者所加），應謀軍事基地背後的安定。至於其開發政策，則不只是利用黎界的資源，也必須把黎族做爲開發勞動力的補給資源。若要徹底實行這些政策，首先重要的是關於黎族情況的學術調查，另外必要的是，關於其社會及經濟的實況調查。

這項調查從1942年11月26日到12月20日為止，共實施25天，調查地點「一是治安比較平靖的地方，其次是黎族主要居住地區之一」，因此「選擇海南島樂東縣重合盆地，以當地海軍陸戰隊兵舍為調查據點」。這項調查與當時其他地方的實地調查一樣，都是在日本帝國軍隊的庇護之下進行。據尾高所稱：「在調查地區與陸戰隊隊員寢食與共，……獲得各一組通譯。」[12]（此外，在實施本項調查之前，先由當時台北帝大教授金關丈夫及淺井惠

11 筆者所獲海南海軍特務部發行的岡田謙〈海南島黎族の社会組織〉，及尾高邦雄〈海南島黎族の経済組織〉合訂本，1944年。參見其中尾高的序言，頁3。

12 所引均出自註11書，頁3～4。

倫兩人進行人類學【解剖學方面的】及語言學的調查，時間為1942年4～6月。）[13]

上述關於海南島黎族的調查，應可看成是岡田在台灣研究的延續，所以在此提出。黎族不只是岡田第四個研究對象，可以看成是其親自進行的最後實地調查而值得記錄。

成果的評價以及批判

全盤定位與評價岡田的成果，是吾輩後學今後的課題。迄今並非無人談及岡田博士的業績，以下介紹其中主要的幾種看法。

蒲生正男在論文〈社會人類學── 在日本之成立及展開〉〔〈社会人類学──日本におけるその成立と展開〉〕[14]中評價道：

> 確實保有社會人類學的問題意識同時，在許多有關未開化社會的調查研究裡，最早公開出版研究的，榮耀或許應歸諸岡田謙對高砂族年齡階級的研究。岡田受了對法國的社會學造詣很深的田邊壽利所影響而接觸牟斯（Marcel Mauss）的學説，對年齡階級制度的普遍性有所共鳴。他又從秋葉隆，學習到馬凌諾斯基（B. K. Malinowski）式的集約法（intensive method），擬藉以進行高砂族的實證研究。在學説史上，20世紀初展開的年齡階級論，具有著對之前19世紀以來的血緣集團先行説的反

13 參照註11書，頁3。

14 收於日本民族学会編輯，《日本民族学の回顧と展望》，日本民族学協会（1966年3月），頁31～32。

省與批判意味。岡田研究的動機也有此學說史的底流。岡田在其論文中，介紹舒茲的學說，並參考批判舒茲學說的諸說，報告鄒族、阿美族、卑南族各族年齡階級的事例。他的結論是，在阿美及卑南這兩族中，對未婚青年性生活有禁制，亦即批評舒茲所說的青年集會所與性的放縱關係之錯誤。岡田的研究從年齡階級問題出發，顯示出對血緣集團及地緣集團交錯的現狀分析的興趣，也處心積慮處理血緣及地緣並行說的理論。提出個人差異的機能，或許就是解答之一；他所說的個人的差異，是在社會的變化、發展及變貌上，扮演重要的角色。他的看法是：「弄清附加在社會集團特徵上的個人色彩，對了解該社會的本質很重要。」……〔《未開化社會的家族》一書〕是對於未開化社會的實證研究，當時這一類書籍尚未出現，因此完成此書具有深刻的時代意義。

蒲生如此評價並繼續批評道：

岡田對家族的理解，包括關於馬淵的批評（引用者按：參見後述），我不得不抱有幾點疑問。岡田在現代家族學說上具有優良的學識，可惜的是，他以户田貞三上世紀式的書桌作業（desk work）所構築出的家族論爲前提，因此與現代社會人類學的家族論之間形成斷層。

筆者對於社會人類學、社會學（特別是家族論）都很粗疏，無法評價及批判岡田的學問，不過對於蒲生的評價及批判，我也不無疑問。第一點疑問是，蒲生所說的「從秋葉隆學習到馬凌諾斯基式的集約法」云云，是針對岡田是否真的學到集約法並運用在調查研究上。蒲生又評價道：「《未開化社會的家族》一書是對於未開化社會的實證研究，當時這類書籍尚未出現，因此完成此書具有深刻意義。」我懷疑其所謂達成的意義在哪裡並不明確。這是第二點疑問。《未開化社會的家族》一書為岡田代表作之一，做為此素材，有一系列的實證研究，特別是蒲生並未針對岡田之實地調查是否正確進行檢討，僅閱讀蒲生的發言，不能明白其評價是否正中鵠的。而關於此一著作公開刊行的先驅意義，其評價會不會只是視此書為首先公開刊行，而這樣的實證研究也可以（獲得評價），恐怕只是給予後學這樣的刺激而已？

我第三個疑點，與蒲生的批判完全不同的是，筆者是台灣研究者的一員，對岡田有所期待的是，岡田藉其師戶田博士的方法利用既存的調查報告，特別是國勢調查（1920年時已是第三次）或是人口調查，如果能善於利用這些調查報告研究完成台灣的「家族構成」，進而對日本與台灣進行比較也可能會更正確，對學界這一方面的貢獻也會更大，望蜀之感至深。而即使是書桌上的作業，如果對研究對象有土地感及生活感，用正確的調查統計資料做為依據，也比不廣泛、不集約的，且不能仔細核對偏差、虛有其名的田野工作為基礎的研究，還是會有比較好的研究成果吧。第四個疑點，是蒲生認為岡田謙「可惜與現代社會人類學的家族論之間形成斷層」，並未談及出身社會學的岡田內部與社會人類學的分歧或糾葛（我認為或許是因為篇幅限制的關係），真可惜，不免令人感到有點偏頗。

批判岡田最激烈的，或許是幾乎在同一時間也開始以社會人類學進行高砂族研究的馬淵東一教授吧。

馬淵首先以具有言外之意的「〔岡田〕在調查研究成果的發表上，非常地勤勉。」[15]用這種方式開始批評。而在真正的批判之前，馬淵寫道：

> 《未開化社會的家族》（昭和17年）一書當時可說在我國社會學方面備受矚目，即使現在也是如此。關於未開化社會，由於我國的各種社會科學以及文化科學太偏重19世紀古典人類學，當時若干「實證的」社會學者透過概論書或翻譯書，多少嘗試進一步介紹海外新的未開化社會，但眞正做實地調查者並不多。

似乎視岡田做實證調查為當時罕見之例，給予其先驅性的評價。

不過，關於岡田實地調查的方法論等，馬淵的批評如下：

> 岡田的實地調查並不廣泛，也不能說是集約，恐怕是因健康的理由，對各個種族隨意的若干部落進行比較短期、兩三週的調查旅行，除僅對北部鄒族做過好像是兩回的調查外，大致都只限於一次的調查。由於是在有限的地域內，依據少數的口述者說法，不免口述內容是地域性的，而且也不免於個人偏向，相對地，對這些偏向要予以核對，在這類調查旅行上有稍嫌過少、過急促之憾。我認爲，這一點尤其是對於布農族的記載最

15 之後文內關於馬淵的引文，均出自馬淵東一，〈高砂族に関する社会人類学〉，《民族学研究》，第18卷第1、2合併號，1954年2月，頁101～102。

爲顯著。他不能以社會學教室的出差旅費從事長期旅行可能有限制，但每年可以照自己的計畫、有規則地進行調查旅行，也有可能向特定種族進行「波狀攻擊」。不過，岡田所選擇的方向，是以高砂族中較爲顯目的種族，進行其大概的調查整理。

馬淵也談及岡田的家族論，其指摘批評如下：

岡田是功能主義的，特別像是很接近芮德克里夫布朗的東西。另一方面，與其說他想以社會制度，不如說是他要以社會集團來把握家族。他在很多地方採用其恩師户田貞三博士的立場，例如「……在集合的事實中，所產生出來的合一感、一體感，支配家族的生活，因而在各方面形成共同行爲的可能。……」像這樣可簡明地表明出此事吧。不過，以此立場，或許他的社會人類學研究就很難首尾一貫了。岡田似也想承認家族的雙系性，但他同時強調小家族的重要性，所以他說：「家族是具有氏族、親族的原型意義。」另一方面，成爲單系氏族基礎的家族，並不是雙系的，而必是單系的。思及這類單系家族，也就是父系家族或母系家族，與其以此做爲集團的家族，不如看成是制度問題。

馬淵也對岡田最著名的代表作，即學位論文《未開化社會的家族》，有所要求、批判及評價：

瀏覽此一著作，首先感到它大半採用當時我國學界逐漸抬頭的農村社會學調查要領，著者本身也在另一方面進行關於漢族系台灣人的農村調查，並在大學教授農村社會學。所謂社會人類學及農村社會學，在學問的目標上，兩者間多少是有差異，研究態度也有相當差異。兩者之間可用什麼方式有接合的可能？這或許是更有問題。本書受到注意的，或許是要以此爲目標，試著踏出腳步之故。各面向的社會生活，是家族生活的背景，更進一步的有氣象或農業工程等方面，岡田的記述跨越多方面，在數量上，毋寧超越對家族本身的記述很多，單就這一點而言，本書應可附以題名「台灣三種種族的社會生活概要」。

另一方面，岡田著作中對社會學及社會人類學的接合相關聯，馬淵也說道：

讀岡田的著作，感覺所謂社會學及社會人類學，乃至於社會民族學之間，好像該有多少應予注意的距離。例如，在社會學中處理家族構成或親族關係時，岡田的著作也遵從像是伯叔父、伯叔母、堂／表兄姊弟妹、甥姪、孫之類的分類方式，他運用官方的統計，限於世代關係或是直系親屬、旁系親屬之別的問題，這或許也還可以。不過，關於討論社會人類學或民族學中的家族關係或親族關係相關問題的處理，這種分類方式並不合適，這相當於是屬於羅威的直系型（lineal type），或是牟多克（G. P. Murdock）的愛斯基摩型（Eskimo type）的親族名稱體系。在歐洲或日本的語言中，大體分爲直系親屬及旁系親屬，把父系親族與母系親族歸入同類的分類模式。岡田以官方統計及其他資料爲基礎，所做成的種類統計，其中包括許多應予注目的東西。如果他對以上的幾點有更進一步的關懷，在社會人類學上，或許會很有意義。

馬淵對岡田的批判及評價，最後總結說：

岡田強調統計方法的重要，已顯示相當的效果，但他爲了超越部落或村落，而更進一步地廣泛透視部族或種族，因未獲得比較好的調查條件之故，這些統計跨越廣泛地域時，我認爲處理上多少是會有點不利。但除這些點之外，岡田的著作在我國的社會學中，確可謂爲啓蒙之作。只是我國社會人類學的基礎尚未確立，而且，社會學應與社會人類學最有密切關係，但兩者的合作或相互刺激尚不充分，從這一點來看，岡田的著作嘗試爲雙方的學問搭橋，或許這是值得注目的。

因筆者孤陋寡聞，不知道岡田對於上述的批判，曾否以論文的形式予以回應（曾聽說岡田及馬淵兩人在學會中激烈對立，但此外所知不多）。

馬淵是台北帝大第一屆畢業生（史學科，1931年3月畢業），曾是移川子之藏博士的「土俗人類學」[16]教室最早及最後

16 Ethnology不譯為民族學，而譯為土俗人種學，馬淵東一說明其理由為：「土俗人種學這個名稱的由來不是很明白，不過當時學界通常已把Ethnology譯為民族學。有種說法是與台灣民族運動相關聯，由於台灣總督府方面不喜歡民族學的稱呼，因此採用土俗人種學。」參見馬淵東一，〈高砂族に関する社会人類学〉，頁97註17。

的（？）才俊，畢業後曾在台北帝大任職一段時間，早期岡田從事實地調查，他其實也曾引導過。在上列論文目錄中，也可以看到岡田最早關於高砂族的兩篇小論文，是和馬淵聯名發表。因為在學界發展雖不順利，馬淵在工作上（特別是）實地調查機會比較多，戰後也較活躍地發表關於高砂族的社會人類學研究成果。由於馬淵曾近身觀察岡田，因此對岡田的批判，或許較有說服力。我輩對於馬淵教授進一步的期待是「君子之爭」，即從學問上的論爭觀點來看，馬淵教授不只是提出對《未開化社會的家族》一書的批判，對於岡田其他各方面的研究成果批判，特別是關於各實地調查報告，也應指出與馬淵教授自己所採行的廣泛及集約的田野調查工作方法的差異，並給予定位。

戰後日本民族學會曾有過兩大企畫（以包括台灣研究在內的），一是「特輯——社會調查座談會」，另一是「台灣研究特輯」，可惜未能同時見到岡田及馬淵兩雄的出席。後學切望能彌補學界此一損失，筆者以身為其中一員，而提出上述的要求。

由於如今已無法聽到岡田的回應，而他的知交曾給他許多學問上影響的古野清人教授，因此應不只是筆者一人，許多人都盼望能聽到古野清人教授談論岡田的學問。古野教授本身也曾做過高砂族的宗教社會學調查，曾整理出版《高砂族的祭儀生活》〔《高砂族の祭儀生活》〕（1945年）。希望早日能有這樣的場合及機會出現。

結語

本文在外行人不畏獻醜下寫成。在瀏覽岡田博士的各種成果過程中，我不只一次痛感他在當時肅殺狂暴的「軍國主義」之下，還能很好地在社會學、社會人類學的「學問」世界中保身。

岡田在筆者手邊唯一的時事論文（論文目錄第41篇）〈關於皇民化問題——新體制與台灣社會〉中的發言，很少從社會學、社會人類學立場跨出，讀來感到他這種態度始終未改。

岡田幾乎沒有如輕率「進步學者」之類的筆污與口污，應表十分的敬意。

在「學問」的世界中「明哲保身」（原則上，此處之用法，或許與中國人的解釋有所不同，但筆者認為實質上是這樣的）生活下去，或因岡田是社會學者，或因他是虔誠的基督徒，也或因他醉心於馬克斯·韋伯，也可能是以上這些因素的總合，……總之，岡田因為時局體制上的要求，被動員去從事華南村落及海南島黎族的研究，但是沒有如尾高邦雄所說的「明確時局的問題意識」文字允許我們找到（論文目錄第34篇，以大東亞民俗學的建設與《民俗台灣》的使命為題，所舉行的有關柳田國男的座談會，可比較其中岡田的發言，與中村哲的發言），真可說漂亮之外無他。

不過，岡田以社會學出身者赴任台灣的1930年10月，發生了震撼世界的霧社事件，或是因為當時為性病所侵、有絕種恐懼的高砂族困頓之情況，他並沒有公開的發言，（就筆者所知），此事或許與前述「堅持學問的立場」無關。

柳宗悅於短期訪台（1943年3月9日～4月21日）[17]之時，曾記錄如下：

第一，在那裡看到一件很美的物品，所見者總是只看形狀之美，只從結果眺望，僅是品味此物，就足以感到愉悅與自豪。不過卻不可如此，不能僅止於此。說它美，是什麼原因使它美？有必要去注視這個原因。透過製作的東西，有必要去思考形成它的材料、製作它的手法以及用途。更甚者，製作者的生活與信仰，以及使他得以製作的社會及組織，都需要去訪求。其結果是驚人的，在原因中，就更深藏著不可思議吧。只把物品的美當成結果來接受的人，不是眞正凝視美的人。趣味家多屬淺見的人，因爲他們沒有深入奧祕、接近事物。

第二，許多人認爲高砂族所編織的東西很美，不可思議的是，對生產這些東西的人感到驚奇的人卻很少。輕視他們是未開化者，不認爲他們是懂得欣賞這個布之美的人，更甚者爲去思考原始人爲何會編織出如此美的布，就是僭越之至。如果想，那爲何我們不容易做到？這麼想也是因爲太自負之故。對我們來說，很不容易做到，對他們來說，卻當然有此能力，能夠這麼想的人很少，這是很令人感到寂寞的事。美的魅力，與其說是來自於其呈現的姿態，不如說是藏匿其中的力量；若對物品感到驚訝，應對生產這個物品的人更加感到驚訝吧。只是愛其東

17 關於柳先生之訪台紀錄，請詳參照〈特集・台湾の民芸〉，《民芸》第148號，1965年4月。

西，對人卻冷淡，不是眞正愛好物品的證據。[18]

與柳宗悅的紀錄相比，大概不僅只有筆者感受到一絲寂寥吧。

對於包括高砂族的青年組織、家族、氏族等社會組織的實態，如實地記錄下來公諸於世（事實上，對其語言及調查方法等問題來看，被認為有必要加以一定程度保留），不得不僅止於此，一方面或許是因為當時的情況不得不然，但戰後也沒有看到有任何觸及「民族之魂」的發言，這又應該如何解釋？

從事外國研究（特別是開發中國家研究）的我們，應該去汲取的教訓，或許令人意外地，存在岡田謙博士在研究上與台灣無關聯的關聯法有其泉源。最後岡田強調的是「不是把理論強押在事實上，而是把理論及假設依事實進行檢討」。然而岡田博士在語言及宿疾的限制中，不能充分實施實地調查，即使無法掌握事實，但是他以構築比較社會學的體系為願望。在構築的素材還不十分充分時，因病體未調，在此一戰鬥中敗北，因而早逝。擬以本文由衷祈其冥福。

附記：本文撰寫過程中，曾蒙前《民俗台灣》編輯池田敏雄（現任職於平凡社）、泉靖一（東京大學教授，東洋文化研究所所長）及宮本延人（東海大學教授）種種指教。特別是池田先生，在岡田博士有關台灣關係的收藏讓渡給敝研究所〔譯註：指亞洲經濟研究所〕一事上，曾予以指教及協助，謹此一併表達

18 柳宗悅，〈卷頭語〉，《民俗台灣》第3卷第6號，1943年6月，頁1。

謝意。

此外，有關岡田博士的簡歷及研究成果介紹，可參見岡田門生森岡清美（東京教育大學）對《未開化社會的家族》一書（弘文堂，1969年第4版）中的〈解說〉及〈訃報〉，刊載於《民族學研究》，第34卷第3號，1969年12月。

本文原刊於《アジア経済資料月報》第12卷第10號，東京：アジア経済研究所，1970年10月，頁43～51

國民黨土地政策過程的一個側面

——兼悼湯惠蓀教授*1

◎ 林彩美譯

一、前言

我假設是在書寫中國近現代史的通史而把課題擴大吧，當前日本學界逐漸指向定型化的過程，有相當多盲點存在。

關於上述盲點，筆者將其與本文相關聯者，提出主要兩點：

第一，1930年代的研究遺漏：識者早已指出此點，但因我的不用功，關於其遺漏的具體觀點並未知道很多。

暫不觸及1930年代世界史的大狀況，當時中國大陸內部的情形，顯然是革命主體交替的時期。此時革命的方向已從原來的從上發起的近代化，逐漸轉向為由下而起、揚棄包括「近代」在內形式的現代化為目標，很強烈的統一志向。以前者為志向者之顯著政黨，當然是中國國民黨，後者則是中國共產黨。

後者所賴以形成的革命主體，以及從下產生的革命能量組織化，不用說是以農民為主要對象，其主要政策之具體化為土地政

*1 湯惠蓀（1900～1966），教育家，曾任省立中興大學校長，致力於台灣土地改革工作。

策，實踐的課題是實行土地改革。中國國民黨為與這從下而來的路徑對抗，而把國民黨素來從上發動的各種政策──雖僅是書面計畫，總之是加以試行了。

吾人若要生動地書寫通史，一定要對上述過程做精緻的實況分析，結果必然要嘗試綜合性、立體地把握全體。學史的意義在於學習過去，把握現在，並預測未來；如果有上記的遺漏是絕對不能放過的吧。在世界史圖像的自主性構成路程上，東南亞的政治、經濟、社會的近現代史圖像的自主性構成，是當前不可或缺的重大研究課題的話，中國近現代史圖像的自主性構成，也成為其中不可或缺的主要支柱。

中國1930年代的研究，當然包括中國國民黨引進外資開發經濟的政策，農業、農民問題的把握及隨之而來的土地政策、農地改革觀的形成過程等相關研究，其實可以成為預測亞洲從上而起的近代化政策遠景時最好的案例。這是不用筆者指出的。

第二，台灣研究之遺漏：近年來筆者已指出過此點，而已稍稍嘗試填補這項缺憾，因此本文避免重複並酌予割愛。

近來台灣刊行了兩種很好的資料，有助於彌補上記缺漏之研究：

其第一冊是《湯惠蓀先生言論集》（1968年11月20日，台北），由湯先生的未亡人湯沈蕙英編輯。

第二冊則為湯惠蓀先生紀念集編印委員會所編的《湯惠蓀先生紀念集》（1967年11月20日，台北）。此二書均為非賣品。

本文擬介紹的資料以上述二書為中心，之前擬先觸及湯惠蓀的人與事。

二、湯惠蓀之人與事

湯先生於1897年（清光緒23年）生於江蘇省崇明縣。

辛亥革命後，中國承繼清末以來「變法圖強」的方針，提倡實學。湯先生即為此一提倡實學下創校，農工職業專門學校之一的南京江蘇省立第一農業學校之早期畢業生。

湯惠蓀前後就讀該校四年，畢業後在母校擔任農業化學助教。之後於1917年冬留日，次年春入學鹿兒島高等農林，專攻農業化學，成績極優，但不知何故觸犯學校當局之忌（據湯夫人所編輯之〈事略〉[1]及〈傳略〉[2]），無奈轉習作物學（以稻作為中心），1921年自該校畢業。

畢業後，視察日本各地的農事試驗場與農業科學相關的各種設施。之後歸國，直接進入浙江省立農事試驗場，就任種藝科科長。不到半年，轉到母校江蘇省立第一農業學校擔任教員，並兼農場主任。在同校遇到同事沈宗瀚，沈為現任〔1970年〕中國農村復興聯合委員會（簡稱JCRR）主任委員，當時也在同校任教。反映當時人才缺乏，湯同時兼任位於蕪湖的安徽省立農業學校教員及農科主任。

湯惠蓀母校江蘇省立第一農業學校因湯專攻稻作，因而特設稻作試驗場，蒐集中國國內百數十種的稻種，利用純系淘汰法，開始育種實驗。但不到兩年，隨著校長的更迭，而產生東西學派

1 湯沈蕙英編印，《湯惠蓀先生言論集》（以下簡稱《言論集》），頁1。

2 湯惠蓀先生紀念集編印委員會編印，《湯惠蓀先生紀念集》（以下簡稱《紀念集》），頁2。

之爭（大致為留日及留歐美兩派），不得不離開母校。順便提一下，該試驗場的稻作育種為中國（台灣除外）之先驅[3]。

湯惠蓀以上述挫折為契機，轉向以農業經濟為專攻，主要原因是稻作研究需有長期固定的圃場，但當時中國大陸的社會尚未充分具有此種條件，並不易進行[4]。

1923年9月起，他轉而任職於山東農業專門學校，此後不再觸及稻作作物學研究，而專以農業經濟為主要研究課題。

在山東的三年間，湯惠蓀研讀農業經濟的基礎學識，1926年夏，被當時在中國草創農業經濟學之一位學者許璇所發掘，就任北京農業大學教授及農場主任一年。許璇出身東京帝國大學，著有《糧食問題》（1935年由上海商務印書館出版），歿後中國地政研究所編輯其講義集，為其出版《農業經濟學》（中國地政研究所叢刊，1943年4月重慶初版；上海商務印書館，1947年10月三版）等作品。

1927年9月，湯惠蓀再回到南方，在以北伐成功為契機而創設的浙江大學勞農學院農業社會學科，擔任農業經濟學教授，並就任推廣部（普及部）主任。勞農學院是吸收合併當時設於杭州的筧橋農專而新出發的學校。湯與農復會首屆主任委員蔣夢麟公開之會面，係以本年為嚆矢，當時蔣任浙江大學校長。

湯在勞農學院教學之餘，透過推廣部主任之職從事農業普及事業，理論及實踐都有發揮之場所。

1928年夏，勞農學院改稱國立第三中山大學勞農學院，前述

3 參照湯惠蓀先生紀念集編印委員會編印，《紀念集》，頁2。
4 同註3。

之許璇在該學院開講座，並創設合作（指協同組合事業）人員養成所與農民銀行。湯復因許璇之邀，而參與合作運動。

1929年春，赴任豫（河南省）、陝（陝西省）、甘（甘肅省）三省農務處長，以振興中原之農業生產為目標，在河南省大規模設立農場，試行實踐及普及事業。但因內戰的關係，僅三個月就遭頓挫，而改任浙江省建設廳合作事業室主任，回到杭州。

1930年春，再應聘為第三中山大學農學院改組（1929年夏）而成的浙江大學農學院教授，同年秋，經該大學派遣赴歐視察農業情況。

湯惠蓀從青島、大連、長春經哈爾濱，取得赴蘇聯的簽證，經外蒙、西伯利亞、莫斯科、華沙，抵達柏林。

他把握這次機會，要求其就職的大學當局讓他留學德國，之後留在柏林大學研究所，師事艾力貝（F. Areboe）教授，從事農業經營的研究，並積極參加農業經營實踐場的實習。同時期蕭錚（後來國民黨土地行政的中心人物，現任台灣土地銀行董事長）也在柏林大學留學，研究經濟學。艾力貝教授當時擔任柏林農科大學校長，同時在柏林大學主講農業經營及農業政策。湯與蕭錚可說是師事同一人，二人的相會也始於德國。

1931年下半至1932年10月間，湯惠蓀北訪丹麥，南遊瑞士、法國、荷蘭，參觀農業情況及研究設施。留歐的後期，在牛津農業經濟研究所做了一學期的研究，可說是美好的結束。

1932年秋，返國途中，取道奧地利、義大利、蘇伊士運河、龐貝、錫蘭、新加坡、香港，經上海而回到浙江。

旅程中，對於白人帝國主義者對有色人種的橫暴作為，深有所感。

1932年11月抵達浙江時，許璇已在浙江大學農學院任院長，湯惠蓀復職，以向艾力貝教授學得的農業經營學為中心講課。

1933年，浙江大學人事紛爭，許璇回任北京農科大學校長。湯轉任南京國民政府實業部所轄的中央農業實驗所技正，並就任該所農業經濟科主任。

據沈宗瀚之說，湯惠蓀任該所農業經濟科主任時，以簿記記帳從事農家經濟調查。可惜因中日戰爭爆發，該報告書未能發表[5]。引進此種農家經濟簿記調查方法，或許與艾力貝教授的農業評價學有很大的關係。此外，京都大學農業簿記設施（於1958年設立）的前身，農業計算學講座則成立於1925年，設立者橋本傳左衛門教授也同樣師事艾力貝教授，思及此一關聯，真是有趣。

1934年夏，沈宗瀚就任前述中央農業實驗所，湯與沈宗瀚再度往來。後來擔任農復會農業組組長的錢天鶴，也在該所任副所長。錢天鶴於1952年繼晏陽初之後擔任農復會委員，任職至1961年。

據湯夫人所撰〈傳略〉及〈事略〉，湯於1934年秋應蕭錚之請，在中央政治學校（後來的國立政治大學）地政學院兼任教授，同時兼職該研究室主任，這也是湯的土地經濟研究與國民黨的農地改革產生關聯的契機。但他對土地問題的相關研究，實從1923年轉任山東農業專門學校之職時已開始（參照後述）。

5 沈宗瀚，〈敬悼湯惠蓀兄〉（載於《紀念集》），頁17。

以下試略探討其間之經緯。

依蕭錚之記載，湯惠蓀沒有參加1932年夏，蕭錚在南京所組織的土地問題討論會，因當時湯留學結束正在由歐返國途中。1933年初，中國地政學會成立大會時，湯雖受邀，但也未與會，唯本人雖未參加，但推薦友人黃君特為地政學院研究員及地政學會創立者之一。

湯本人未參加中國地政學會，潔身自愛的理由，蕭錚敘述湯的說明。因湯為農學研究者，固守自己研究領域，以未研究社會科學，而不輕易進入做為社會科學領域的土地改革問題，並且不隨便發表這方面的主張[6]。

此外，中央政治學校當時被稱為中國國民黨中央政治學校，實質上為國民黨的官僚養成所；地政學院即後來該校附設之地政研究班。依地政研究班之招生規定，其設立宗旨為：「養成土地行政專門人才，以備推進中央（當然是指國民黨中央）的土地政策」，入學資格為大學畢業或專科學校畢業，以在各級地政機關在職一年以上者為限，修業年限為三學期、12個月，待遇為修業期滿由中央派赴各級地政機關等[7]。

同時期與蕭錚派不同的另一派，以孫曉村和馮和法為代表，在籌備創立中國農村經濟研究會。該研究會正式成立時間尚未查出，但該會之機關誌《中國農村》之創刊號，於1934年10月出刊。

6 蕭錚，〈敬悼惠蓀兄〉（載於《紀念集》），頁13。

7 參照中國地政學會發行，《地政月刊》第1期第1號（1933年1月）所載，「中國國民黨中央政治學校附設地政研究班招考學員簡章」。

當時的事實似乎是，多數中國研究者均忌諱陷入政治複雜的漩渦裡，而汲汲於守住「純學術研究」立場。

論者認為，湯因出身農家（被視為富農），而執著於農學之實學是事實，在《湯惠蓀先生紀念集》中諸家追悼文裡，屢屢可見湯惠蓀對於被捲入政界的漩渦極度警戒，因此持續強力保持對研究之執著。這與他個人的個性有關，但當時的中國社會與中國學界的具體反映，限制了湯當時的部分行動，可以這樣想。

湯似乎從任職浙江大學時代起，就是中國地政學會會員（可能為購讀會員）[8]。做為《地政月刊》編輯的一員而應聘，是在中國地政學會第一屆理事會第13次會議（1933年9月14日）。

如前述，此時湯惠蓀從杭州的浙江大學農學院，轉任位於南京孝陵衛的中央農業實驗所。因地政學院在中央農業實驗所旁中山陵園內，所以他有空時，也會去拜訪前述的地政學院研究員黃君特，此後與蕭錚也愈來愈有面談之機會，並可能因此無法拒絕蕭氏的強力邀請，而開始保持與地政學院及《地政月刊》的關係。但是湯惠蓀當時投注心力最多的，似是在地政學院中也以農業經營及「農業問題討論」為主之教學工作，以及其後兼任主要業務為企畫實施及研究指導的研究室主任之職[9]。

湯自1935年以降，擔任中國地政學會第三屆理事會候補理事，繼續擔任編輯委員；第四屆理事會（1936年1月）更升為理事，此外並擔任該會財務股副主任及編輯委員。

依筆者對《地政月刊》之調查（可調查之卷期為創刊號至第

8 《地政月刊》第1卷第3期（1933年3月）所載〈本會會員報〉，頁435。

9 參照蕭錚，〈敬悼惠蓀兄〉（載於《紀念集》），頁13。

5卷第2、3期合刊本），湯惠蓀曾在該刊發表下列論文：

1.〈農業經營與土地利用〉（第1卷第12期，1933年12月）。
2.〈農業經營與土地利用型態〉（第2卷第5期，1934年5月）。
3. 在〈討論一，租佃問題〉上的發言（第4卷第4、5期合刊，1936年5月）。
4.〈西南各省之土地利用與農業問題〉，為1936年4月6日在杭州青年會之演講（第4卷第4、5期合刊，1936年5月）。
5.〈中國現時自耕農與佃農之分布及其經濟狀況之比較〉（第5卷第2、3期合刊，1937年3月）。

關於以上諸論說內容，則留待別的機會再行討論，現在擬繼續回到湯惠蓀的簡歷上。

1934年夏，湯因國民政府國防設計委員會之派遣，與沈宗瀚等一起視察西北各省的農業情況。翌年即1935年冬，在中央農業實驗所及地政學院合辦之下，再與沈宗瀚同赴四川、貴州、雲南三省實施農業及地政相關共同調查事宜。此等一連赴中國西北、西南從事農業相關調查，毋庸說係屬國內治安對策一環的農業開發事宜，並兼為構築中日戰爭的後退基地做預備調查。

1936年時，湯惠蓀應江蘇省主席陳果夫之邀，至江蘇省立南通學院擔任一年的農科主任。南通學院才在1936年合併清末民初中國近代主義旗手張謇創設的南通農科大學，以及南通醫科大學、南通紡科大學，改組為新大學。為負責整備南通學院農科及掌管其新出發，湯因手腕幹練而被聘任兼職。南通大的生紗廠是中國近代經濟史上著名的紡織事業，計畫透過蘇北鹽害地的開墾，供給其棉花原料，這也是張謇的一個夢。湯在南通學院一年兼職期間，常親履蘇北開墾區進行實地視察[10]。

1937年中日戰爭爆發，隨著國府西遷。次年初因由蕭錚預定創設華西墾殖公司（其後改稱為華西建設公司），因此在雲南省進行預備調查。該公司成立後，湯負責在雲南省南部建水縣創設建水實驗開墾區，並就任為主任。

1938年國立雲南大學決定新附設農學院，湯惠蓀擔任首任院長，負責創設事宜，仍兼任前述建水實驗開墾區主任（實際業務由張丕介擔任），其間也與中央實驗所的沈宗瀚參與策定雲南省的食糧增產計畫。

1943年湯辭去農學院院長，赴重慶就任蕭錚新創設的中國地政研究所副所長，並兼任中央政治學校地政系主任，其後被聘任為國府國防最高委員會經濟專門委員會委員。該委員會是合併原國民黨中央政治會議之土地專門委員會，及國防最高委員會之經濟專門委員會而成，副主任委員為蕭錚。

1945年中日戰爭結束後，復員南京，國府為推進土地行政，而在行政院設置地政署，湯被推為副署長。不久，地政署擴大升格為地政部，湯被任命為首屆政務次長（相當於政務次官，國府之政務次官與日本不同，掌握政務實權）。

上述國府新設的地政署與該署升格為地政部，毋庸說一定是針對中共的農民運動（以土地改革為中心）攻勢的緊急對策之表現。有意思的是，以蕭錚為中心的集團做為上述應對政策的一環，主張由國府制定「土地改革法案」及實施「耕者有其田」政

10 參照張丕介，〈憶惠蓀兄〉（載於《紀念集》），頁49～50。

策，即為上述做為推進母體擴大中國地政學會，以解消發展為土地改革協會，但是地政學會的理事會中，對於此議卻顯示出贊否對半的史實[11]。筆者目前並未見到反對意見的詳細資料，非常遺憾，寄望於來日的調查。

總之，1947年土地改革協會的成立大會上，已見到決議通過「實施土地改革案」。

1948年，中共勢力急速發展，國府行政院再度嘗試改組。但湯惠蓀眼見當時地政部長等中樞實無意實施農地改革，因此辭去政務次長，應邀到基於中美兩國所簽經濟合作協定而新設的中國農村復興聯合委員會，亦即JCRR（1948年10月1日），擔任該會土地組組長。

眾所周知，關於JCRR的委員，國府方任命了蔣夢麟、晏陽初、沈宗瀚三名委員，而美國方則任命了穆懿爾（R. T. Moyer）、貝克（J. E. Baker）兩名委員，組成委員會，主任委員經委員互選，而由蔣夢麟就任。

蔣夢麟出身教育界，歷任北京大學總務長*2、教育部長、行政院祕書長；晏陽初早年即以從事平民教育及鄉村運動聞名；沈宗瀚已如前述，因此在此割愛；穆懿爾是沈宗瀚康乃爾大學的同班同學，曾就任山西省銘賢學校農業主任，致力於小麥、高粱的品種改良事業，此外，曾於1946年以「中美農業技術合作團」副團長身分，視察中國全國的農業事況；貝克曾歷任華洋義賑會董事（相當於理事）及總幹事。華洋義賑會簡稱CIFRC〔譯註：

11 參照蕭錚，〈敬悼惠蓀兄〉（載於《紀念集》），頁14。

*2 係為北京大學教育學科教授兼總務長。

中文全名為中國華洋義賑救災總會，China International Famine Relief Commission〕，1920至1921年間因為華北乾旱，為救濟農民之窮困而設立之機關，由住在北京的外國人及中國官民共同設立救濟委員會，1921年合併天津、上海、太原、開封、漢口、濟南之同類機關，而稱為華洋義賑會。該會之業務，不僅在於救濟農民，也涉及堤防灌溉事業、道路建設事業、合作社運動，主要資金來源為美國紅十字會等美系資金，1937年10月與上海國際紅十字會合併。

JCRR是由以上所見人員組成，資金來源則是美援相對基金，因此由留美者及親美派占據該會人事。當時美國對中國政策以中立為名，但是他們對國府傳統的官僚體質絕未抱有好感，這從後來發表的中國白皮書應可明白。在此情況下，湯惠蓀雖屬於蕭錚人脈（蕭錚當時已是國民黨內有力派系CC派之有力幹部），而被拔擢的原因是農地改革專家多數為蕭錚集團所占，近於中立的親美派裡並沒有人才，而湯惠蓀則是蕭錚集團有關之人脈中，唯一受到肯定者。這是第一點理由。

第二個理由我認為是，如前所述，湯不只早就與蔣夢麟、沈宗瀚兩委員結交，而且與預定擔任農業組組長的錢天鶴也共事過，因此在人事決定上有其優勢。

第三個理由是湯惠蓀本人在國民黨官僚中，是少見的非政治性人物，學究型處理事務確實而有才幹的實務家，為JCRR所需求。台灣著名農學者徐慶鐘曾適切地證實過湯的性格：

惠蓀先生爲人的態度，雖然從政甚久，但始終保持中國士人傳

> 統的品格，辨是非，求眞實，埋首讀書，實心做事，不植黨，不樹勢，從無私人恩怨。[12]

再來談JCRR創會時主要的目標及方法：⑴以晏陽初的理論為基礎，著手成人識字教育運動，然後組織農民生產合作社，最終的階段是透過生產合作社進行各項社會經濟改革，此稱為「鄉村建設辦法」；⑵導入近代農業科學，計畫作物、家禽、畜類等品種改良及普及優良品種。另一方面，振興灌溉設施，致力病蟲害防除，以促進農產品之增產。這當然是以沈宗瀚及穆懿爾的理論為中心。

但只是上述方法，必然追不上當時急速發展的情勢，不得不從上積極實行減輕地租政策及實施農地改革。

不過應注意的是，即使在當時緊迫的情勢下，據沈宗瀚所記[13]，顧慮到隨著租佃關係的變更可能引起問題以及當地的抵抗，而損及國府的支持基礎，蔣夢麟主任委員曾親自拜謁蔣介石以取得支持，而開始踏上減租政策之途。

湯惠蓀就任JCRR土地組組長的同時，也強力主張：「若不先實施農地改革，無論增產多少，因增產而產生的收益，也只是為少數地主所得，農民不會接受增產的方法吧。」[14]想到最近討論東南亞的「綠色革命」時，對史上人們為何不斷重蹈覆轍，感

---

12 徐慶鐘，〈悼念湯惠蓀先生〉（載於《紀念集》），頁2。

13 參照沈宗瀚，〈重建中農所與創辦農復會的回憶〉（《傳記文學》第9卷第1期，1966年7月），頁14。

14 同註11。

到很有趣，絕不是只有筆者一人這樣認為吧。

就任土地組組長後，湯惠蓀飛到四川、福建等地，致力於減租及「耕者有其田」政策。但為時已晚，國府從大陸敗退的大勢已無法挽回，湯惠蓀也隨JCRR撤退而移往台灣。

1949年秋，湯惠蓀經廣州移到台灣，留任土地組組長。實施三七五減租、耕者有其田政策（其中實施的大前提是「全省地籍總歸戶」，亦即同一所有者的所有地在一戶中全部集中登錄的作業，這部分工作，由湯進行企畫及指導），以及在台灣一連串的農地改革，都在JCRR豐富的資金援助下推進。其間之事湯已詳細寫在專著*Land reform in free China*（1954,Taipei,Chinese-American Joint Commission On Rural Reconstruction），其詳情在此割愛。

1959年農地改革事業全部完成後，JCRR的土地組被廢止，湯轉任農民組織組組長，其工作重心為農會、漁會、水利會及青果運銷合作社之業務整備之輔導，以及協助與指導業務展開之促進事宜。

1963年6月，湯惠蓀被任命為中興大學校長。在該校能高實驗林場中，因心臟病發作，而於1966年11月20日校長任內過世，享年68歲。

三、資料介紹

（一）《湯惠蓀先生紀念集》

本書之體裁與近年台灣刊行之名人追悼紀念集形式大致相同，吾人在本文中要討論的主要為〈傳略〉及〈紀念文〉兩部分。

前節中，筆者已利用〈傳略〉的大部分及〈紀念文〉的一部分，做成接近湯惠蓀年譜的文字。即使僅是瀏覽，也很容易了解，湯惠蓀一生所走的路相當能代表國府統治時期的農學、土地行政、農地改革的道路。

特別是，紀念文中，與執筆者的隻字片語的主觀意圖無關，吾人不難在其中找到不少研究的啟示。以下擬就前節未觸及的幾點加以說明：

第一，黃季陸寫到1950年冬「行政院三七五減租考察團」（當時黃為內政部長）的視察（《紀念集》頁8～9），如果能找到此一考察報告書，則可明白當時農民對於國府當局三七五減租結果的接受情形，透過分析，或許關於台灣農地改革的實態分析可以更進一步細膩化。

第二，沈宗瀚記述在四川以湯惠蓀為中心實施「二五減租」方案時，美國的雷正琪（W. L. Ladejinsky）曾不表贊成，但與湯惠蓀一起視察後，不僅表示同意，而且還讚為奇蹟（《紀念集》頁18～19）。從以上的記述可以明白，雷正琪對中國農地改革的干預不是從台灣才開始，而是1948年冬在四川實施減租政策以來就是如此。遺憾的是，上述記述中，對於雷正琪的反對意見的具體內容，並沒有明確記載。希望可以藉由記載詳細的反對意見的資料，掌握到雷正琪農地改革見解的一部分。

同樣在沈宗瀚的記述中（《紀念集》頁19），可以見到現在實施的「農地重劃」（農地的區劃整理事業）工作，是湯惠蓀所提倡，由JCRR於1958年起在台南縣大甲村和屏東縣〔萬丹鄉〕社皮兩地區主辦施行實驗為嚆矢，可窺知農地改革後，台灣農業最大事業發端之一部分。

第三，前面吾人已提及做為國民黨土地行政關係官吏養成所的地政研究班、地政學院及地政研究所，劉季洪（現任國立政治大學校長*3）的〈湯惠蓀先生與政大〉一文（《紀念集》頁26～28）中，很明白地為吾人指出，地政學院的修業年限，從地政研究班的一年延長為兩年，1939年接到中止招生的命令，改組為地政專修科，學生入學資格修改為高中畢業，修業年限改為三年，然後於1943年，該地政專修科擴充為地政學系，在正規的國府大學教育中，設立地政學系（科），都是首次更清楚地為我們指出，可當作國府大陸時代相關的大學教育研究資料。

第四，湯惠蓀和雷正琪的意見衝突，上面已舉過一例。依湯惠蓀之老友黃通（盛岡高等農林學校出身，現為政治大學教授）之記述（《紀念集》頁38），台灣農地改革的第二個階段中，關於公有地放領的範圍，湯與雷正琪意見也有不同，據說湯斷然拒絕讓步。此一相異意見的具體內容，或許也是吾等有志研究台灣

*3 劉季洪先生擔任政大校長期間為1959～1973年，逝於1989年。

農地改革者深感興味的題材。

第五，關於所謂《綏靖區土地處理辦法》（國府行政院於1946年10月制定）之實施發生的問題及實施背景，曾為湯惠蓀地政部同事（常務次長）鮑德澂所寫一文中有所提及（前引書，頁40～41）。所謂綏靖區，是指原中共統治區，國民黨在內戰過程中，又再次統治的地區，對於中共已分配完畢土地及該地區地政相關處理辦法，國府基於以上述辦法：1. 佃農農地實施減租，規定佃租不得超過農產品正產品（即該土地之主要作物）收穫量的三分之一；2. 規定已分配農地一律由縣政府收用，地價之補償分15年支付，並以實物土地債券抵付，收用之農地再放領給原佃農或是現耕農家，分15年繳付地價。有意思的是，雖有上述辦法，但是各綏靖區之省政府大部分都延期實施。湯惠蓀以地政部長之命催促實施，並走訪華北各省及江蘇省，但各省當局認為，因地方「士紳」妨礙，鄉村秩序紛亂，無法實施，甚至如蘇北還鄉之地主，對曾參加中共清算鬥爭的農民有報復行為，貧窮無知的佃農、僱農，在共產黨之誘惑利用下，演出極大的悲劇，這是鮑德澂之記述。

如上的提示仍有多篇，請讀者賢達自行任意發掘。以下再介紹另一份資料。

（二）《湯惠蓀先生言論集》

本書可大致分為英文論文及中文論文兩部分。

以下先列出英文論文目次：

1. Rent Reduction and Land Purchase Program in Taiwan

2. Steps in the Implementation of Land Reform in Taiwan

3. Observations on the Payment of the Land Purchase Price under the Land-to-the Tiller Program in Taiwan

4. Land-to-the Tiller Policy and It's Implementation in Formosa（本文與陳人龍合著）

5. Rural Land Reform in Taiwan

6. Essential Points of the Urban Land Reform Program in Taiwan

7. Land Reform and Agricultural Development in Taiwan（本文與謝森中合著）

8. Contributions of Farmers' Associations to Agricultural Development in Taiwan, Republic of China

英文部分有以上八篇，湯氏的主要著作*Land Reform in Free China*業已以單行本發行，而未列入其中。以上八篇都曾經發表過（刊行出處在本書末有明確記載），本文不擬特別介紹。

其次擬介紹中文論文。

依編者之後記，湯惠蓀之單行本有：1.《中國農村經濟之記帳的研究》（中英文本，中央農業實驗所研究報告第1卷第12號，1936年12月，南京）；2.《農家記帳法》（中央農業實驗所雜刊第7種，1937年8月，南京），以及主要著作3.《台灣之土地改革》（*Land Reform in Free China*之中文版，1954年，台北）。共有三冊之外，此外在能力所及盡量蒐集論文，內容類似之論文裡每部分選一篇，依發表年月日，註明出處加以編集列出。

中文論文依其發表年代，可再分為大陸時代及台灣時代兩大部分。

第一，大陸時代之論文：本書收錄了湯惠蓀大陸時代論文的第一篇〈土地制度與農業之社會化〉，最後一篇是〈兵農合一〉，其間共有16篇，合計收錄18篇。其中12篇發表於《中華農學會報》，3篇發表於《土地改革月刊》，2篇發表於《國立浙江大學勞農學院週刊》，其餘1篇為他人著作之序文，全書收有上列各篇文字。

從以上看來，可知採錄非常不完全，前面所提到的《地政月刊》5篇文稿即全未採錄。

此外就是與本文主題之中心，即土地問題、土地行政及農地改革，有直接關係的，僅採錄4篇。其中做為湯惠蓀想法原型的是以下擬介紹的論文。

〈土地制度與農業之社會化〉（《言論集》頁1～4）：該文於1924年1月刊載於《中華農學會報》第48期，推測是湯惠蓀從稻作改為專攻農業經濟、剛轉入山東農業專門學校後所寫的論文。此論文之主要觀點為：

> 隨著近代科學的發展，也帶來了生產技術的進步，在近代資本主義狀態下，農業與其他產業比較，常屬於弱勢的地位，因此其技術之進步，也常較工商業爲落後。關於這一點，可以今日農村之實況爲證明。
>
> 思及農業在現在社會經濟體制下，不利的是，本因農業本身的特性；而農業本身的特性，至今都還受自然所支配，並不易以人力進行改革。

> 因此，如果不能透過經濟組織的改造，要使農業和其他產業一樣的發達進步，可能就如緣木求魚。
>
> 現今社會的經濟制度裡，妨礙農業進步的無他，就是土地私有制度。
>
> 利用科學、技術得到的生產效果有二，第一是可期待得到的可能效果，第二則是實際可得到的效果。
>
> 上述兩種效果的差別，可藉利用科學方法及利用技術的程度而顯現。
>
> 畢竟利用科學方法，求取技術進步之道，經常是以藉生產所得的利潤（profit）與所謂的剩餘價值（surplus value）爲因達成。
>
> 農業中剩餘價值常爲生產者以外者所剝奪，生產者因無法享有他們應享有的權利，如何會有資金的餘裕去利用科學、謀求改良之道？只剩下固守舊狀、維持現狀之路。毋庸說，農業的剩餘價值被他人所剝奪的弊害之根本，就是土地私有制度。

湯惠蓀的批評如上。

他更繼續在土地私有制下的農業經濟，分為佃農及自耕農兩方面來觀察。

佃農因經營農地不是自己的所有地，生產勞動結果所得的剩餘價值，不得不全部以佃租交給地主。地主坐享權利，徵收佃租，以此過奢豪的生活，或進行工商業或土地獨占之投資，而不是還原到農業、利用做為謀求技術進步之資本。另一方面，佃農把生產收入做為佃租繳給地主，勞動工資所剩無幾，恐怕連一家的生活費也不足，更無餘裕謀求技術的進步，也必然不會去做農事改良等事。

考察當前土地私有制度下佃農的地位，可知其地位與工商業勞動者並無不同。

前面已談了租佃制度下的農業，無法有農業技術的改良與進步。再來想談的是，藉由技術改良，期望增加生產的內發契機，經常是因為生產者想獲得更多，來求取自己收入的增加。然而因佃農的剩餘價值被惡劣的地主剝奪的狀態，佃農假使增加生產，也只是佃租隨之上升，所以佃農因技術改良所增收的部分只是全部肥了地主，淪為供應地主浪費奢華之物而已。從以上看來，「實地經營獨立企業」的佃農，為什麼要進行技術改良的愚行呢？

上述土地私有制度下，所廣泛施行的佃農之農業方式，儘管科學如何進步，技術如何精巧，農業生產也會依然墨守成規，全無改進之道；即使有技術的改良，其進步也常會是緩慢的，多數停滯不前。吾人的農村實況最正確地反映此一事實以為證明。

湯惠蓀繼續對自耕農做如下的說明。自耕農是利用自己的所有地從事耕作，因此農業上的所有收入都歸生產者所得，其利用剩餘價值來做技術改良，理當為增加生產計，但事實也不必然如此。

當今農村的實際情形是地價異常昂貴，農村中進行土地買賣時，農家並不是支付全部地價，而是抵押土地、借貸部分資金用以支付，甚至以新購買的土地抵押、借入貸款來支付地價，在這種情況下，貸款的利息負擔和佃租是一樣的，貸款的資本主成為擬制的地主，土地的新所有者，也和佃農類似了。

從以上看來，今日農村的中堅——所謂的自耕農，其實多數也和佃農的情況大致無別，其收入在相當於勞動所得部分之外，全部被資本主剝奪，因此其剩餘價值也所剩無幾，自無餘力謀求技術的進步及農事的改良。

他下結論指出，在今天的土地私有制度下，佃耕和自耕農雙方都不能得到農業的進步。農業為國家之根本，農村是國家的基礎，所以改良農業、計畫振興農村，是當前的急務。然而要改良農業、振興農村，則需謀技術方法的進步、促進農產品的增產才有可能。為達成此一目的，則非將阻止技術進步的一切阻礙因素都去除不可，也就是首先非得以根本改良土地私有制度為始不可。只是廢止土地私有制度後，是要採行國有或共有，那是社會主義者的主張，這也是自古以來學者討論的焦點。關於此一制度將要如何，以及應如何組織，應不必等我的評論。

湯惠蓀從初期的土地私有制廢止論，到日後的減租、耕者有其田制的實施，實踐的場域更為擴大，其間有何行動上的心理矛盾糾葛？很遺憾目前尚無餘裕進行更為詳細的分析。

從否定土地私有制，到轉向以實踐農民擁有土地為最終目標的耕者有其田政策，明顯地在思想上轉換。做為孫文學說的耕者有其田政策的實施，因為是國民黨的金科玉律，此一理論上的矛盾，在蕭錚集團中，矛盾沒有被覺察為矛盾，也是可以思考的部分。此外，因為蕭錚集團是在國民黨的指導之下，不免引起國民黨政治基礎解體的土地國有、共有之道，湯惠蓀不能繼續主張，也是非常自然的事。

從以上可知，湯惠蓀開始關心土地問題，並不是自1934年以降，而是從1925年就埋下種子，其根柢甚深。上述文稿中，對其理論不成熟或用語不明確的部分，不用筆者指出吧。即使是如此，從實學進入研究，湯惠蓀的研究方法是從農業技術改良的部分來進入批判土地私有制度，其進行的過程是很有意思的。

第二，遷台後之論文：本書採錄來台後的中文論文共47篇，其中最多的是關於台灣的三七五減租及農地改革有關的論文，篇數達16篇；次多的是關於外國的農地改革及農業情況論述，共8篇，所謂外國，其中有5篇是關於日本的農地改革、農業基本法及農地整理有關的論說，不只是湯惠蓀而已，台灣的農業當局相當注意日本農業的動向，從此可窺見其一斑。第三多的是關於耕地整理事業的5篇，第四順位是4篇關於都市土地改革的論文，第五順位是其他，包括回想、時事論文、日記、協同組合事業等共14篇。

吾人關心的自然是關於台灣農地改革的諸篇論文，其大部分都發表在《土地改革月刊》雜誌，因此本文予以割愛。

全部論文中，未發表的有：1.〈致雷正琪博士備忘錄譯文──對於台灣省實施耕者有其田後保護自耕農辦法之意見〉（《言論集》頁200～202）；2.〈中南美各國土地改革考察報告〉（《言論集》頁298～311）；3.〈出席羅馬世界土地改革會議第三次發言〉；4.〈歐行日記〉（《言論集》頁384～410）。以上共4篇，其他尚有在電台廣播的原稿，與在中興大學的週會訓話各一篇。

最寶貴的資料是未發表的上述第一篇中的備忘錄。這是對JCRR的顧問雷正琪干預台灣的農地改革時提出的，關於耕者有其田政策實施之後，保護自耕農辦法意見的備忘錄。

此外，在湯惠蓀已發表的論文裡，以共同致力於減租及農地改革事業者之眼，描寫雷正琪的個性，寫於〈二、美國土地改革專家的多疑〉（《言論集》頁374～375）一文中。當年美國人對國府官僚的不信任感似乎很強，在此可以得到再確認，可說很有意思。

可惜篇幅所剩無幾，擬在此擱下介紹之筆。對於最後無法親手從事大陸農業改革之現況及其實態之展開，湯惠蓀經常顯示深切之關心（參照《言論集》所載〈歐行日記〉，頁405）。經亞洲經濟研究所的梶田部長介紹初識湯惠蓀，他與年輕後輩的筆者懇談時，誠摯提出問題，並透露希望湯惠蓀能早一日「從太被政治漩渦所污染的某大學校長之位引退，從事一生的工作，書寫『台灣的農地改革論』」的心願。但是湯惠蓀曾六度提出辭呈（參照前引《紀念集》頁103），在還沒有獲准前，就突然過世。謹以拙稿對湯教授由衷祈求其冥福。

附記：關於中國國民黨的土地政策，擬另文探討以塞責。

本文原刊於《アジア経済》第12巻第1號，東京：アジア経済研究所，1970年12月15日，頁95～103

台灣抗日左派指導者連溫卿*和其稿本

◎ 林彩美譯

近年在日本盛行刊行過去有關左翼運動的研究，以及相關人士的回憶錄。

在這些出版物之中，山川均周遭與有關世界語運動的相關書籍必然登場的台灣出身人物有連溫卿。例如在山川均夫人〔山川〕菊榮女士的名著《女人兩代記——我的半自敘傳》〔《女二代の記——わたしの半自叙伝》〕（日本評論新社，1956年5月，現在〔1975年〕增訂納入平凡社東洋文庫【203】）中登場的陳氏（日本評論新社的初版本，頁262；平凡社本，頁249～250，但平凡社本的增訂部分「在台灣青年之間宣揚社會主義」之項，應已獲知連的病歿而從陳氏更改為連溫卿），又在向井孝著《山鹿泰治——其人與其生涯》〔《山鹿泰治——人とその生涯》〕（青蛾房，1974年5月）以世界語的同志而成山鹿回顧的對象。

連於1957年11月因病辭世（有毛一波〈哀悼連溫卿先生〉，

---

* 連溫卿（1895～1957），世界語運動家、社會運動家。

《台灣風物》第7卷第6期，1957年），享年63歲。

連的本名叫嘴，出生於正是日本帝國將台灣殖民地化值得記錄之1895年4月9日的台灣。

學歷只是公學校畢業而已，但據說以自學修得世界語。

他通過社會科學與世界語的學習，與山川均、菊榮夫妻的門生山口小靜相遇。

與山口的同志交往之緣，連溫卿得以與山川夫妻結交，最初是通信，後來才見面（據筆者考證連溫卿在1924年和1930年訪日過）而結成師兄弟關係。不止於此，似乎又進而成為同志。

連的世界語運動經歷在光復後以「史可乘」的筆名發表的〈人類之家・台灣ESP學會〉（《台北文物》第3卷第1期，1954年5月1日）一文裡，因對國民黨當局的政治考量，也未明說。

然而連的世界語運動盟友蘇璧輝〔譯註：與連溫卿同為台灣文化協會第四屆定期大會1925年的理事〕在1908年已開始學習世界語，JEA（日本世界語協會）東京支部的兒玉四郎在1913年移居台北同時，在當地開辦的講習會（第一回，1913年9月1日開講）有他的參加，所以連的世界語學習可以確定至少在1913年9月已開始（請參照日本世界語運動50周年紀念行事委員會編，《日本世界語運動史料》〔《日本エスペラント》〕，1956年11月，頁22～23）。

兒玉在前面的講習會獲得蘇、連、栗田確（總督府編修官）等十數名的參加。同年12月15日講習會終了之日，兒玉更在台北苗圃前的自宅結成JEA台灣支部投入世界語的普及。

以兒玉為中心，在台灣的世界語運動依前面引用的《日本世界語運動史料》，大約從1913年夏到第三年，亦即1915年初夏，極短兩年之間的事。

是幸抑或不幸，恰好在此時期的台灣，因辛亥革命的烽火波及之故，包含抗日、復歸祖國武裝運動事件包括策劃與實行頻頻發生（詳細參照拙稿〈台灣的詩與其真實——羅福星的一生〉，《日本人與亞洲》，新人物往來社，1973年10月）。

其中以羅福星事件（1913年末，又稱苗栗事件）與西來庵事件（1915年夏），最讓台灣總督府為首的殖民地當局深感震撼。

因有這樣的時代背景吧，當局對台灣人世界語運動者的監視與威脅是嚴峻且劇烈的。當然也有對日本人世界語運動者的騷擾或警告是不難想像的。這或許是理由之一，兒玉於1915年6月便離台歸日，運動也因此重挫。

但是，不久十月革命與五四運動的兩個颶風也吹及台灣，台灣的抗日運動從以往的以農民為中心的武裝蜂起一時中斷，而重新以島外留學生（去中國大陸和日本的留學生為中心）、知識分子以及民族資本家階級為中心的近代抗日運動開始展開。

此時代風潮，驅使連與蘇奔赴世界語運動的重建。

連把有名無實的JEA台灣支部改組為台灣ESP學會之外，自己擔起主編的重任，發行月刊報紙《綠蔭》（*VERDA OMBRO*，1919～1924年）。

與此同時，他受新思潮的影響而對共產主義產生興趣，設法弄到中譯的共產黨宣言，並與年輕的同志們開始社會主義與社會科學的研究會。

現在〔1975年〕還有很多相關人士惋惜其早逝（逝於1923年

3月，得年方滿23歲）的活躍女社會主義者，也是世界語運動家的俊秀山口小靜，也在差不多同時期的1921年10月，因療養肺結核而歸台。

小靜是當時台灣神社（奉祀北白川能久親王）的宮司〔譯註：廟公〕山口透的女兒。山口透是在連溫卿出生之年，為壓制台灣而被派遣至近衛師團（師團長是北白川能久親王）當從軍記者。在這意味下，山口一家可說是「台灣有緣人」。年輕進步的台灣青年連溫卿和台灣統治當局有關聯的山口家出身、熱情的行動者又是理論家的「造反女兒」之相遇，可說是自然的結果。

連因此機緣而與山川夫妻的交流趨於深篤，後來變成在台灣最可信賴的同志之一。

自「台灣共產黨」以日本共產黨台灣民族支部在上海組成的1928年春止，連受山川的影響與指導之下在台灣活動。也正因被視為山川一派之故，後來被台灣的正統派共產主義運動陣營排除於外，在第二次大戰中他一邊經營商業，一邊努力於民俗學的研究。光復後他似未復歸實踐運動，而以收入菲薄的寫作生涯度過晚年。

這暫且擱下，在本誌所要介紹的連溫卿稿本，是經由如下所述的過程得到的。

說起來，筆者發現連溫卿在日本的相關人士契機，是因在勁草書房刊行的《山川均全集七》（1966年8月）所收錄的〈殖民政策下的台灣〉〔〈植民政策下の台湾〉〕（本篇是山口小靜【參照第五卷】依據在台灣的世界語運動者同志連溫卿所厚意提供的不少部分資料所寫成），在該書刊行不久讀到。

戴國煇（右）與比嘉春潮（中）夫婦合影，比嘉先生時年90歲，攝於琉球，1972年7月5日（林彩美提供）

沒隔多久，承蒙池田敏雄（平凡社）之指教而獲知連以及R先生登場於沖繩出身的碩學比嘉春潮翁的傳記《沖繩的歲月——從自傳的回想》〔《沖縄の歳月——自伝的回想から》〕（中公新書，1969年3月），後經友人中村〔譯註：中村ふじゑ〕女士的介紹與比嘉翁見了兩次面，即1972年7月5日與1973年2月24日，並得到應允訪談。

第一回訪談時借到1954年9月28日連溫卿寫給比嘉翁的私人信與「結束了旅行者的日記」（1930年）。當時，比嘉先生說：「有一冊連先生未發表的稿本，不知收到哪裡找不到。」

記得是次年年初的事。比嘉翁傳話給中村女士，說稿本已找到，要不要來看的口頭邀請，所以就有兼做借覽稿本的第二次訪談。

那時他交給我的，就是在此發表的〈在台灣的日本殖民政策展望〉〔〈台湾に於る日本植民政策の展望〉〕（「一九三〇、八、一三」的後記與「寄送改造社內」的朱記。又，在本誌將之改題為「台灣的日本殖民政策實態」〔「台湾に於る日本植民政策の実態」〕），台灣回歸祖國後，在台灣執筆「土地奪取的過程」的委託出版的「內容目次」，以及其樣本的一部「六節・奪取的進化」三個稿本。前面所提給比嘉先生的私人信與為委託出版的樣本封面的書寫來推測，連溫卿似是在戰後以「日本統治期間在台灣所施行土地奪取的過程」為臨時題目，將自著委託舊識、無政府主義系的世界語家山鹿泰治與比嘉春潮兩位先生去進行出版交涉。

對於此稿本的詳細介紹，等登載結束之後再來嘗試。現在通覽這些稿本，其第一個特徵是，某程度上可看出當年台灣左翼運動家與日本人運動家的關係。又，在日本殖民地統治下，連溫卿以實踐家的見聞驅使因官憲方面的鎮壓而埋沒的第一手資料，其分析與定位被明確地提示出來，變成台灣方面富於臨場感的證言。除了貴重之外，夫復何言。期望以本稿本的公開刊行為契機，能發掘出被埋沒的資料，使有關研究的深化更上層樓。

又，筆者試做了誤字、脫字、統計數字以及註記的校訂，在此聲明。

還有，連溫卿的生平除了文中所引用文獻之外，並參照了台灣總督府警務局編《台灣社會運動史》（東京：龍溪書舍、完全

復刻本，1973年5月）與大島義夫、宮本正男著《反體制世界語運動史》〔《反体制エスペラント運動史》〕（三省堂，1974年7月）。

最後，謹向慷慨提供此稿本的比嘉春潮翁，對發現稿本給了開端線索的池田、中村兩位先生，再是向提供發表此稿本珍貴版面的本誌編輯委員會諸位，致上由衷的謝意，並把拙文擱筆於此。

本文原刊於《史苑》第35卷第2號，東京：立教大学史学会，1975年3月，頁57～60

連溫卿的兩篇日記*

◎ 林彩美譯

連溫卿其人和簡歷，已經在本誌（《史苑》）第35卷第2號所登載的拙稿〈台灣抗日左派指導者連溫卿和其稿本〉中做了介紹。

拙稿也已觸及，登載於此的〈連溫卿日記（原題為「結束了旅行之人的日記」）——1930年的33日〉是故比嘉春潮翁所提供的。

本日記是使用當時為了避開台灣總督府的鎮壓，在東京發行的《週刊台灣大眾時報》發行所大眾時報社的稿紙，以日文書寫。大概是為了預定發表而寫。

連溫卿另有以中文發表的〈蠹魚的旅行日記——1924年〉。此日記的刊載出處不明，但依據比嘉翁所提供的剪報簿，以及卷首所附黃希純的介紹文來推測，大概可推想為發表在中國大陸發行的報紙上。又該日記與在本誌所載的一連串論文，以及本日記

* 〈連溫卿日記——1930年的33日〉由戴國煇校訂之後刊載於《史苑》第122號，立教大學史學會，1978年11月。此文是對連溫卿日記的解說，附於連溫卿日記之後。

將來彙集為一冊時，預定將以原本的中文呈現。

本日記因為是貴重的第一手資料之故，一切均不加以校訂，照原文載錄，還請見諒。

本文原刊於《史苑》第122號，東京：立教大学史学会，1978年11月，頁99

武者小路翁*的墨寶

◎ 孫智齡譯

武者小路實篤翁揮別人世了。

人們都在稱頌和憑弔武者小路翁將近七十年的文學生涯，以及「自他共生，全部的人都得以生存」的理想鄉「新村」的實踐，甚至做為一名畫家的一生。

然而，在南瓜、馬鈴薯、紅蘿蔔、各種花卉等繪畫上，武者小路翁喜歡自己添筆寫「贊」，也可說是「武者小路語錄」吧。諸如「日日是好日」、「何謂生，死前之謂也」、「正直者損，其損吾願試之」、「若此路為我安身之道，我從之」這些墨寶，則鮮少人談論。

傳統中國有所謂三絕，即詠詩（有時以文采代替詩）、工書、擅畫。

能同時兼具詩、書、畫三項才能的人非常稀少，所以人們才稱之為文人的三絕。

翁的書法沒有成為話題，或許是因為在日本有專業的書道

* 即武者小路實篤（1885～1976），日本的文學家。

家，因此相較之下未被當成課題來看也說不定。

在我出生的中國，不論過去或現在都沒有出現日本類型的書道家。中國的書法家，通常除了書法之外都還有其他職業。

或許是生於此項傳統藝術的末流時期吧，我對武者小路翁的墨寶感到很介意。

對於武者小路翁喜歡畫的蔬菜、花卉等繪畫，就連不懂畫的我都能具體感受到那股自然生命力的美。

明知這不是正道，但有時我會故意遮去其畫，而懷著淘氣的心情去注視「贊」的書法。

不怕誤會，說實話，與畫分開來看，其「書法」的確欠佳。

字體雖然不佳，但它的「書格」、「書品」、「書風」的確帶著要傳達什麼給世人的心意。

尤其是將覆蓋著的畫再打開，重新觀賞配合畫所寫的「贊」時，你會從其書法中更加感受到其一生和其理想主義彷彿都凝結在這墨寶上，傳遞給我們一團的「和氣」。

武者小路翁的「書法」，是由他的心和智慧孕育而來。因此我們可以說，他的書法也和其繪畫、文學甚至「新村」的實踐活動一樣，是不能分開來看的。

對近代日本少數兼具「三絕」的其中一人——武者小路翁的冥福，謹獻上我的祝禱。

本文原刊於《京都新聞》，1976年4月20日，第13頁

河本大作*與台灣

◎ **林琪禎譯**

自1970年夏天起的約五年之間，我和年輕的朋友成立了以霧社事件為中心的研究會。這個研究會後來將主題設定為後藤新平，並以去年〔1978〕四月底創刊《台灣近現代史研究》（龍溪書舍）為契機，擴大為「台灣近現代史研究會」。

乍聽研究會的名稱，可能有人覺得奇怪，為何要「局限」在台灣這個狹小的地方呢？如果有這樣的人，我必須澄清，那完全是誤解。

我們的會員，專攻的研究範圍遍及東洋史、國際關係論、經濟學、文學（包括中國、日本、俄國等）、民俗學、醫學、物理學等。總而言之，我們共有的基礎，就是從台灣的「近現代」史出發，去看東亞關係史，並擴及世界史，再回到台灣史。

在此先不論研究會，當初設定以霧社事件為研究主題期間，由會員各自選擇自己感興趣的題目，點滴進行分工與合作的研究，雖然進行得緩慢，不過前進著且逐漸有了成績。

＊ 河本大作（1883～1955），日本將官，策劃炸死張作霖事件主謀。

在這個研究之中，我的第一個課題是，重新審視「研究霧社事件的今日意義」。這個設問，自然必須要探討整理戰後日本對霧社事件的看法與研究，並試著為我們的研究找出一個定位。此成果之後整理成〈霧社蜂起研究之今日意義〉，發表於《思想》雜誌（也收錄於拙著《新亞洲的構圖》，社會思想社，教養文庫）〔參見《全集》1〕。

上述作業過程中，我讀了五味川純平《戰爭與人3：命運的序曲第三部》〔《戦争と人3：運命の序曲第三部》〕，與霧社事件相關的部分。該作品為小說性質，雖然頗忠於史實，但因為使用資料的局限之故，散見錯誤。沒在文章中評論，僅列於參考文獻。此外，會這麼做的原因還有一個，那就是五味川先生在該書的最後所列之「註17」的霧社相關文獻清單之中，並沒有提到新發現的資料。不過在他的文章中，卻有拓植進太郎與河本大作曾為了霧社事件而到台灣調查的記述，令我在意得不得了。

由於工作繁忙，因此沒有追蹤下去。只是偶爾在腦中想著歷史文學與歷史學之間的落差，想著五味川先生也真騷擾人……，就只是這麼想著，然後時間就這麼過去了。

不過，之後有了些變化。忘了確切的日期，只記得是某天的研究會，會員的春山明哲先生說，河本大作前往霧社進行調查的事，似乎真有其事，並告訴我幾本更可靠的文獻。分別為平野零兒《滿洲的陰謀者——河本大作命運的足跡》〔《満洲の陰謀者——河本大作の運命的な足あと》〕與關寬治氏的論文〈大陸外交的危機與三月事件——宇垣一成與其背景〉〔〈大陸外交の危機と三月事件——宇垣一成とその背景——〉〕（收錄於篠原

一、三谷太一郎編，《近代日本的政治指導——政治家研究II》〔《近代日本の政治指導——政治家研究II——》〕）。

這就是今天各位讀者可能會覺得陌生的標題——〈河本大作與台灣〉誕生的由來。

我想各位應該知道，平野零兒是河本大作之妻久子的弟弟。更引人注目的是，平野不只是河本的小舅，且戰後與他一同在新中國的太原戰犯管理所裡待過。順帶一提，河本於1955年8月25日晨，病逝於該管理所。平野自稱是河本的親信，加上長期以新聞記者為業，自然熟知昭和時期河本大作的事蹟。

關於河本調查霧社事件的相關情形，平野如此記載：

> 濱口內閣繼金解禁政策後，又因爲倫敦條約的締結刺激了陸海軍人與右翼團體。之後緊接著就發生了霧社事件。（中略）「台灣的排日運動擴大到蕃人，並不單純。背後似乎有陰謀之手操弄。森先生的眼睛射出銳利的光芒。『很明顯的，這是台灣統治的失敗。滿洲已迫在眉睫，而如今台灣又走到這種地步，日本已經南北進退維谷了。』日本的殖民政策已經到了非從根本改善不可的時刻。」大川周明得意地談起他拿手的殖民政策看法。（中略）「河本先生，其實我希望你能去台灣。」「台灣？我光是滿洲的事就夠煩的了。」「不，這是共通的問題。我希望你能調查一件事的眞相。這次不能派政治家或軍人去，需要像你這種具有參謀頭腦的人，用細緻的分析，找出事件的眞相。」（中略）之後，自中公司的沖津處，送來了從神户往台灣的船票、旅費，以及印著地方報社的名片，搭上商船

> 高砂丸的一等客艙渡海南行。（中略）如森恪所期待的，河本的參謀經驗，在霧社事件的眞相調查收穫良多。河本除了自己的調查之外，還透過台灣軍的同志，祕密裡得到調查的方便並獲得了許多內情。
>
> 龐大的調查資料，就以神武會的調查報告形式，送到了軍部與政界的有力人士手中。（引自《滿洲的陰謀者》，頁122～124）

連結起來，前述之五味川先生的拓殖、河本的霧社實地調查說，應該是從平野的這部著作得知的。但是平野之說，真的是真實事件而非創作嗎？平野已經過世，因此無法向其本人確認（目前尚未嘗試進行訪問平野相關人士的作業），但就本文引用之外的與霧社事件相關的描寫看來，除了「莫那魯道為自縊而死的」這個地方的記述比較不同之外（通說為飲彈自盡），文中對於狀況把握、實際分析等，皆頗為正確。平野這本早《戰爭與人3》六年，於1959年發行的書，能如此翔實地記錄霧社事件，到底是為什麼呢？

平野在《滿洲的陰謀者》中，還留下了頗為有趣的記述。時間為1950年的1月23日夜晚，隔天要被暫時送到北京的河本，在太原監獄的學習時間結束時，曾經昂然地寫下如下的決心：

> 我一定會將功贖罪。（中略）就算是台灣的解放戰爭，如果願意借用我的軍事經驗，我必定欣然參加。聽說有些日本的舊軍人如今仍與台灣有所接觸，若眞是如此，我想我有自信看穿他們的戰術，並擬出足以對抗的戰術與之應戰。（前引書，頁22）

河本會如此說，或許不只是因為他曾經擔任關東軍高級軍事參謀之故。也許是因為他曾經前往霧社調查時有過的「台灣經驗」也說不定。這樣的推論，會不會過於草率了呢？

我的推理，主要從河本上述的自白，以及他前往霧社進行調查的記述，並在採信平野所記載的這些文字屬實的前提下，才得出這樣的結論。

接下來，我想探討關寬治的論文。關氏在記述河本調查霧社事件的經緯，與平野幾乎沒有不同。可以說是平野記述的摘要版。

不過，其中有一點令人在意。前述筆者所引用的森恪的發言：「台灣的排日運動擴大到蕃人……」關氏也引用。只是出處卻非《滿洲的陰謀者》一書而是河本大作的〈河本筆記〉〔〈河本メモワール〉〕。另外，關氏在論文的他處也引用《滿洲的陰謀者》。換句話說，〈河本筆記〉和平野的著書各為兩本不同的著作，從河本的那筆記，應該可以找到他曾前往台灣的佐證資料。但實在很可惜的是，春山詢問關先生的結果，他已經忘了當初資料從何而來。我們追蹤資料的一絲線索又應聲而斷了。

我們探尋資料的任務，雖然不如尋找太安萬侶的墓誌般困難，也不需要靠偶然，但「幸運」女神卻似乎還沒眷顧我們。我真是望眼欲穿呀。

本文原刊於《歷史と地理》第281號，東京：山川出版社，1979年2月，頁13～15

河本大作與霧社事件

◎ 劉靈均譯

正當昭和大恐慌之時，十五年戰爭前夕的1930年10月，在殖民地台灣山地裡的霧社發生了大型反日蜂起事件。

霧社（現在的南投縣仁愛鄉）曾經是殖民地當局自豪的模範地區。官憲和日本家庭聚集在這個轄區內的聯合大運動會中，山地居民對這些日本人舉起了烽火，不分男女老幼一舉殺了134個人（只誤殺了兩個漢族台灣人）。

雖然有不少文章重提這個衝擊性事件，但是大多數都是自我澄清的回憶錄，抑或是小說之類而已。我們台灣近現代史研究會的同仁們，從1970年夏季開始，即有志於進行跨學際的、綜合性研究，甚至是發掘體制方面視為祕密的資料（社會思想社出版《台灣霧社蜂起事件——研究與資料》）。

在這段過程中，我們注意到了與該事件相關的軍事行動所擁有的特殊意義。大致可分為兩個側面：第一點是針對山地游擊隊的正規近代戰；第二點則是近代兵器的實驗。霧社蜂起的鎮壓戰出乎意料的成為十五年戰爭的前哨戰，就這種小型實驗戰爭的性格與其整體而言，我們關心的是，日本軍當局究竟做了怎樣的嘗試。

事實上，針對這次盤據深山天險進行游擊戰的山地蜂起游擊隊，日本當局投入了飛機、山砲、毒氣瓦斯（有一說其僅使用了催淚瓦斯）等等武力。這讓人想起了美軍對越共嘗試直升機戰的情景，令人不勝痛心。

接著令人感興趣的是，河本大作與霧社事件的關係。一般而言，河本為人所知是因為張作霖被炸死事件〔譯註：即皇姑屯事變〕的策劃人，並且做為關東軍的高級參謀與「滿洲」密切相關吧。但剛好被放逐的河本（因為張作霖事件成為後備軍人），在霧社蜂起之後受到森恪（時任政友會幹事長）與大川周明〔譯註：極右派思想家，戰後唯一成為A級戰犯的民間人士〕的邀請悄悄渡台，最後將一份「可將事實真相透徹中肯、完美呈現出來」的限量報告書，發布給軍政界。該份報告書的發掘與分析是我們的下一個課題。

本文原刊於《朝日新聞》夕刊，1981年8月25日，3版，第5頁

與穗積五一老師*的邂逅

◎ 林彩美譯

奇異的因緣終究還是存在的。與穗積老師的相逢是令我有無限感觸的一個近例。

有漢學素養的祖父，偶爾在全家共聚的晚餐席上，對我們孫輩嘗試談人生的道理。而某一夕談及「可遇不可求」，那是我還頂著光頭的孩提時之事。

「世上有刻意強求也得不到的（情誼），而邂逅，不少時候可說是上好的。你們必須在透過與人的相逢求其上好。」他這樣說。

我自1955年秋以降，經過四分之一世紀一直在此美麗的櫻花之國，努力學習做研究，並用心充當年輕友人的師友。此間，與許多人相遇，而我也以此為樂。

祖父先前的教訓不說，就是十億（中國總人口〔譯註：1981年〕）分之一如粟粒般渺小的我，與一億（日本總人口）分之一的某日本人相遇之「奇」的事實，是很沉重的。就是單純以數字

* 穗積五一（1902～1981），社會教育家，亞洲文化會館創辦人，對東南亞留學生或受害國留學生特別照顧，被譽為「留學生之父」。為戴國煇敬重的三位恩師之一。

「留學生之父」穗積五一（第二排右六）與東南亞留學生合影，第二排右五為穗積夫人，前排左二為戴國煇，攝於亞洲文化會館，約1967年（林彩美提供）

來計算，也應是不可以輕忽的事。

與穗積老師的相逢，正是「可遇不可求」的妙例之一，而成為現實。記得是1959年初夏之事。

有一天台灣留學生後輩T君，他是穗積老師所創辦營運的新星學寮的寮生，他說：「寮的穗積老師很想和你見面，希望你能與他見面。」

那時候，我從思想與學問上都很封閉的台灣到日本留學才四年。老實說，對於有寮啊、團體之名的東西，都敬而遠之，只求不要被複雜的政治狀況捲入，自由地盡情享受讀書之樂之外無他。

因此新星學寮、穗積老師之名只有風聞的程度，全無關心。

被指定的面談場所是東大正門前面的一所寺廟，喜福寺的一室。穿著和服、儀容端正的老師向我打招呼。年齡上有一世代之隔的明治35年（1902）出生的老師容貌溫厚而柔和，但目光炯炯射向我。老師付託的事情雖多少有些曲折，但所幸能夠解決。自那以後我私下尊崇五一老師為研究所課程之外的老師。不！現在也當作人生之師，參照老師的生活方式，一邊反芻一邊在不惑境地的門口，徘徊躊躇著。

老師從現實上被虐待的人們、窮困的人們看到了自國（從「部落」接近問題是其一例）、亞洲、第三世界，以至觀看全世界。但是對於自己出身的尊嚴，做為日本人的驕傲絕不會忘記。而傲慢與自卑看起來都與老師的日常生活無緣。五一老師自從東大畢業以來，都過著在民間無薪水（不只薪水，就連稿費也辭謝）的生活，將此和其行齋食的生活一併來看，我以為老師過的才是有志於老莊的理想生活（入無窮之門，以遊無極之野）的實踐者。

格言有云「呑舟之魚，不遊枝流；鴻鵠高飛，不集污池」。穗積老師的確是呑舟之魚，肯定是鴻鵠。但與他人不同的是，自己自願處於污地而不染，刻意遊於在野之枝流，而一心照顧貧窮的第三世界來的留學生與研修生，堪稱「遊於無極之野」吧。

這十年來，我為追求自己的主體性而嘗試從台灣的少數派（高山族）來寫台灣史，而中原中國史，又從少數派＝「華僑」問題去理解第三世界伴隨著建國的苦惱。

處世與研究上的這種嘗試，如沒有與老師的相逢，以及老師所營運的亞洲文化協會做為場所的國際交流體驗，是不能想像的。協會所附設的會館是我們的「家」。因此人們敬仰老師為「留學生之父」。我痛切期望老師多加餐保養，繼續逗留污地而遊於野。（刊於《每日新聞》夕刊，1981年5月21日）〔刊於第3版，第3頁。原題「留学生の父：第三世界を透視」〕。

附註：本文發表於穗積老師逝世三個月前，在五月的連休假期寫成，本想登載後隔些時候去新星學寮探望老師，不是以電話而是親自去恭聽老師的「煩惱」。

就在這時候接到訃聞真是晴天霹靂。

在靈前守夜時聽到的是，正當我寫著期望老師多加餐保養的時候，老師不顧病體在實踐絕食。至於主旨、理由卻默而不談。

我想，因為是穗積老師之故，說不定是出於拒絕「現代文明」為由的行為。或者是為了保護從第三世界來的留學生、研修生的立場而嘗試的悲痛一舉，也不是不能如此作想。不管怎樣我痛切覺得是一大憾事。

八月下旬的某日，受過老師薰陶的有志者為了商量舉辦追悼紀念集會而集合，席上「穗積哲學」、「穗積精神」以英語、日語被談論。同時大家也熱中於討論如何去保持、繼承發展「穗積哲學」與「穗積精神」。

五一老師一貫所說的「亞洲之心」至此形成一種悲壯感，與熱烈氣氛混合的氛圍中起了共鳴現象。如今那共鳴在日本內外，無止境地、踏實地起著漣漪。

不知冥界的五一老師，如何看待此情此景。可惜現在只能以

「心聲」傾聽老師的意見。

然而「穗積哲學」、「穗積精神」用語言談是容易的，但具備內容、持續實踐則不容易吧。

保持與繼承發展是非常理想的，但是否應在此之前，有關人士一起來議論關於「穗積哲學」與「穗積精神」的具體內容，並做確認呢？

趁老師與我們的「距離」還很近的這個時候來做。

此乃為了安慰「留學生之父」在天之靈，並且為了能夠雄壯地踏出各自「自我實現」的第一步之故。

本文原刊於《アジアの友》第194號，東京：アジア学生文化協会，1981年8月，頁29～31

懷念穗積五一老師

——永恆的留學生之父

◎ **林彩美譯**

光陰似箭是賢人所說的吧。如以物理的時間來說，我想正是如此。哀送老師回天國，不覺已進入第13個年頭。可是與老師的「心理上的距離」卻與時間無關，反而覺得愈來愈近。自1989年天安門事件發生以來，每次面臨不斷爆發的世界史諸事件，我一定會想起與穗積老師的對話，以及老師所指教的珠玉般的話語。

因為與老師的私人對話大多是有關民族解放鬥爭、社會主義、受虐待的貧弱者之事等等。

只有一次，我對老師說了些批判性的話。我說老師把「亞洲與弱者」全部認為「是（肯定）」的姿態是否妥當呢？「連背帶抱」是否反而縱壞了留學生呢？等等。老師並沒有直接回答我，而僅以充滿慈愛的溫和眼神凝視著我而點點頭。

老師的溫和眼神，我不會忘記，也不能忘記。感謝合掌。

本文原刊於《アジアの友》第319號，東京：アジア学生文化協会，1993年10月，頁10

穗積精神與影響我的老師們

◎ 林彩美譯

我是剛才受介紹的戴，各位好。說我從台灣來，不如說現在我在台日間來來去去比較近於事實。被金先生把精采的都先講了，好像我已沒什麼可講。但是我想把我的留學經驗與現在的工作，今後我們應如何共生下去，應該相互關照些什麼向各位報告。

我在1955年，昭和30年11月來到日本。翌春很幸運地考上東大。約十年之間，在以東畑精一老師為中心的東大農學部農業經濟研究室進修。東畑老師的專長是農業經濟學，但他不只對熊彼特〔譯註：J. A. Schumpeter, 1883～1950，出身奧地利的美國經濟學家，可與凱因斯（J. M. Keynes）匹敵的代表性近代經濟學者）有深入研究，也是十足的老自由主義者。而同時也是不會迷失自己立腳點的人。雖經歷了留美與留德，但他始終抱著當一個堂堂正派的日本人的崇高志願，對這樣的老師我非常敬仰。老師心胸寬大，他說：「戴君，你是日本敗戰後從台灣來的第一個留學生〔譯註：東京大學農經研究室的第一個台灣留學生〕，所以你要盡量去東大各學部你想聽課的老師那裡去，我可以寫介紹信。」

如此這般激勵我，是位寬大而體貼的老師。

當時，東大還不像現在這樣各學部壁壘分明，亦即丸山真男老師所講的如「捕章魚陶罐型」般，而是相當寬鬆的，比如農業經濟學的研究院就歸納在社會科學研究科。所以我也能在我專攻領域之外的學科聽課。社會學的福武直、有賀喜左衛門諸老師、法社會學的磯田進老師、經濟史的大塚久雄老師、政治學的丸山真男老師、中國法制史的仁井田陞老師、中國文學的竹內好（當時以客座講師來東大授課）老師等。我都有幸親聆雅教，而也分享到戰後東大的黃金時代氛圍。

在此過程中，我有幸與穗積五一先生相遇。現在冷靜地回想，穗積先生是對弱者的關心，注視著亞洲的落後諸國的社會狀況，以確立亞洲的「個」的存在為目標，勉勵著我們，我想應該如此理解。也不必搬出最近流行的艾利克生的認同理論，記得當時東大的氣氛是，經濟學有近代經濟學與馬克思經濟學，馬克思經濟學又有勞農派與講座派之分別，是壁壘分明的。另一方政治學有近代政治學，好像在我記憶中是近代主義非常興盛的時期。

從而依大塚久雄老師的理論，與歐洲的比較中，日本常落後歐洲而「個」的存在還未確立只有如此捉摸。可是從東大正門走到穗積先生住家的大門去訪問、新星學寮（穗積先生在他住家附設的日本學生與留學生混住的宿舍），先生與亞洲，對弱者的關懷，抱持亞洲自身的無比自尊心，應爭取自己的解放，不逞口舌而是身體力行去主張，我不只一次有這種感應。用我的話來說，亞洲的「個」的各自確立，才是我們的至上命題，令我牢牢地銘記於心。那是關聯到人，各個人的真正的自我確立，我這樣理解。我景仰先生，私下也受照顧，親承先生謦欬，一邊自我鍛鍊。

1966年進入亞洲經濟研究所，因為東畑老師的關係，而獲得國際文化會館的松本重治先生的厚誼。松本先生也對穗積先生有很高的評價。松本先生在某意義上是在嘗試，以英美為中心的高層次的人的交流、知性的交流。國際文化會館與亞洲文化會館不同，主要從事與歐美方有良知者的交流。從越戰前後對亞洲的知性交流也開始散發力量。

然而，這樣的松本先生也絕不會是迷失自己立場的人。非常可惜，東畑、穗積、松本三大師都已離開人間。松本重治先生的晚年，邀請那有名的《上海時代》的著者〔譯註：即松本重治〕的講評會，我和日本人的友人也參與了一些。我也幫了阪谷芳直（前阪谷芳郎大藏大臣之孫，經大藏省、日銀、亞洲開發銀行，文字工作者）先生整理岡崎嘉平太〔譯註：1897～1989年，全日空社長，在戰敗後日本人從中國大陸的遣返與中日恢復國交盡了力〕、松本重治、伊藤武雄三位先生的鼎談，《我們生涯之中的中國》1983年由みすず書房出版。在那出版紀念會，我怯怯地問了松本先生能給我幾分。戴君，抱歉只能給75分，松本先生回答。結論很簡單，採訪者下的功夫不夠，不克引出受訪的偉大的先生們精采的回憶，所以只得到75分。總之，我盡了我的所能完成了工作之後，首次去美遊學一年又回來了。雖說只得了75分，但是能替三位先生留下紀錄，現在我感到很滿意。

松本先生晚年，為了選擇繼承者非常傷腦筋。偶爾會約我過去，在國際文化會館陪他吃午飯。我們之間私下講的話，我想現在應該可以說給大家聽，先生獨自說真傷腦筋，他感歎地說，在日本真是缺少英語好、對歐美與亞洲又都能理解的人才。做為自己理想的繼承者，我想松本先生所設想的人物是，擅長於英語、深知歐美、也關心與理解亞洲的日本知性。先生討厭「西洋迷」。結果最後選定永井道雄（1923～，教育社會學者、評論家、文相）先生。

我被夾在中國與台灣之間，心中又處在與台灣法西斯主義鬥爭的苦悶中，可以說我得到穗積、東畑、松本三位先生的啟示，決定了人生道路的走向。首先是做為人的真正解放，三位先生都沒有迷失自己的立足點去追求，我替他們這樣定位。與亞洲的關係，或與歐美世界的關係之中，著重點多少有些不同，但基本的構思我認為是同根的，是抱持有崇高的日本人的心、日本的心的三大知性。

終於台灣的狀況有了急速的變化。我來日剛好滿41年，而且在立教大學的服務也滿20年，我決定搬回台灣。我租18噸的貨櫃，花了250萬日幣運費把藏書運回台灣。或許有人會問為什麼要這樣做？因為都這把年齡了，我預計以松本先生加上穗積先生的工作形式，考慮是否能在台灣以台日為中心，做正面、正經的國際交流工作。再過幾天，我把居住場所搬回台灣也將滿三年了。

在這三年之間，因不習慣，幾乎天天在生氣。離開台灣41年，中間因演講討論會或會議等回台，但幾乎都是短期逗留。參加會議或集會，本來多話的我都很小心，也有應多掌握狀況再做發言的警惕，所以很謹慎。幸虧我也可以用中文寫東西。並且比較能提出與眾不同的觀點，所以台灣的大報紙對我有興趣，有充分的發表場地。但我不是為了賺錢，也不以文賣名，所以謹慎地寫。

今天，我遞名片給與會的前輩們。我的頭銜是國家安全會議諮詢委員。這是相當於美國的NSC（美國國家安全會議，National Security Council）的Senior Adviser＝上級顧問，不免有些嚴肅。所以，老朋友、日本朋友到台灣給我電話時，總是第一句話就說：「戴君，你是在做不得了的事。」因看到名片的頭銜就逕自做判斷。「這是完全誤會了」，我只能這樣說。蘇聯與東歐體制的解體與波斯灣戰爭後，安全保障的概念也完全隨著狀況而有大幅度的改變，但是日本的老朋友們未能注意到。

剛才金先生講了奈伊報告。而如何解讀這個奈伊報告是一個課題。如以軍事的層次來解讀的話已顯然不夠。我們要如何來迎接21世紀，在這事上，如以過去的核戰為中心的想法是不夠的。如何防止核戰當然重要，而軍事面的防衛關係也很重要亦是毋庸置疑的。不可忘記的是泰國的金融危機、印尼的金融危機與社會不安，或日本的不良債權與金融證券制度大改革，這也是安全保障的重要問題。

公害問題、環境保全問題、能源過度消耗的問題也是屬於安全保障的問題。要活的安全、活的像一個人，無疑是個不可避開的緊急課題。以21世紀為目標，中國大陸在果敢地挑戰近代化，近十年每年以10％前後的成長率發展。以12億人口為分母的近代化，今後也以此進度發展下去，到底能量的消耗量是如何？而伴隨能量的消耗，則是枝生酸雨等種種問題。早已邁入近代化的日本與美國也不能簡單地說，你們落後的國家不用近代化吧。

從而，公害問題、能源問題也就變成不僅僅是一國的問題。所以不只是核開發，核的問題才是安全保障。回到台灣的我，偶然在此職位，在安保問題上，把這些當作新的研究課題已將近兩年半，我目下主張應該把有關安保的概念重新思考。大學的教授頭腦很難改變，官僚的頭腦也很僵化不易變。軍人的腦袋更是如石頭一般變不了。所以在這意義上，賜給我今天的這個場合真是難得，非常感謝。

還有一點是，台灣受了日本的殖民地統治50年。戰後，南京國民政府，蔣介石政權與中共抗爭而敗下，1949年末把中央政府移至台灣。從那時起已快要50年。日本庶民，一般都認為台灣人非常親日。日本的大報紙，包括NHK、《共同通信》、《時事通信》終於在去年11月1日，在台北開設支局。一直以來只有《產經》在台灣設支局。

那些支局長差不多是後輩或年輕世代的人，有幾位曾任北京支局長、香港支局長，我與他們半數有認識。我提議台灣的新聞局長宴請那些支局長，我也陪席。

我發現，他們之中約一半會中文，其他的人不會，需要台灣人的助手幫忙。那麼不會中文會發生什麼樣的問題，以日語直接的採訪，就僅限於我的年齡上下的所謂的台灣人，這些人極端地說就是迷失的一代。所受日本教育也中途而廢，僅有少數的舊帝大、舊制高校的出身者。現在台灣的閣員大多數是台灣人。曾經伴隨國民黨來台者的第二代，即「外省人」僅占數位。世代交替快速進行。

不只掌握政權的人，大報社的幹部級台灣人也正在以未曾有過的面貌快速伸展中。他們大多數是留美不懂日語，對日本不像我們的世代給予關心。日本人對此實際狀況不了解的話，會陷入美麗的誤解之中。日本人去台灣觀光旅行，擔任翻譯的大概是我的堂、表兄弟的世代。他們只受了一部分的日本教育，在師範學校或農業學校等中等教育在學期間迎接了終戰。中文教育也只半調子，沾不到國民黨政府領導下的高度經濟成長的邊，而充當日本人旅行者的嚮導。講外省人與政府的壞話，發牢騷也不必擔心會洩漏出去便放膽地罵〔譯註：以贏得日本人的同情〕，另一方面則想要日本人的小費而捧日本人、講日本的好話。在李登輝接任總統時，早已過了升任好職位的年齡。如果把他們的牢騷與壞話通盤相信，誤以為是台灣全體的今日狀況，那就會變成很嚴重的事，希望相關人士能留心。

對國民黨的批評我是贊成的。任何政府與人都有應批判之處。沒有批判就沒有進步。然而台灣人剛才介紹的那種言說之類是很異常的狀態，可說是一種病症。聽了我的解釋，有熟人對我說：「你住日本41年，還那樣講，你完全不親日。」如此批評我。穗積先生沒教我親日，我相信穗積先生要求我的是要當知日者。台灣狀況的一部是超越了親日而變成「媚日」，已出現對日獻媚的傢伙。我想松本重治先生、東畑老師都認為要在他國〔譯註：或其他民族〕人之中培植知日者，才是建立久遠善鄰關係不可或缺的前提。

然而，對日本人與日本政府諂媚、阿諛奉承。日本、中國，再者台灣關係都沒有變好的道理。台日間所出現的相互認識差距的克服，我想是特別必要。

對於一般民眾來說，現在台灣是很幸福的地方，經濟大致可以，政治犯也在零的狀況，中共不會馬上攻打過來，去大陸旅行商業在中小規模範圍內是沒問題。只要有錢、海外旅行、留學都可以。批判蔣介石、蔣經國、李登輝也可以。日本人作家、著述家、新聞記者或研究者的來往漸漸興盛起來，傳向日本的台灣相關資訊量大幅度增加。但是有深度的東西反而稀少，表面而膚淺的報導開始橫行。因台灣的言語空間的特殊性，多數日本人專與會講日語的人交流，實在是很令人困擾的狀況。而被送來的新聞報導卻大概是，令我日常感到這可不得了、這不行的東西，我在目前職位，如要與日本新聞記者一起開讀書會、研究會、互相議論是有些不方便。我任期還有一年多，我期待著狀況的好轉，為此時常感到心痛。

在此我要強調的是，有這樣的不協調感，並不是來自意識形態不同的問題。受穗積、東畑、松本先生們的薰陶，我在不覺中渲染了「志向真貨」吧。在台灣海峽兩岸關係上，現今還有政治上的對立，但是文化、學術、人物間的交流是繼續著，他方台日間沒有正式的外交關係。這種場合可依賴的管道是什麼，是正常的人際關係。人之間互相信賴關係的建構是穗積、松本二位先生一生所努力的事情，銘記我心中。確立對人的信賴感是多麼重要，寮或會館的共同生活——很可惜，我因早已結了婚，不能住進寮與協會，只能充當在外面的啦啦隊，趁會館與新星學寮的留學生活動之便而學習，但未有貢獻。

最後可依賴的是人與人的關係。做為一個人，互相能講真心話，這是很可貴的事。沒有外交關係，但如果有出色、正面的人際關係，是可以補填這個缺憾的。

松本重治先生因有第二次大戰中苦澀的經驗，所以越戰的時候，松本先生對越共並不是直接支援或贊成，但我相信他掌握了越戰的本質。先生認為民族主義結合共產主義的能量的不可阻擋這事實，促美國方面客觀地真正去認識，為此做了一番努力。眾人所知，穗積先生透過會館與寮中來自越南的非常優秀寮生，庇護陷入困境的留學生們。

那不是對共產主義的認同（identity），不是的，那是做為人的共感對人性的尊重，做為人的他們的主張與營生有正當性，考慮到應給予重視之下的支援，我是如此理解。然而美國說不要他多管閒事。松本先生私下對我說，美國應該學習日本對中國革命干預的失敗教訓。然而美國人卻指說松本是赤色的，而加以臭罵。連穗積先生那位平易近人的友人大原總一郎先生，也被完全無根據的荒唐聯想惡語中傷，被指控因曾經支援目下在法政大學管轄下的大原社研是共產主義的巢窩，而大原也是赤色分子。結果是美國打敗仗撤出越南，曾任國防部長的麥克納馬拉（R. S. McNamara），在河內流淚致歉意。好像是去年的事。

真實的社會科學才會聯繫到偉大的政治。庸俗的報告（論文）、賺稿費的雜文、上電視的賣名，那種假社會科學只會連接到小政治，被政客利用、玩弄是他們的下場。穗積老師等人所期願的學問是大學問。大學問始能連接到大政治。大政治指的是什麼？是人類真正的解放、未來的人類、地球共同體的應有形象的實現為目標的學問，是具有人類面孔的大政治。

在這個意義上，我們今後如何構思我們應有的亞洲，我們背負著非常大的課題。金先生剛才所說的包含共同體的問題，我想我們是應該好好考慮。

我昨晚第一次讀了愛甲理事長的前任者土居元理事長所提出的論點，土居理事長到台北時，我們與穗積專務董事一起吃過飯。報告寫得很好，允許我附加的話，日本已經是經濟大國的今天，應該名副其實、積極地做國際性的發言。在軍事面、國際政治層面不要一直只把臉向著美國。在美日安保的框架內或許有困難，但至少在經濟發展的層面，希望能努力發揮在亞洲的領導力。亞洲的人們，要以自己的力量能夠自給自足是所有的前提。有關這點，日本能扮演什麼角色，應如何去扮演請好好做考量。日本人與日本想跳過亞洲與世界連在一起，我想那是不容易做到的。我確信必要得到亞洲與亞洲人的信賴，與亞洲一起聯繫到世界，地球共同體才能開拓有希望的明天。

西德最後的總統魏茨澤克（Richard Von Weizsäcker），他在1985年5月8日於聯邦議會發表有名的紀念敗戰40周年演說。《東京新聞》與《中日新聞》於1995年8月5至20日的16天招待他到日本。在日本的旅行與演講紀錄已出版了（中日新聞社編，《威查克日本演講錄——不要向歷史閉眼》〔《歴史に目を閉ざすな：ヴァイツゼッカー——日本演講録》〕，1996年1月22日，岩波書店）。

我受日本人深厚的照顧。講這話可能不妥當，我真期待穗積、松本先生都應該要更積極地把自己的政治哲學公開演講並留下紀錄，這是我近日的切實感想。

然而，日本人還是不喜歡出風頭。還是以「沉默是金」謹慎節制。在歐洲與美國，沉默是連銅都不值的。歐洲人會留下出色的演說集理由在此。在日本很難留下極好的東西。贗貨代之橫行於世。電視所製造的「幻影」在闊步，真是無可奈何。以國際化時代的現代狀況來說，我看日本人在好的一面，稍微缺乏宣揚的動力是實際的情況。

我的恩師東畑精一老師，他有那麼多弟子，沒有人對老師提出回憶錄的事情。外來的旁系的我開口說，老師所發揮力量的米價審議會、農政調查會、稅制調查會、中央社會保險醫療審議會等所參與的會議與學界活動的回憶，請留給後世的我們。但有那麼多弟子，結果沒來得及，只留下一點點演講紀錄而已。這是有關日本人的美意識與生活方式，並不是如我者〔譯註：指身為外國人〕可以說長道短批評的。但無論如何無疑是憾事一件。

魏茨澤克雖是一位無權力的總統、無實權的總統，但是他的演說被全世界翻譯，德國過去的負面歷史，通過魏茨澤克總統的演說訴諸全世界的影響是無法估計的，也可想像今後還會繼續有影響。與此相較，日本的情形實在很可惜。穗積先生伊始，這麼多了不起的日本「個性」與「知性」被世界所知的確過少，令我感到無限遺憾。

就此意義而言，以今日此次的演講討論會為基礎，我想對穗積專務董事可能是個很大的負擔，但是例如福岡UNESCO很久以來就主辦使用日語的日本研究者的國際會議，收到很好的成果。我也常受邀請參加。這個場合的日本研究者是包含歐洲人與亞洲人。如果由日本，使用日語的亞洲的知性交流會議能由日、泰經濟協會等來常設，那該多好。例如金先生所提出的奈伊報告（正確是United States Strategy for the East Asia-Pacific Region，簡稱East Asia Strategy Report＝EASR，1995年2月27日）。

這奈伊報告是波斯灣戰爭後，或蘇聯、東歐解體以後，美國的主流在冷戰後，對亞洲政策、安保政策想法的明確表明，我如此解讀。以此報告為基調，又有新的東西提出。對此亞洲方如何理解。是否以日語或英語，並以亞洲、太平洋圈內人舉辦一演講討論會。像福岡UNESCO協會以留學生的前輩為中心，使用日語的意義，我想像著並試作提案。

是1960年代末或1970年代初，抱歉不太記得。有一位叫作布爾斯汀（Daniel J. Boorstin）的芝加哥大學教授，後來當美國國會圖書館長。他留下*The Image*（"*The Image*" Atheneum, N.Y., 1961，又日譯為「幻影的時代」，東京創元社），一本了不起的名著。很可惜日譯本有很多誤譯。可買平裝本來看就好。他來之時，我去聽演講。演講中途，他說美國人是全世界最笨的國民。他繼續做了說明。美國人只講英文，只會美國英語；日本人真了不起、日本是很棒的國家這樣稱讚。日本為了貿易或學問，學習很多種語言，日本人在學習。美國不久會落伍。真教我吃一大驚。

我訪問了華盛頓的議會圖書館，那是1983年的夏天。真厲害，只要按電腦鍵盤，我寫的所有的書都被列出。然後還對我說，出版新書不要忘記寄給他們。當然我從未寄贈書給他們。重慶時代的國府，亦即中日戰爭不幸時代的中文文獻，在日本沒有，那是當然，因為在交戰。但是，去美國，由議會圖書館伊始，各著名大學的亞洲關係圖書館蒐集得很好。1930年代到1945年的中文文獻，不是日本，而是在美國都大體有收集到。

在日本，當然有舊的東西。如東洋文庫、東大的東洋文化研究所、京都的人文研究所等。我所要講的是，日語不要單以交流的媒介來考慮比較好。特別是考慮人文科學的場合，文化問題的視野也有必要放進來考量，我在此做問題的提出。

電腦或自然科學領域的人有以英語在國際競爭的舞台做努力的必要。人文或社會科學要超越人種或民族，世界要變成一個，那可能還得費時100年或150年，地球人或地球村的構思才剛剛出現。可是，人類共同體的具體化的可能也不能認為那麼簡單。就是變成地球人，地球村各自民族的優美語言、音樂、美感，語言所持有的感性，文學面的表現方式將之劃一化到底是好還是怎樣。以美國英語統一，為了電腦網路使用上一時的方便，而被潮流沖著走的乏味無趣，令人想起就毛骨悚然，這才是世紀末的頹廢。

卓別林（Charlie Chaplin）已經在《摩登時代》（*Modren Times*）給了我們啟示了不是嗎？福特所造出來的自動控制、流水作業系統，在這裡頭的人一方能夠大量生產很好的汽車。但他方卻慢慢喪失人性。如何守護人性，是工業化、自動化與人性之間的困難的選擇。新幹線很先進，但在新幹線背後負面的部分，我們應如何去掩護，人們常忽略忘掉。

目前的世界，一方如EU（歐盟）將逐漸統合成很大，他方如種族、民族、民族性以及對自己宗教無限執著的情況下，要求分離或獨立的動作頻仍。那麼近代性、現代性等近代西歐所提出的，以資本主義體制為基礎而展開來的歐洲近代，它所體現的

「價值」，很多的有識之士認為有必要重新追究檢討。

東畑、松本、穗積諸位先生，我以為他們在很早就不信歐洲的「價值」，其近代性為絕對價值的樣子。絕不是大塚史學所倡導的近代性。亞洲占世界人口的二分之一，但亞洲人有沒有做過適合於其人口的發言？從來就沒有過。雖比過去的情況多少有了好轉，但他們的可能性或潛力仍然被埋藏著。這樣的狀態不應該是正常的，世界二分之一以上的人口，被迫擺出不能比賽的姿式，還談什麼人權，真是可笑至極。在中國或回台灣，常被問到的是，日本是否再變成軍國主義的問題。他們的心情與憂慮我完全能領會。在我的感覺是沒有問題。我大致這樣回答。一部分日本人批判戰後民主主義為虛妄，但是沒問題，我們要多信賴日本人以此加以叮囑。更加上，萬一日本再走從前走過的路，那也必須質疑沒能加以阻止的人們的責任。此中要負最大責任的是中國，我強調著。

中國人因為要獲得援助的金錢，故而保持沉默，那就是共犯者。中國大陸的12億與台灣的2,100萬人要真正自覺起來，要能為亞洲的和平與世界和平做出貢獻，自己不努力是不行的，我如此一再地孜孜勉勵。期待日本正正經經，那麼中國人自己必先做好。同樣地台灣不認真做，中國大陸也不會做好。再怎麼喊「和平統一」的口號也沒意義，又急著統一也不一定就是好。

所以真正意義的亞洲「個」的存在之確立，與對於歐洲近代所體現的「價值」，我想亞洲方也應培育自己的「力量」向世界、全體人類提出與亞洲相稱的「價值」。

最後對穗積精神再做確認，並提議使用日語的亞洲的知性交

流會議的常設，以結束我的演說。感謝靜聽

本文係爲未刊稿，爲1999年於亞洲文化會館之演講文

從一張名片談起

——憶與李約瑟博士*之交

◎ 吳亦昕譯

如同往年，暑假的第一週，我照例是揮汗埋首於整理書齋的工作上。八疊大的房間裡，散落著大量的報紙、雜誌和書籍，要是不趕快進行取捨篩選的話，就連可以站的地方都沒有。還清「稿債」的第一步，就從這裡開始。

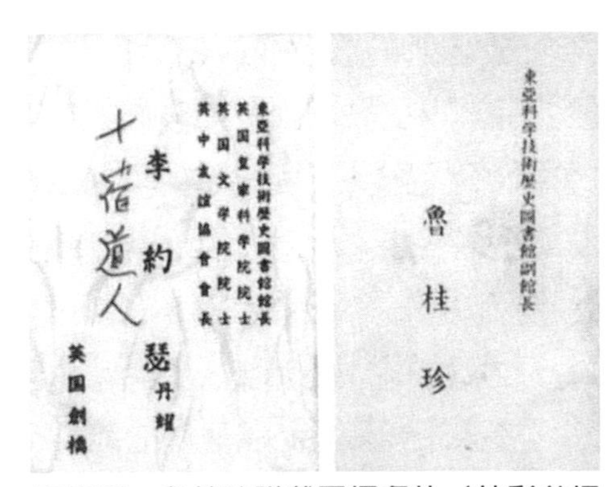

李約瑟、魯桂珍贈戴國煇名片（林彩美提供）

整理接獲的書信和名片也是工作的一部分，適逢梅雨季，又是涼夏，所以還不算是苦差事。從書信盒中挖掘出來的，就是刊在篇頭照片中的名片兩張，以及下一頁可以看到的一張與其說是中國風味的聖誕卡，不如說是中西合璧風味的賀年卡。

文雅的金箔紙上用朱字印刷著「天增歲月人增壽，春滿乾坤

＊1 李約瑟（1900～1995），英國漢學家、科學技術史專家。

福滿門」的吉祥句，字體款款嬋娟，教人陶然不已。

如同卡片上的署名，送我這張卡片的人是Joseph Needham和Lu Gwei-Djen兩人，卡片內的白底處還添寫上：「Thanks for all your help with our Library appeal!」筆跡和Joseph Needham的簽名一樣。

至於名片，先不提英語那一面，「漢語面」上的李約瑟，就是Joseph Needham博士；魯桂珍，則正是因長年擔任Needham博士的共同研究者及合作者而著稱的中國人女性Lu Gwei-Djen博士（魯女史當時已入英國籍）。

卡片中「感謝你協助我們圖書館的（設立）號召」，所謂的圖書館，不用說，就是李博士明示在名片上的第一項頭銜，以及魯博士唯一頭銜的東亞科學史圖書館。

對慣用漢字的日本讀者而言，名片漢語面上魯女史的部分，應該沒有任何奇怪之處吧！

但是說到Needham博士的部分，可能就不是這樣了。他的漢名「李約瑟」、號「丹耀」，可能會讓不少有識之士想不透。坦白說，這也是我自己從知道Needham博士這號人物的存在以來，就一直抱有「想法」，不，應該說是「疑問」的地方。「約瑟」就是Joseph，也是中國的基督教徒常常使用的漢名。但是他的姓Needham，用漢語不管怎麼發音，都不會變成李，那究竟是為什麼呢？十多年來，我都一直在思索這個問題。

說出來可能會丟臉，但我覺得還是值得一記。

中國人用漢字來表示漢字圈以外國家的人名時，大概有以下兩種情形：第一種，是使用漢語的中國人相關人士不管本人的意思為何，就擅自配上與其姓名發音類似的漢字。譬如馬克思（Marx）、里根（Reagan）等。另一種，是研究中國或本身是中國通的外國人，為自己取漢字名或者中國名（下意識裡這樣想的人不少）的情況。在我直接從本人手上接獲的名片當中，有費正清（J. K. Fairbank，美國的中國研究權威）博士，和《日本第一》（*Japan As Number One*）的作者E. F. Vogel博士（哈佛大學）兩位人士。Vogel先生還為我親自寫下傅高義三字。但或許是Vogel先生在中國社會的名氣還不大，也可能是他沒有積極使用自己取的漢字名傅高義，因此當他前述著作的香港譯本《日本第一》付梓問世時，譯者（也可能是出版社）隨意就將他的姓名譯為伏洛爾。

李約瑟博士

不管如何，Fairbank的「費」、Vogel的「傅」，理解為兩位教授分別將自己姓名的英文發音對照中國人姓氏中而決定採用的，應該沒有錯（但我對兩位教授的姓名沒有抱持那麼大的興趣，所以並沒有問過本人）。

由於有以上的體驗和認識為基礎，因此Needham為何會變成李？對我來說，一直是一個難解的謎。

我最早得知Needham博士的大名，正式來講應該是從卡爾（E. H. Carr）的《歷史論集》（*What is History?*，岩波新書，清水幾太郎譯）中開始。該書是在1962年櫻花盛開之際發行第一刷，我記得當時是我研究所博士課程的最後一年，因為將博士論文題目定為「中國甘蔗糖業史」，正被相關漢籍史料的涉獵搞得昏頭轉向。

當時我用紅筆畫下的標線，現在依舊清晰可見卡爾的演講中，對我來說如珠璣的部分，就是下面這一段：

> 我聽說本校（劍橋大學）開設有關於俄國、波斯、中國歷史的課程（但卻非出於歷史學系的成員）。然而，五年前，當中文系教授在其就任演講中發表「絕對不能把中國置於人類歷史的主流之外」的確信聲明時，劍橋的歷史學家卻只把它當作馬耳東風。有一部書，將來很可能被視爲是過去十年間劍橋大學所孕育出來的、最重要的歷史著作，卻完全出自於歷史學系之外，甚至是在沒有接受任何歷史學系的協助下所完成的。我所說的，就是Needham博士（譯註省略）的《中國的科學與文明》一書。想到這裡，就讓人不寒而慄。（前揭岩波新書，頁227）

發表上述言論的真正用意，正是對劍橋大學歷史學系的內部告發，以及自我批判。

另一方面，這短短的幾句話，對於我這不斷嘗試、重複失敗，想當歷史研究學習者的年輕一輩而言，提供了一件事實、一個問題意識，以及一場寶貴的啟發。這就是何以我會認為此段發言字字珠璣的原因。

所謂的事實，是透過整個1950年代卻連劍橋的歷史學家們也未曾共有過真正的世界史的眼界這件事。當時我一方面驚訝於這個內部告發，一方面為卡爾的道德勇氣喝采。如今回想起來，我也同意這些歷史學家的確是奉持著劍橋的「正統」而安心自大，以致陷入怠惰。

被卡爾這般知名的歷史學家如此讚揚的李約瑟博士，是怎樣一號人物？而卡爾大方讚美的話語，預言將是「過去十年間劍橋大學所孕育出來的、最重要的歷史著作」的《中國之科學與文明》，究竟是怎樣一本書？卡爾的發言，就我來說，成為一個具有衝擊性的問題意識。

而對我最寶貴的啟發，同時也化為強力激勵的，就是他提到「完全出自於歷史學系之外，甚至是在沒有接受任何歷史學系的協助下所完成的（最重要的歷史著作　，《中國之科學與文明》）」這個部分。

從非專門的領域進入歷史研究的例子，在中國知識分子以及中國讀書人階層的傳統中，絕不是新鮮事。這點，我不是不知道。

而我剛進研究所的時候，也已經耳聞過開拓中國法制史研究的仁井田陞博士軼事（法律系學生仁井田以研究中國法制史為目標，打算重新轉入東洋史就讀，而找和田清博士商量時，和田清回答他說沒必要。詳細參見《中國的法・社會・歷史》〔《中国の法と社会と歴史》〕（岩波書店，頁168）。

還有，當時我就讀的東京大學農業經濟學教室附近，有日本農業史的先驅古島敏雄教授和旗下幾位門生。其中，我尤其常向中安定子女士（現東京農工大的丸田助教授）請教日語等問題。古島博士，以及最近開始振筆疾書的菊地昌典先生，都是從農學領域跨入歷史研究的前輩們。

當然，我並沒有從自己身上發現到可以與上述諸位前輩為伍前行的天賦，也絕對沒有持續研究歷史的才智和自信。

對於我這樣一介當時在身分、生活上都處於極度不安定狀態，台灣出身中國留學生而言，學問上的苦惱，毋寧可以說是一種奢侈的享受。

在這個意義上，卡爾的那場演講就彷彿「天籟」；而李約瑟博士的存在則相當於「燈塔」。今日我可以說，他們賜予我挑戰的勇氣，並且成為一種指引。

聽完卡爾的那段演說後，我搭上19號路面電車，搖搖晃晃的奔向日本橋的丸善書局總店。手裡拿起想買的*Science and Civilization in China Vol.1 Introductory Orientations*，有序文、文獻目錄、索引，加上318頁的本文，以及圖版、插畫和附錄的兩張地圖。雖然所費不貲，但也不是西洋書籍中，教人吃驚的大部頭著作。

從事歷史研究的學生習慣先從文獻目錄開始看起。這本書的文獻目錄分為：A. 西元1800年以前的中文文獻；B. 西元1800年以後的中、日文書籍和論文；C. 歐文書籍和論文等三大部分，這才算是真正龐大的「書目」，直到今日還是令人驚奇。

原著隨著第二卷、第三卷的卷數累積，分量也愈來愈厚重，擺在洋書架上看起來，感覺相當雄厚壯觀，十足賞心悅目。

寫這篇文稿的時候，我將這部書在日本的第一期翻譯成果全

11卷（冊）展列在桌上，一邊瀏覽，一邊深深感覺到卡爾對此書的讚揚說得太早，以致現在看起來反而變成過於保守的發言。

如果要卡爾站在今日此時這個時間點上，再來評論《中國之科學與文明》第一期、全14卷六冊（聽說第二期的原著印刷出版正在進行中。至於在日本的第一期的翻譯成果不分卷冊，彙集而成的總卷數是菊版共11卷，由思索社發行），應該會改口說本著作是「過去半世紀間，世界學界所孕育出來的、最重要的歷史著作」。相信會這樣評價的，一定不只我一個人。

以上是我一廂情願的與李約瑟博士間「以文會師」（通過文章找到師表）的初期故事。

1962年的春天至夏天，我將全力投注到學位論文大綱的擬定上。當我抱著期待瀏覽《中國之科學與文明》第一卷開頭揭載的「續刊預定卷數和內容簡要」後，卻感到洩氣了。

說失望完全是很任性的說法，事實上是我得知了與我的論文撰寫直接相關的「幸運青鳥」，短期內是不可能入手的，因而非常沮喪。我當時需要的農業與醫學相關部分預定為第六卷，但已經確定距離付梓還有待時日（去年秋天博士訪日時，曾親口告訴我第六卷的原稿已經完成，並且已經交給出版社）。

知道一時之間還無法透過《中國之科學與文明》來直接獲得「幸運青鳥」的筆者，重新體認到除了全面發動自己的手和眼，擠進漢籍的寶山中尋找之外，別無他法，於是只好開始不停不休地持續往返於東洋文庫、東大東洋文化研究所、靜嘉堂文庫、內閣文庫之間。三年的歲月轉瞬間過去，這些辛勞的成果，後來獲得由亞洲經濟研究所付梓為《中國甘蔗糖業之發展》（1967年）

的幸運機會。

我也在同時期進入亞洲經濟研究所，很快地就知道這裡不容許歷史研究的「奢侈」，主動決定目前暫時向中國農業史研究告別。

在拙著出版的前後，原著的台灣翻印版《中國之科學與文明》也出現在東京神保町一帶。

奇妙的是，裝飾在原著和之後的日語版卷首上的冀朝鼎先生的題字頁，在台灣版中，落款部分卻被貼上白紙，只留下墨痕鮮明的「李約瑟著　中國科學技術史」字樣。可能是因為忌諱冀先生是親中共派的著名美國哥倫比亞大學經濟學博士吧！（冀先生的名著*Key Economic Areas in Chinese History*，譯本可見戰中1938年由佐渡愛三翻譯、白揚社出版的《支那社會經濟史分析》〔《支那社会経済史分析》〕）

記得那是1971年夏天的事。當時我任職的亞洲經濟研究所，委託我舉辦歡迎李約瑟博士的懇談會與午餐會。我求之不得、能夠親聆博士謦欬的時機終於到來了。

在恩師東畑精一博士和諍友小島麗逸的鼓勵之下，我將不成熟的拙著獻呈給博士。博士笑容滿面地接過，用中文說：「這可以成為第六卷的參考，謝謝。」

在「以文會師」的階段，我就已經讀過博士是位已然從帝國主義、人種主義、殖民地主義的想法和世界觀中，贏得自由的巨人。而以他古稀之齡的修長身軀，就算是「肉之萬世」（四谷店）的坑式暖桌和室座席，也斷然無法坐得輕鬆。然而博士卻反倒很享受這份擁擠，跟大家一起大啖壽喜燒，一邊樂在談話之中。雖然時間短暫，但是我也得以確認他主張基於公正與友愛理念的《中國之科學與文明》的主要寫作動機，絕非是虛意奉承，更依稀能夠感受到博士全面寄予信賴的科學人道主義之片鱗半爪，誠然是無上的喜悅。

由於是初次見面，懇談會又時間短暫，所以我沒有詢問Needham為何會變成「李」字的從容時間。但是先別吃驚，我在道別之際接獲的名片上面，博士竟然還有個號叫「丹耀」！真是讓人訝異不已！

《中國之科學與文明》中文譯本台灣版在1971年末出版，日文譯本則在1974年夏天後開始發行。隨著浩大的翻譯事業展開，以中日兩國語言對博士相關事蹟的介紹，也開始頻繁地出現。

當時以台灣經濟、華僑問題為主要研究的我，有時也會試著閱讀吸取一點李約瑟博士的工作成果。在那過程中慢慢地，而且朦朦朧朧間，我也開始思索，李約瑟的李，會不會就是借用自道家鼻祖——老子的本名，李耳的李而來的？與此關聯，則丹耀的丹是來自煉丹術的丹，而耀跟輝意思相通，將表揚者的自負寄託於己身的雅號中，也就是說，可能博士自己認為，自己的號中應該要有這層使命感的寓意，所以取為「耀」吧？諸如此類等等，我不停地發揮想像力。

四人幫之後，文革的內情慢慢傳到日本的某個夜晚，我和幾位敬愛的中國研究家一邊品嚐「老酒」，一邊聊得興致盎然。

不知道是誰先開始，座中有了我們應該就此避開雜音與噪音，好好、徹底的，從歷史文脈中重新省視中國的提議。響應此提議，也不知道從誰開始，有了以李約瑟博士為「佳餚」好好烹調的提案。

順著這個情勢，「組織者」的任務不知不覺就落到筆者身上。以邀請滿腹構想的博學之人、專長盡可能不同之人、想法「有趣」之人、以長遠眼光見物、不急躁之人、盡量分散職業類別、不邀請太過於「正經」思考之人……等等為腹案，組織了一個鬆散的集會。這即是所謂的「李約瑟研究會」（參見福士昌壽，〈迎接李約瑟博士始末〉〔〈ニーダム博士をお迎えするまで〉〕，《月刊NIRA》，1981年12月號，「特集・科學與文明 Joseph Needham博士來日紀念」中所載。但是福士的記述中有部分省略）的最初開端。

經過些許原委和曲折，李約瑟研究會發展成定期假新宿三井大樓37樓的NIRA（綜合研究開發機構，National Institute for Research Advancement）會議室召開每月一次的會議。

所謂的玩笑成真大概就是在講這樣的事了。以《中國之科學與文明》為主題的雜談會持續進行，更隨著NIRA的理事長下河邊淳先生的與會，使開會變得愈來愈頻繁的過程，有了邀請李約瑟博士來日本的提議，終至於在去年秋天實現。（詳情參見前引《月刊NIRA》）

就我個人來講，雖然扮演了李約瑟研究會催生者的角色，但是尚未有預計或準備現在立即就投入李約瑟研究、中國科學技術史研究的。我極為「個人的」目的，只是想將李約瑟博士當作「佳餚」，以《中國之科學與文明》為題材，享受關於中國的「清談」罷了。無論如何，對我而言，與李約瑟博士的第二度相遇，算是確實有進展了。

相隔十年後的再次相會，我和博士一起用過三次餐和一次下午茶。在李約瑟博士的身旁，迎接喜壽〔譯註：70歲壽誕〕的魯桂珍博士（我都用中文稱呼她為魯大姊）靜靜陪在旁邊。

儘管已相隔十年，博士記起我是《中國甘蔗糖業之發展》的作者，還用英語向和我是初次見面的魯大姊介紹我的事。

博士和魯女士異口同聲的問我：「第六卷完成了，我們參考了您的書。請問您後續的研究如何？」「後續研究還沒有進行。因為當前有更急迫的課題，正以台灣和華僑為研究主題。」我這樣回答。兩位博士都激勵我說：「贊同！不需要著急，歷史的研究慢慢來沒關係……。」

我開口問了長年以來的「執著」：李約瑟的「李」是取老子、老聃的「李」耳而來的吧！魯女士回答：「厲害！」博士拿出新的名片，在旁邊又新寫上自己是「十宿道人」，微笑著說：「我另外還有個名字叫十宿道人。」

李約瑟博士說，他是根據阿拉伯商人來到廣州一帶從事貿易的南宋末年至元朝，也就是13至14世紀左右的廣州人，將Joseph唸成「十宿」，再配上同音漢字的原委。而所謂道人，不用說，當然就是指道家之人，即Taoist。我只能佩服博士面面俱到的「玩心」。

李約瑟博士想從道家的「道」思想中汲取科學的源流，於是將「道」翻譯成Order of Nature（自然的秩序），這是眾所皆知之事。博士還證實道家的煉丹術才是現代化學的鼻祖，指出Chemistry的Chem源自中文的Chin（金）。由於此點已經得到學界的支持，如此想來，博士的雅號丹耀的丹，應該不會錯，就是從煉丹術的丹而來。因為已經確定李是根據李耳的李，再去詢問雅號就顯得太不解風情，所以我故意沒有問下去。雅號可以說是具「風流雅興之士」的遊戲，應該靠想像來玩味，其他都只是畫蛇添足。

走筆至此，我更加感覺到丹耀的丹或許也寓意著以下的心思。

博士原本的出發點是化學家這個意義，首先就是一點。再來，由於煉丹術冀求長生的面向很強烈，所以我認為也存在著祈求長壽，為了以道家煉丹術為根源的科學（包含化學）之輝煌發展，自比為鞠躬盡瘁之人，同時又樂於「文人」風流的寓意。正所謂，不亦樂乎！

在此也記下與魯博士的一些對話。得知筆者是台灣出生的中國人之後，女士問了我許多台灣的狀況。我也反問她：「您們二位去過台灣嗎？」「如果沒去過，大概何時會去呢？」「台灣的翻譯本品質如何？」「大陸的科學史、農學史研究，能從文革的破壞中重新站起來嗎？」「以您的高齡，在劍橋的獨居生活不會寂寞嗎？」「李約瑟先生為什麼能夠貢獻並注入如此的熱情和精力在《中國之科學與文明》上？」等等，是我主要的問題。

「我們對住在台灣的友人也一直懷抱著不變的友情，期待在不久的將來就能互相來往，不如說是我願意這樣相信。您是個歷史家，所以應該知道性急只會壞事。至於我在海外生活久了，雖然已經習慣了，但還是會寂寞。其實文革中我回大陸訪問的時候，曾一度向郭沫若科學院院長等高官要人提出歸國的願望。但是對方卻反而說：『妳回國後能做的工作，很容易找到可以取代的人，但是能在英國李約瑟博士身邊協助、工作的人，除了妳之外找不到別人。希望妳以大局為重堅持下去！』」她微笑著回答了我的問題。然後還輕聲跟我說：「中國當局、高官要人、學界相關人士全都敬愛李約瑟博士，出版80歲生日的紀念論文集又舉行生日會等等，讓博士大為感動。他自負是繼利瑪竇（Matteo Ricci, 1552～1610，義大利耶穌會士，中國明朝天主教傳教的始祖）之後，在中國歷史上留下足跡的外國人，並也非常高興。」

我一邊點頭，一邊又問：「如果文革期間大姊回到了大陸，還能夠生還嗎？」

「凡事都是塞翁失馬，焉知非福。李約瑟博士也是，如果當時英國當局沒有剝奪他於隸屬於政府的研究機構職位（1952年，就他擔任韓戰期間細菌戰事實調查國際科學委員會事務局長的活動科以處罰，美國也長期拒絕博士的入境），那博士到底還會不會分出那麼多的時間和精力給《中國之科學與文明》呢？」她溫婉地笑著向我說道。

這次的來日訪問中，我從旁窺見李約瑟博士和魯女士相互敬愛、互相扶持的種種讓人想微笑的舉動，也讓我不禁感到鉅著出版的祕密或許就在其中。

誰也沒想到，李約瑟博士和我第二度的相會，真正相識的序幕，竟然就在1981年10月10日，即辛亥革命70周年紀念日的夜晚開始了。如今聆聽著李約瑟博士的中國民謠，我對依然貧窮、如雜草般在大地上匍匐苦鬥的十億「民草」，除了感到無限的心痛之外，也深深切切的體認到一種不放棄、活下去的連帶感。

本文原刊於《歷史と地理》第324號，東京：山川出版社，1982年8月，頁1～8

自黃克強、一歐[*1]在日生活的一瞥談起

前言

今天能夠參加這個盛會，覺得非常榮幸，更感謝張哲郎教授邀約的美意和盛情，後學並非辛亥革命抑或黃克強的研究家，有何理由冒昧並斗膽參加這個學術研討會，甚至於還來做個未成熟的小報告呢？我願意在此向與會諸先進先做個交代。

黃興。翻攝自《黃克強先生書翰墨蹟》

辛亥革命及有關黃興事蹟的研究，國內（中國大陸和台灣）、國外都已有頗多的成果。在這種情況下，敝人能夠參

＊1 黃克強，即黃興（1874～1916），參與反清革命，為中華民國開國功臣；黃一歐（1892～1981），黃興的長子，民主革命運動家。

與的空間當然可以預料不可能有太多。不過以本人在日本居住已滿36年，對掌握日本學界的有關動態與相關史料等發掘之信息，因為能閱讀日文，可以說占有一點「近水樓台」的方便。

受邀當初，我即刻想到的是一位日本立教大學史學科的同事後藤均平教授，他的研究業績、視野及一本日本官方*2出版的《文京區教育史——學制一百十年之足跡》〔《文京区教育史——学制百十年の歩み》〕。我期待，或許可以從這兩個線索摸索出一些既新鮮又可填補的有關材料和觀點。

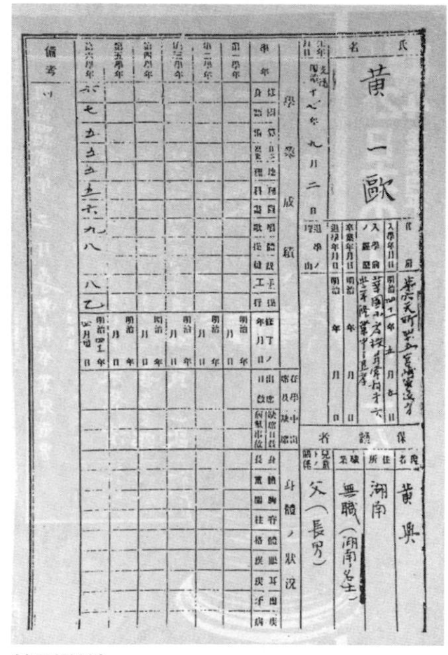
氏名 黃一歐
學業成績
身體ノ狀況
備考
保護者
氏名 黃興
住所 湖南
職業 無職（湖南名士）
兒童トノ關係 父（長男）

特別附件

後藤均平教授的「陰謀」（？）

後藤均平教授為日本大分縣人（請留意，該縣鄰接熊本縣，而熊本縣是孫文、黃興等先輩們的摯友、日籍革命夥伴宮崎滔天【寅藏，又作寅造】之出生地）。今年〔1989〕3月底因屆滿65歲而自立教大學退休歸鄉。他的專攻領域為中國古代史、越南史及中越關係史。

*2 指東京都文京區教育委員會。

1979年初夏，後藤教授出版了《日本內部的越南》（又可翻為《越南在日本》〔《日本のなかのベトナム》〕），書的封面極引人注目且耐人尋味。那是《明治四十二年三月尋常科卒業者名冊・兒童男》部分的影印頁（請參照附件①）。

這個封面還用了照相技術，把有關黃一歐之一行特別凸出使其顯眼，這一行的記載如下：

番號	住所	保護者 及其關係	兒童氏名	生年月日
三九	第六天町四五宮崎寅造方	黃興 父（長男）	黃一歐	29年6月16日

其實這個影印頁在後藤著的頁79也以「圖十六，留存於礫川小學校畢業名簿上的越南留日學生」而有所揭示（請參照附件②）。

只就判讀其本文之三〈離開日本的留學生〉全文的話，一般讀者通常都會誤認為著者完成這一本書時，根本就不曾聯想到這位黃一歐有可能就是清末民初的名士黃興的長男一歐，雖然後藤著所引用頁上，寫明有：父黃興、長男。讀者也不難想像，著者後藤教授甚至於有可能被《越南義烈史》（請參照附件③）的一些描述壓抑住他的想像力。因為該書中有關黃文紀的事

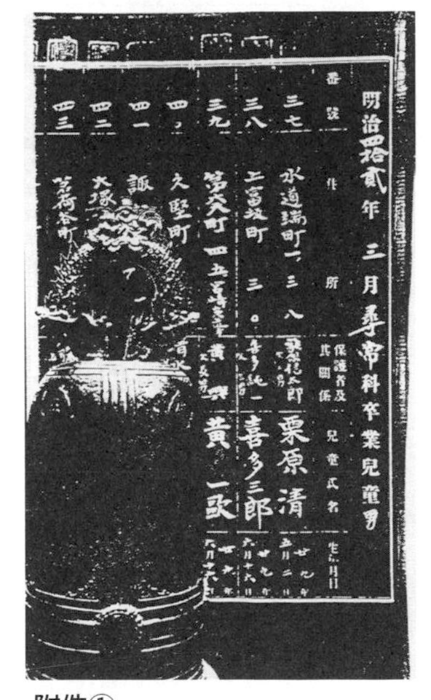

附件①

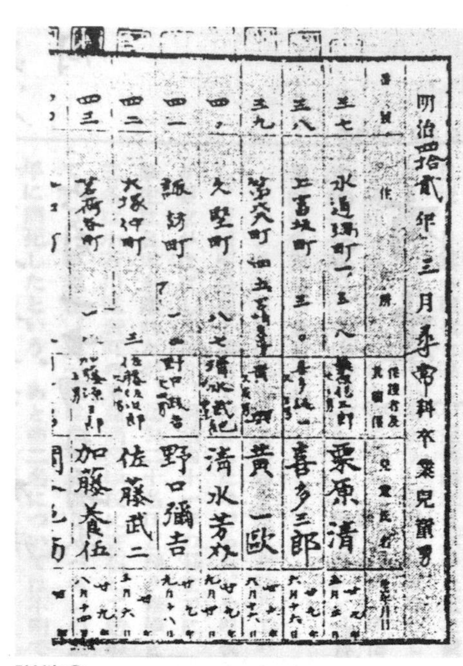

明治四拾貳年三月尋常科卒業兒童男

番號	住所	保護者及其關係	兒童氏名	生年月日
五七	水道端町一ノ五八	[illegible]	栗原清	[illegible]
五八	上富坂町	[illegible]	喜多三郎	[illegible]
五九	第六天町	黄[illegible]	黄一歐	[illegible]
四〇	久堅町	清水武紀	清水芳[illegible]	[illegible]
四一	諏訪町	野口[illegible]	野口彌吉	[illegible]
四二	大塚仲町	佐藤[illegible]	佐藤武二	[illegible]
四三	茗荷谷町	加藤[illegible]	加藤養伍	[illegible]

附件②

蹟，出現了文紀的叔父黃興（同時期在振武學校肄業）的名字。

值得我們注意的是，《越南義烈史》之成書為1918年（戊午）夏，上海祕密出版的漢文本。該書（請參照附件④）列記了不少越南人的東遊（留日）事蹟，文中又述及越南人留學生為了避免法國殖民地當局與日本當局根據《日法協約》（成立於1907年）來勾結並取締鎮壓他們在日本的留學及反法國獨立運動，因而改姓換名詐稱清朝留學生的事例。

果然後藤著剛出版不久，就受到研究中國近代史的日人學者寫書評提出異議，謂此黃一歐該是黃興之長男云云。

熟悉後藤教授的少數日本學界的人士，由而大笑特笑，一再地向後藤先生鼓掌表示讚賞。讚賞他的「挑逗」得逞，他的「陰謀」終於初步見效。

後藤教授一直不滿於日本中國近代史學界人士的關心領域過於狹窄。為了「安分守己」只圖深掘，搞自己的小題目，往往不顧及有關歷史事物周邊有機關聯事項。從而企圖藉機開了一次

「大玩笑」，投下一顆「小炸彈」，希望能引發一些爭議，好好掀起討論20世紀初期圍繞著遠東「反帝反封建」的革命浪潮風尚。

《文京區教育史》帶來的一些困擾和啓示

眾人皆知，當今日本有識之士們，為了因應並趕搭「經濟大國日本」的「國際化」（抑或國際貢獻）大巴士車的時尚，凡是具有「國際化」抑或「國際貢獻」的任何點滴都想盡辦法把它牽連在一起，以表示他們有關的一切事物都具有國際化和國際貢獻的歷史以及屬性，並忙著表態自己深具國際化格局的開明性格。

《文京區教育史》的編輯委員會也不能是個例外。在其1,063頁之大冊中的頁785「礫川小學校沿革」，明治41年（1908）4月項目下，寫明有「接受來自東南亞留學生」。編該書當時的礫川小學校校長、同時又是《文京區教育史》的編委之一的金澤巖（1979年屆齡退休）為了支撐該校在明治末年已接受過東南亞留學生的「光榮歷史」史實，於該書

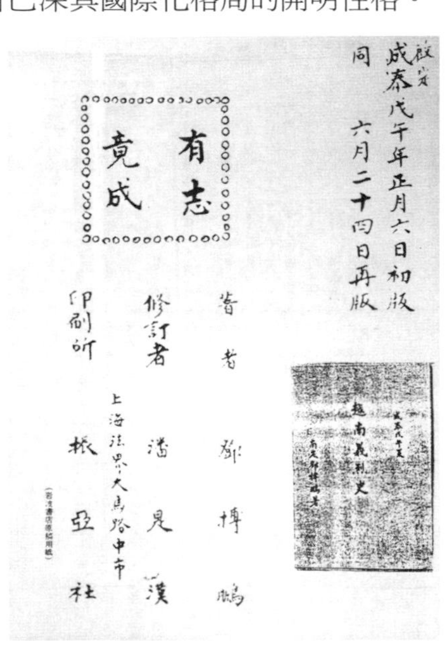
成泰戊午年正月六日初版
同 六月二十四日再版

有志竟成

著者 鄧搏鵬
修訂者 潘是漢
印刷所 振亞社 上海法界大馬路中市

越南義烈史

附件③④

頁318下欄還補上了一筆（請參照附件⑤）：

來自亞洲的留學生：

根據礫川小學校所保存的明治42年度畢業生名冊，可以發現，柯文德（台北出生，13歲）、黃一歐（中國湖南省出生，17歲）、吳守權（台南出生，12歲）等名字。這個記載不外是證明了他們在明治41、42年度之二年間在礫川小學留學過。這三名係來自於越南的留學生（中略）。

當年法國當局禁止越南人出境，因而他們是藉偷渡、冒清朝留學生之名來到日本的。繼後法國當局對越南留日學生取締要求愈來愈嚴格，迄明治41年底，大部分的越南留學生離開了日本，只留下大約二十名繼續在日本的學業，礫川小學的三名，

アジアからの留学生

礫川小學校に保存されている明治四十二年度卒業者名簿に、柯文德（臺北出身十三歲）、黃一歐（中國湖南省出身十七歲）、吳守權（臺南出身十二歲）の名が見える。これは明治四十一、四十二年度の二か年間礫川小に留學していた證左である。この三名はベトナムからの留學であった。當時本鄉小學校にも韓國人四名が留學していたといわれているが、記錄はない。日清・日露の戰役を經て、近代國家日本の急速な發展ぶりに、アジア諸國の日本への關心と期待が高まり、留學生が增加してきた。明治二十五年ごろ清國からの留學生が十三名であったものが、明治三十八年ごろには八千名から一萬名に達したという。フィリッピン・ベトナム・インド・中國・朝鮮の各國から派遣されている。

當時フランスはベトナム人の海外渡航を禁じていたから、彼等は脫國し、清國留學生の僞名で渡日したのである。その後、フランス側の取り締り要求がはげしくなり、明治四十一年の暮までに、大部分のベトナム人留學生は日本を離れたが、なお二十名ほど殘り修學を續けていた。礫川小の三名は小石川區表町の東亞商業學校に寄宿して勉學に勵み、二年間を過している。卒業後、黃一歐は中國に渡り、ペキンの軍官學校で修業中大正六年に病死したという。あとの二名については不明である。ベトナム側資料「越南義烈史」（一九一八年上海で出版）は礫川小に留學したベトナム人として三名の名をあげ、「未ダ成童ニ及バザルノ少年ヲ以テ、海外留學ノ妙選ニ充ツ、マコトコノ三人ハ我ガベトナムノ歷史ニ新例ヲ開キシモノナリ」と讃えている。

附件⑤

在這二年間寄宿於小石川表町（現文京區區內）的東亞商業學校，精勵於學業。據聞畢業後的黃一歐轉到中國，並在北京的軍官學校繼續其學業，卻不幸在肄業途中的大正6年（1917）病故於斯。剩下的二名則行蹤不明（後略）。

當我讀到金澤的前文時，只好搖頭感歎：後藤教授「害人匪淺也！」金澤校長不可能是有關這段歷史的專家，他很可能只看到後藤著裡談起他任校長的礫川小學校有過越南留學生一事，便不多加調查和思考，更不曾註明他的根據，就如上述般的評述一番。湊巧，1970年代後半期的日本社會，人人都在「狂熱」地支持越南「解放」。在這一種社會氛圍下，金澤的「輕率」是其來有自、情有可原之處的。

我們懂些台灣史的，當然不會如金澤校長般地輕率判讀柯文德、吳守權亦是越南留學生的冒名者。理由甚為簡單，當年的日本當局對台籍人士之戶口管理，為了維持治安，鞏固治台的殖民地體制與秩序是特別嚴格的。在學籍簿和畢業生名冊上既然註明柯文德為台北出生、吳守權為台南出生（請參照附件⑥及⑦），就不可能是冒名的。台籍人士進任何日本的學校都得提出戶口謄本之類的公文書故也。尤其這些紀錄皆是明治41和42年的官方紀錄，所以有關台籍人士的記載是不可能有任何含糊的。我們更不能忘記的是：柯文德之父親柯秋潔係當年甚為著名的台籍人士，他擁有三個第一：1. 為日本台灣總督府首任學務部長（相當於今之教育廳長）伊澤修一所教日文課的第一班第一位學生。2. 他是伊澤帶回日本的第一位訪日參觀的學生。3. 他是受聘為「台灣語

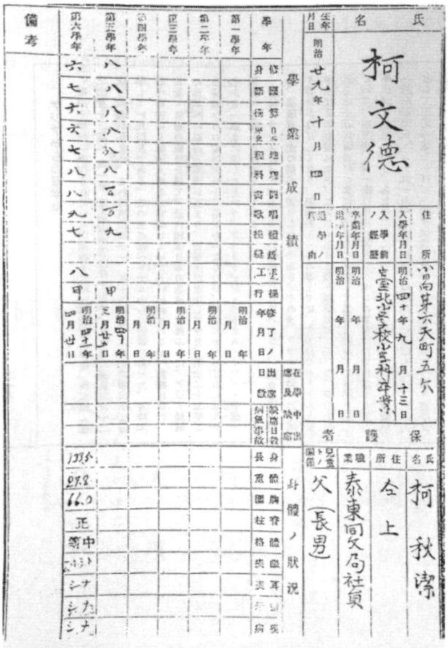

氏名 柯文德

生年月日 明治廿九年十月四日

保護者 氏名 柯秋潔 住所 仝上 職業 泰東同文局社員 關係 父（長男）

附件⑥

氏名 吳守權

生年月日 明治卅年四月一日

保護者 住所 仝上 職業 会社員 關係 吳筱霞之（長男）

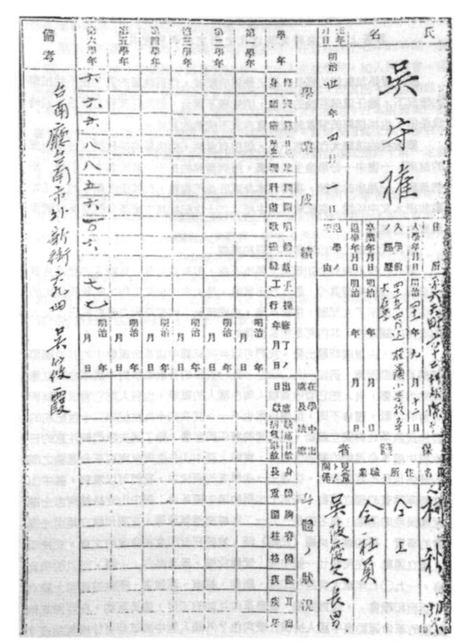

附件⑦

教師候補」（主要教授來自日人教師閩南語的速成教師）的第一位（請參照鳥居兼文編，《芝山巖史》，昭和7年【1932】12月13日，台北發行【日文】）。

雖然金澤犯了輕率之舉，但他卻提供了我們寶貴的線索。當年來自台灣的少年曾經與黃一歐等人同校、同班（？）共學過。究竟他們之間，甚至於他們家長間有無過交往？若有過，其間的交往內容究竟是哪一類？值得我人繼續追溯探索。

後藤教授近作的啓示

在前文，敝人提到後藤教授已於今春三月底退休歸鄉，依照日本各大學的慣例，大學教授在退休前，都會做一場名為「最終講義」的演講。「最終講義」通常對外公開，因而除了校內任何院系的師生可聽講外，畢業校友也會受邀來捧場。

後藤教授的「最終講義」舉行於1992年1月13日。題目為「兩個黃興（的爭議）」。講畢後同月31日定稿，繼之在《盈虛集》（立教大學東洋史同學會誌）刊登，並已於三月間公開出版。

在這短短12頁的小冊子中，我們可窺知，後藤先生受到質疑（前述）後，他花了時間去追查黃一歐和其父黃興在日時的事蹟。他查看了李雲漢先生所撰的《黃克強先生年譜》（1973年，台北）和黃一歐的《回憶先君克強先生》（1961年，上海）等書。另外為了追查越南留日學生的動態，在日本外務省所管轄的「外交史料館」查出〈有關安南人（乙祕2550號），明治42年11月11日〉的檔案。在此檔案裡的確記載著：

1. 小石川町表所百九番地東亞商業學校寄宿舍同校生徒　黃興
2. 同上　礫川小學校生徒　陳文安　陳久雪　黃貴
3. 神田區西紅梅町十一番地高橋SUE（爲末、么女之意）方正則○英語學校生徒　陳有功

據此三點記載，我們可以確認同時代的東京小石川區住有安南人黃興，他除了同姓同名外，讀的又是由日本華僑捐資所建的東亞商業學業（原係梁啟超向橫濱華商鄭席儒、曾卓軒等人募捐而創設的高等大同學校，又名東京大同學校，校址為牛込區東五

軒町。後因唐才常在漢口的起義失敗【1900年】，學校經費短絀，面臨解散，由柏原文太郎再找日本之政黨捐獻，在小石川區新建校舍並改名為東亞商業學校），又住在同校的寄宿舍，這一連的（湊巧）引誘了後藤教授入（惑），終成「兩個黃興（的爭議）」這個有趣之題。

這位黃興與其姪黃文紀繼續的行動可由《越南義烈史》頁75的記述知悉其一二：

> （黃文紀）君，叔父黃興君。方在香港，研究製造學。爆藥發，港督知爲我越革命黨，捕贈賊政府。賊政府科以謀亂罪，流崑崙島。君得是信，仇法之敵愾心，愈勃勃不可遏。遂有捨筆而戎之志矣，謀入日本兵學校。然無法政府文憑，日人不之許。君遂因華友，學華語，棄東歸粵改易姓名，冒粵籍進燕京，入陸軍軍官學校（後略）。

從這些斷簡零墨亦可窺知，20世紀初葉圍繞著中國和越南的革命運動，以及支援革命運動日籍人士的義舉間，係具有互補關聯性的。

暫做結語

因為時間匆促，加之公私務纏身，並且有關黃興在日的革命運動，已有不少人士言及，所以我可暫免涉及，因而沒有能夠做好報告甚感遺憾。不過這一次的生鏽小刀初試過程，我發覺日方所藏史料仍然可以繼續努力發掘，加以利用，雖然我們學界已使用部分日方史料：《宮崎滔天全集》等類書的研究業績（例如大陸學者毛注青的論文或著作）已見公刊。但日本「外交史料館」所藏的檔案，可以說是中國人學者仍然甚少活用過的「寶藏」。

敝人管見寡聞，又無時間查尋《越南義烈史》的正本在我國（大陸和台灣）是否有存藏和方便閱覽*3？若是不方便找，為了此次盛會，我把它的影印本攜回。此舉如不算徒勞，我將留下一份，供諸先進便於活用，期許我們學界能更上一層樓。謝謝！

綜合答覆

謝謝呂芳上先生的指教。就我所知，似乎沒見過中國人對法國檔案的研究，中研院近史所陳三井兄是留法的，對法國方面的檔案應該多注意。《越南義烈史》正本，在美國、大陸、黨史會或其他地方是否有呢？日本則是沒有的。呂芳上兄說到，潘佩珠在廣東組織越南光復會時，為孫中山所支援，但我相信支援是附會的，因我們的研究從前沒有，憑什麼在安南、西南搞起義。一致爭論的是，宋教仁和孫、黃兩人對戰略性的決策，但當年已是法國人統治，若沒有利用條件和支持勢力，怎能從安南打到鎮南關，這方面須靠越南、法國的資料來加強研究。

我認為我們一直跳進以中國為本位的研究，其實辛亥革命是非常國際性的，日本方面，陳鵬仁兄已有精采報告。在大陸，

*3 國立中央圖書館台灣分館館藏有此書，即鄧博鵬著、後藤均平譯之日文版本。

像毛注青先生的遺稿，他新出的《年譜長編》〔《黃興年譜長編》〕，竟然在最後一頁說：「木堂先生是何許人，待註」。木堂先生是犬養毅的號，大陸上如此具代表性的出版社也查不出來，其他可見一斑，所以這個例子在說明，我們要用第一手資料，而不要老是引用別人的研究。日本外交史料館的直接資料，至目前為止仍然很少見到有中國人，包括台灣、大陸去的留學生去利用，這一點值得反省。

另外，黃一歐先生告訴毛注青的一些話中，發現毛先生不懂日文。像「江江波子」，我想很少人能夠看得出來是什麼意思。「江江」是「ちゃんころ」，即「清國奴」的意思。毛注青又引述黃一歐的話，說滔天家人稱他「少爺」，其實不是，從滔天寫信給他的家人時稱呼黃一歐先生為「こうぼう」，漢字是「黃坊」，即「小黃」、「寶寶」的意思。談到黃家對宮崎滔天家裡的情義時，這種語感上表現出的情感是很重要的。關於另一個黃興先生，越南人有一位，是沒錯的。我會繼續查黃一歐先生所念過的學校。現在已有一位日本的研究生在做這個工作*4。

*4 即指林正子女士（林衡道先生的姪女），當時正攻讀東京大學博士課程，亦為戴國煇主持的台灣近現代史研究會會員。

【附錄】

講評〈自黃克強、一歐在日生活的一瞥談起〉

◎ 呂芳上*

戴教授是我敬佩的鄉長，是史學界的前輩，作為晚輩的我，在不能推辭的情況下，擔任這個評論的角色，明知極不適合，但我只有勉力而為。同時我希望、也相信鄉前輩戴教授會寬容我不成熟的意見。

戴教授的這篇大作雖然不長，但很有意思，從後藤均平教授《日本內部的越南》一書中一份畢業生名冊裡，所列黃興的長子一歐的名字，引發「兩個黃興」一連串的爭論，事情的本身或許並不複雜，但其中所顯示的，正如戴教授大文中所說：從斷簡零篇中尋求20世紀初葉中國革命的亞洲或國際聯繫的意義。

戴教授這篇大作給我幾點啟發和感想：

第一、歷史資料浩如煙海，無所不在，但有真有偽，有特定的歷史背景和意義，如何釐清真相，顯示歷史意義，是史家的重要工作，戴教授提出的小例證卻顯示了大問題，中國革命、法國統治下的越南獨立運動與日本友人的支持的關聯性，其內部是相當複雜的。

第二、由這個問題出發，我們可以共同回顧中國革命運動中的其他國際結構及國際因素，例如1904至1905年的日俄戰爭對中國革命與立憲運動的影響，有人把它看成黃種人與白種人的戰爭，也有人把它看成專制與立憲的決戰，體會不同，反應自然也不一。其次如19世紀末20世紀初的亞洲民族革命與獨立運動，相互間的關係與影響，除了過去我

* 時任中央研究院近代史研究所副研究員。

們較注意的日本與中國革命運動的關聯性之外，實際上孫中山先生與東南亞革命運動之間的關係也是不容忽視的，從過去一些學者的研究中，我們可以看到，孫中山支持菲律賓的獨立運動，菲志士也捐助過中國革命；孫中山支持越南志士擺脫殖民地的運動，有名的是1912年越南潘佩珠等人在廣州建立越南光復會的事實；再如章太炎編《民報》時，曾經刊有印度革命家的文章，支持印人獨立運動，在《民報》21號中有「梵種我聲，暴著海內」一語，可以說明此事。1907年章太炎還和印度、緬甸、越南、菲律賓、朝鮮等國志士建立「亞洲和親會」，反對列強，從事革命互助的工作，頗具意義。在亞洲其他民族的革命運動裡中國人扮演什麼角色？外國人對中國革命有什麼幫助沒？類似這些革命運動之間的聯繫，相互的影響如何？是否影響到孫中山邊區革命的策略等等，這些問題仍頗值得進一步研究。

第三、再縮小一點看，黃興一共八次赴日，在日本住了七年的時間，黃一歐1905年13歲時才跟著到日本，次年入東斌學校，加入同盟會，後來參加過三二九起事，參與過辛亥革命在上海的起事。說真話，至目前為止，對黃興與一歐在日本的情形，還缺少詳細的研究和描述。日本對黃興的影響到底有哪些，我們到目前為止也還不是很清楚。戴教授這篇文章只提到生活的一瞥算是起頭，發掘更多的資料來描述，相信對前述問題的了解一定會更有助益。

就革命史而言，最近幾年來海峽兩岸和日本分別有不少學者致力於中日關係的研究，例如在座的陳鵬仁教授這方面大量的翻譯和著作，眾所皆知；近史所的黃自進先生也陸續有大文發表，伊原澤周利用日本檔案史料也有不少好的著作；海峽對岸的趙金鉛或俞辛焞等人的努力和成績也不可忽視。戴教授是台灣史的名家，對台灣史的研究卓然有成，他今天又以一向所具的宏觀視野，為革命史再打開一扇窗子，我們希望戴教授日後能有機會繼續將這寬闊的視野帶進革命史的研究領域，謝謝！

本文原刊於《黃興與近代中國學術討論會論文集》，台北：國立政治大學歷史研究所，1993年3月，頁455～469，497～498。係於國立政治大學歷史研究所、美國黃興基金會、國史館等主辦「黃興與近代中國學術討論會」之論文發表，1989年8月16～18日

由〈二個黃興〉談起

◎ 蔣智揚譯

1992年4月上旬，為期一年的研究假歸來後，我仔細拜讀了後藤均平先生的大作〈二個黃興〉。

世間有種種的偶然和「巧遇」，我再度感慨。

1991年9月1日以後，我利用研究假之下半期，在台灣的國立政治大學歷史系借用書桌（當半年客座教授）專心進行《愛憎二二八》新書之定稿（該稿於1992年2月16日，由台北遠流出版公司以中文版發行）。

在晚秋的某日，我接到政治大學歷史學系的老前輩教授蔣永敬先生的電話。他說薛君度先生從美國來了，要大家一起喝一杯。

薛先生是美國籍的華人學者，黃興的女婿，代表作有《黃興與中國革命》（中文版有湖南人民出版社及香港三聯書店兩種）。薛先生從美國馬里蘭大學退休，目前在美國辦「美國黃興基金會」。

同席者有《黃克強先生年譜》的作者李雲漢先生（中國國民黨黨史會主任委員）、「傳記文學社」社長劉紹唐先生等。在酒宴進行中，看得出薛先生的為人和意圖。他說明年初夏（1992年5月上旬左右）想在台北舉辦「『黃興與近代中國』國際學術討論會」，要請我協助。

薛教授叮囑著：尤其擅長日文的「老日本」〔譯註：日本通〕戴教授，非邀請參加不可。

我本來就對黃興有興趣，我的問題意識很單純。如果把辛亥革命期的孫文當作「檯面」的人物，那麼就可把黃興視為孫文的夥伴或對手，是「半裡面」的人物吧。

我長久以來就對於日本學界對中國近現代史研究的作法感到不滿意。因為通常有很多人只對著從天安門不停地向人民揮手的「輝耀之星」投以熱情的眼神。

冷靜地想一想，如果不把腳燈同樣地照在「消失之星」和「輝耀之星」（在某種意義上，他們只不過是僥倖生存下來的明星）的雙方上，應該不會得到好的研究成果。儘管如此，幾乎沒有把「天安門之星」和「因革命而亡之星」放在一起來設定觀點的例子。

又儘管對中國國民黨、國民政府及中華民國的觀點缺乏，只重視對「中共革命及毛澤東」研究，這樣子對中國近現代史，應該不會有可靠的立體像構築，或整體的掌握吧。

因此我馬上答應了薛先生的請求，暫時先敲定以「在日本的黃興」為題。

1993年4月上旬新學期開始，我來學校看到〈二個黃興〉抽印本放在桌上，感到有點驚訝——多麼巧合呀。

到現在我才知道，〈二個黃興〉是有關《越南義烈史——抗法獨立運動的死亡紀錄》〔《越南義烈史——抗仏独立運動の死の記録》〕（後藤均平譯，刀水書房近刊）的翻譯暖身之作，似乎也可說是後藤要翻譯的「誘因」之一。

總之，在同時代的日本，黃興只有一人。而後藤均平引用《文京區教育史——學制一百十年的足跡》〔《文京区教育史——学制百十年の歩み》〕（1983年，文京區教育委員會編輯兼發行）第318頁：

> 在礫川小學所保存明治42年度的畢業生名冊，列有柯文德（台北出身13歲）、黃一歐（中國湖南省出身17歲）、吳守權（台南出身12歲）等人。這是明治41、42年度的二年期間，在礫川小學留學的佐證。此三人是從越南來留學的。（後略「來自亞洲的留學生」之項）

這段文章是因為作者（原礫川小學校長金澤巖，1979年屆齡退休）一時大意而寫錯了。黃一歐是黃興的兒子，柯文德於日本戰敗後在台灣電力有限公司當課長；至於吳守權則沒有查到，但就學籍簿的記載所見，無疑與柯文德一樣，是來自台灣的「小」留學生。

筆者的興趣其實在於明治40年（1907）左右，在同一小學上學、湖南出身的黃一歐與台灣出身的柯文德、吳守權三人之間是否曾有交往，若有的話是以何種形式往來等等問題。

又從學籍簿（如圖）〔請見本冊頁309〕的紀錄所見，柯文德的父親柯秋潔，做為職員從事工作的「泰東同文局」是什麼？

是書店或是出版社？甚至推測可能是以大陸留學生為對象的中文相關書店或出版社吧。

明治40年左右，此時期來自台灣的留學生很少，以從大陸來的留學生占絕大多數。泰東同文局若是我所想像中那種型態的公司，那就很有趣。因為不難想像，泰東同文局是以大陸留學生為主要對象的書店或出版社。

靠想像的「猜謎遊戲」就此打住，筆者在整理〈自黃克強、一歐在日生活的一瞥談起〉（曾在上述討論會提出的拙稿）的過程所調查結果，如今發覺日本人研究者所做黃興的研究少得可憐，感到更為驚訝。

這點讓我重新思考，日本的這種狀況究竟意味著什麼？此後將給應有的中日關係帶來什麼？雖然後藤先生故意透過〈二個黃興〉試圖挑戰，但他感歎地說；從中國近代史的日本人研究者並未得到什麼反應。除了深感誠然如此之外，我還能說什麼呢？

1993年6月20日

本文原刊於《史苑》第54卷第1號，東京：立教大学史学会，1993年12月，頁1～5

輯二

我的人生導師

松本重治先生*的和藹與嚴格

◎ 林琪禎譯

自從1955年秋天，我來日之後，便邂逅了不少日本人前輩。我個人用覺得最自然的方式，去享受這些相遇帶給我的喜悅。這麼說或許有點僭越吧，但以先祖「可遇不可求」的人生觀去面對人與人之間的際遇，是我一直以來堅持的方式。

一天，我在國際文化會館的大廳與〔松本〕重治先生站著閒聊。這時，一名在媒體界當紅的某女性評論家過來打了招呼。應對完之後，先生小聲地對我說道：「真是拿她沒辦法。老是喜歡和『名人』拍照以示身價，這樣實在是……」當時我有點驚訝。因為我不只常常見到先生和夫人和睦相處的畫面，在寒舍為先生舉辦宴會時，先生捧了一大把漂亮花束贈給擔任「主廚」的內人的溫馨畫面。

可見，先生在和藹性情的背後，也有嚴肅的一面。我想起記憶中的另一個例子。

同樣是在國際文化會館大廳發生的事。當天先生招待我吃中

---

* 松本重治（1899～1989），中日和平運動推進者，創設日本「國際文化會館」。為戴國煇敬重的三位恩師之一。

松本重治（財團法人國際文化會館提供）

餐，正吃得盡興時，某大教授很得意地拿著才剛出版不久、封面設計得頗為「豪華」的雜誌前來致意。先生很適時地「嗯、嗯」地點頭回應，卻在該教授轉身離去後，自言自語地說道：「怎麼弄了本這麼無聊的雜誌啊……」這名傑出的自由主義者，其實有著相當嚴謹的原則。對此，我只有歎服而已。

回想起來，這二十多年來，我有幸能受到重治先生的教誨。穗積五一先生（亞洲文化會館理事長）則是無意之間的「媒人」。五一先生與重治先生兩人情誼之深，是當時仍然年輕的我無法體會的。只是直覺兩位先生皆有「鴻鵠之志」。

然而，當時的我卻一再察覺到兩位先生傾「亞洲」與傾「歐美」的不同。這之間的「差距」縮短到何種程度，我自然無從得知。不過越戰結束、中日國交正常化等，確實讓兩人之間的距離縮小不少。為了阻止越戰繼續擴大，松本先生對美國提出的充滿勇氣的發言至今言猶在耳：「請美國向日本發動中日戰爭，卻慘遭敗戰的教訓學習吧……」結果，美國果然如先生預言，敗給了亞洲的「民族主義」加「共產主義」的意識形態混合體了。

說到越戰，我另外想到了已故的東畑精一先生和穗積五一先生初次的邂逅。東畑與松本先生的交情眾所皆知。我身為東畑門下不成材的弟子之一，又能受到重治先生的厚愛，可說銘感五內。有趣的是，五一先生與精一先生在這之前，兩人之間沒有明確的交集。

某天，東畑精一先生（時任亞洲經濟研究所所長）喚我過去，對我說：「戴君，聽說你和穗積五一先生很熟，沒想到有這樣一個大人物啊。」「是啊，他是我的身分保證人，也很照顧我和我的家人。」之後，見到五一先生，我問道：「先生，您在哪裡和東畑先生見了面呢？」「啊，因為佐藤〔譯註：指佐籐榮作，時任首相〕找過我們。那時自民黨內部有人抱怨『亞洲經濟研究所』與『亞洲文化協會』裡頭有支持反越戰運動的激進派分子。東畑先生去了，我則拒絕了。」五一先生灑脫地說。

我的名字，看樣子在東畑先生前往拜訪五一先生，兩人交換意見時，稍微被提到的吧。

重治、五一、精一三位先生曾經是我的心靈導師，也是學問上的恩師。不！如今更是如此。

三名先生皆認為，中日關係不正常化的話，亞洲難以安定。此外，他們也都正確地認識到，中國問題不只是中國人自己的問題，而是整個亞洲，甚至於全世界的課題。

他們清楚知道，中國如果無法安定發展，希冀世界的安定與和平也只是空談罷了。

聽說台灣的國民政府多次邀請三位先生前往台灣。但他們皆守著自己的原則，堅決拒絕。不過，三位「私下」都熱情款待來自台灣的訪問者，有時還同台出席活動。

1972年中日國交正常化之後，我期望有朝一日能當三位先生的提皮包者〔譯註：意為陪伴照顧〕，前往中國大陸訪問，然後也希望能帶他們前往台灣。

但這個宿願沒有達成。五一、精一、重治先生如今皆已過世。今後，我只能書寫更好的著述，以饗三位先生在天之靈。

本文原收錄於財団法人国際文化会館「追想・松本重治」刊行委員会編，《追想・松本重治》，東京：財団法人国際文化会館「追想・松本重治」刊行委員会，1990年1月10日，頁296～299

李友邦*和他的時代

一、非「Keynote Speech」也非「基調講演」，只是未成熟的「宏觀性」報告而已。

二、我對李友邦將軍一生的事蹟關心由來已久，但研究卻是剛剛開始的。

三、本日學術研討會的海報，已經非常簡明的揭示有其時代（1906～1952）的偉大性、曲折複雜性以及荊棘多艱性。

附記：pax Sinica（康熙【1654～1722】～乾隆【1711～1799】崩壞→鴉片戰爭）及日本的興起

大背景的詮釋：

pax Romana

pax Britannica→pax Americana

四、我有關學位的論文題目為：⑴稻作農業的機械化問題；⑵中國農村的家族主義（Familism）與現代化課題；⑶中國甘蔗糖業之發展。從這些設題，可以看出我追求的一直是中國的現代化問題，也就是探討如何向西歐資本主義挑戰抑或因應

---

* 李友邦（1906～1952），本名李肇基，抗日運動者，曾加入「台灣文化協會」，並創辦雜誌《台灣先鋒》、《台灣青年》。

之問題。在探討時，我一直是立足台灣，胸懷中國大陸，放眼世界以及人類・地球共同體的。因而，我又一直凝視我父親和我們同一代的台籍知識分子的思想（思維、意識）與行動（行動模式、生活方式）的。

五、李將軍一生業績的特異性

1. 誕生（1906）之年為台灣被編進日帝鐵蹄下的第11年，也是在日本東京創立的中國革命同盟會活動的第二年。
2. 在台抗日（1924年4月，和林木順、林添進突擊台北市新起派出所，因此被開除學籍），投奔祖國攻讀黃埔軍校第二期。
3. 台灣獨立革命黨。
4. 台灣義勇隊（1937年，七七以後）附設台灣醫院。
5. 台灣革命同盟會、國民黨台灣區黨部、三青團台灣區團部〈抗日——軍統，黨部——CC三青團——陳誠派）。

據查，李將軍黃埔軍校畢業後，並沒有在軍界服務或發展，七七以前，「台籍」是具有極其複雜的困擾性。

（1）有被日方逮捕之可能性；（2）有被祖國人士當為日諜之可能性；（3）民族主體性的未確立帶來的搖擺性；（4）第一次、第二次國共合作所必然波及的「邊界人」的困擾性。

六、探討並釐清李將軍的「生」與「死」，預料可以解開甚多有關台籍知識分子的「思想和行動」的謎。

1. 台籍人士在大陸的求生全貌。
2. 所謂「半山」的概念應該釐清。
3. 台灣人原罪論之虛構應該打破。
4. 克服台籍人士有關「認同危機」的契機。

5. 李將軍為橫跨二二八與「白色恐怖」的悲劇性人物，我們探討深化他的個案研究，將有助於台灣地區「民主憲政」的落實。
6. 兩岸關係的遠景（vision）當然又可以藉而多思考與探討。

本文係爲未刊稿，於台灣史研究會之演講大綱，1992年3月29日

孫文*

◎ 林琪禎譯

「近代」的再省視

到今年〔1992〕3月底為止，我在歐洲、中國大陸與台灣度過了為期一年的研究假期。

這段期間，我強烈地感受到，目前正處於歷史上的一大轉捩點。現今的歷史正處於一個巨大的轉換期。先是在以民主化為名下，東歐的共產主義政權瓦解，接著是蘇聯也解體。這些劇變讓世界上瀰漫著一種市場主義經濟與資本主義已經獲得勝利的幻想。但是，這個幻想只是一瞬間，前不久發生的洛杉磯大暴動似乎輕易地粉碎了資本主義萬能的幻想。

無論是資本主義或共產主義，都是源自於猶太基督教思想的同根生的意識形態。我以為這雙方所追求的近代化——創造出一個大量生產與大量消費體系的「近代」，或許已經到了需要重新省視的時候了。正如巴西正進行著關懷地球環境的會議

＊ 孫文（1866～1925），民主革命家，第一任中華民國臨時大總統，為中華民國國父。

一事，證明近代化的負面遺產已帶來全球性規模的危機。如今，我們已來到必須為近代做總結的時刻。雖然，此時世界主義（Cosmopolitanism）的概念開始受到了矚目，但對於被迫背負近代負面遺產的第三世界國家，掙扎要從「近代化」尋求活路的人民來說，相信該概念絕對是欠缺說服力的。

在這樣的時代背景之中，歐洲國家在邁向歐洲共同體（EC）之際，提出了「歐洲共同之家（European Common House）」的概念。亞洲諸國是否有可能實現類似歐洲共同體的構想呢？每每思索至此，我腦中總會想到孫文其人。今天，我便想以上述的角度來思考孫文的思想。

亞洲主義的系譜

在談論孫文之前，我想先介紹一名和他互相敬重、也共同激盪思想的日本友人——宮崎滔天（1871～1922）。他否定當時風靡日本的國權主義與福澤諭吉倡議的脫亞入歐論，並且站在民眾的角度，以人民的立場，思考著日本該如何聯合亞洲諸國以及促進中國革命的成功，並以革命成功的中國為基礎，將亞洲自列強的統治之中解放。此論調可說是日本人版的亞洲解放論、亞洲的革命根據地論。當然，我要補充說明的一點是，這種論點也只是少數派而已。

插入題外話，這類的理念雖然往往在形式上有著相當程度的差異，卻是一直到最近在精神上一脈相承的思想。我在三十多年前來到日本留學時，照顧過我的三名令人尊敬的前輩即是具有如此思想的人。一位是追求農業的發展以達到振興亞洲目的的東畑精一先生；一位是探討亞洲社會變革精神特質並研究魯迅與亞洲學的研究學者竹內好先生；一位則是與此Asia 21有著深厚關係的亞洲文化會館創立者穗積五一先生，他畢生追求的哲學理想，即是以亞洲人的身分，聯合亞洲人民對抗歐洲勢力。今天我想要探討的就是，在這樣的關聯之中，孫文的定位問題。

孫文（左坐者）與何天炯、黃興（右坐者）合影。（翻攝自《黃克強先生書翰墨蹟》）

孫文的思想與起源

雖說孫文的思想之中，最為有名者當屬「三民主義」，但若要探討其思想的起源，則又應往何處去追溯呢？首先很明顯的一點是，孫文的思想受到太平天國的革命傳統很深的影響。在歐洲，佛洛伊德（Sigmurd Freud）、馬克思、柴門霍夫（L. L. Zamenhok）都是受到猶太解放運動的影響，再加上他們對自我身分認同的摸索，才創造出偉大的思想。與此相對應的是其做為太平天國的主動力，而且孫文也擁有一半客家血統與精神風味。再者，是孫文學醫出身的背景。也就是說，孫文深受自然科學裡的達文西進化論、自然淘汰理論的影響。第三，則是法國大革命與美國革命的思想，他在留學夏威夷、旅歐經驗中所受到的洗禮。第四，則是英國的社會學說。他旅居倫敦時，曾經受到英國資本主義造成的社會矛盾的強烈衝擊。

在總和上述的見聞與經驗後，孫文構築了由民族主義、民權主義、民生主義所組成的三民主義。追求民族的獨立、人權的尊重與社會的平等——尤其以平均地權、節制資本為中心之主義，這就是所謂的三民主義。

孫文的日本觀

眾所皆知，孫文與日本的關係十分密切。1895至1925年之間，不計停留時間長短，總共旅居日本達八次之多。但是，這段期間他的日本觀卻有了很大的變動。由於「中國如何自列強的干涉與統治之中求得解放」是孫文終其一生努力的目標，基於這樣的視角，當初他對於日本的明治維新與之後的崛起給予很高的評價。雖然他也曾對甲午戰爭與簽訂於馬關的不平等條約表達過高度不滿，但日本畢竟於日俄戰爭之中戰勝了白人，並在實行立憲君主制度後30年之內，即擠入列強之林。因此他超越這些也希望中國能實行共和制，進而求得中國的解放。然而，在1919年的五四運動之後，歷經千辛萬苦才得於1921年成立的廣東政府，但在他前面的，卻是軍閥割據的內憂與列強殖民國家支配的外患。這也是他不得不倡導反帝、反殖民地主義的必然性。

但是，他卻發現自己所寄予期待的日本也與其他列強並無二致。看著日本向與其對立的袁世凱政權提出了21條要求，以及於背後操控著軍閥張作霖的現實，感到憤慨的孫文，對日本的親近感與期待逐漸幻滅，於是開始將期望放在標榜反帝、反殖民鬥爭的蘇聯之上。

孫文的大亞洲主義

1924年11月24日於神戶發表的「大亞洲主義」演講，就是在這樣的時代背景與失望的心情中所發出的信息（實際上，決定「大亞洲主義」這個講題的是主辦單位，並非孫文本人）。在此演講中，孫文主要想傾訴的是，亞洲對日本有何期待？以及對有心的日本人與亞洲人民所應思考與構想提出問題。

在此略述其演講內容的要點：首先，孫文對於日本走向獨立自主之路給予正面肯定，同時指出日本必須在亞洲扮演何種的角色，為此必須與中國攜手並進。此外，亞洲的文化為仁義道德的文化，亦即「王道文化」；而歐洲的文化則是以武力欺壓對手的「霸道文化」。日本民族雖然原本擁有王道文化的本質，卻在資本主義化的過程中逐漸走上霸道文化之路。若希望亞洲文化能成為世界的普世價值，則非行使亞洲的王道文化不可。

以上為孫文該篇演說的要旨。其實，在孫文的這個論述中，還隱含著希望日本廢除對中國不平等條約的夙願，請不要忘記。

對今日日本與亞洲的提問

那麼今天，日本已建立了了不起的成熟資本主義社會，今後的問題正如孫文所提出的，如何形成王道文化，或如何去恢復、如何從內部去糾正霸道的體質，沿著王道文化構築日本獨特的、文化的圓熟資本主義社會、如何與亞洲諸國家與民眾締結共生的關係等等，正被質詢。

這就是從孫文的大亞洲主義裡面，日本人所要學習的今日意義。也要請今天在場的，從亞洲各國前來的留學生諸位思考一下。亞洲的現狀仍是王道遜於霸道，那麼要恢復王道，我們該做的是什麼？在此學習的大多數亞洲年輕人，要抱有明確的意識，從日本學習應該學習的東西，回去祖國之後，做為「社會變革與創造的民族精神」的承擔者而大顯身手。先概括整合亞洲，然後把孫文所說的王道連結到世界普遍的價值，我想做這種努力是必要的。

我認為孫文依舊是今天值得傾聽的亞洲偉大前輩。

【附錄】
孫文年表

◎ 林琪禎譯

西元	年齡	孫文年譜	社會事件與時代背景
1840			鴉片戰爭
42			《南京條約》（英）
50			太平天國之亂
56			亞羅號事件（第二次鴉片戰爭）
57			印度兵變事件（Sepoy Rebellion）
58			《天津條約》（俄、美、法、英）
60			《北京條約》（俄）
61			美國爆發南北戰爭
64			太平天國滅亡
66	1	生於廣東省香山縣（現中山縣）翠亨村	
68	2		明治維新（日本）
71	5		《中日修好條約》。巴黎公社成立
74	8		日本出兵台灣
77	11		英領印度帝國成立
79	13	在長兄孫眉安排下前往夏威夷，入英國系統教會意奧蘭尼書院（Iolani School）就讀	
82	16	入美國系統教會奧愛厚學院（Oahu College）就讀	李鴻章在上海設立機械紡織工廠
83	17	回國	
84	18	入香港拔萃書院	中法戰爭

85	19	轉學至香港皇仁書院，接受美國傳教士的受洗，在父母安排下與盧慕貞結婚	越南成爲法國的保護國
86	20	入廣州博濟醫院附設書院	英國併呑緬甸
87	21	入香港西醫書院	法領印度支那成立
89	23		日本公布《帝國憲法》
92	26	香港西醫書院畢業。於澳門開設鏡湖醫院	
93	27	在澳門執業遭到禁止，改往廣州	夏威夷革命，成立共和制
94	28	向李鴻章提出萬言書。在夏威夷成立興中會	朝鮮東學黨之亂。中日甲午戰爭
95	29	廣州第一次起義失敗。日本興中會横濱分部成立	中日《馬關條約》。康有爲上維新建言書
96	30	自美赴英，於倫敦遭監禁	
97	31	前往加拿大，後轉往日本。與宮崎滔天、犬養毅等人結識	德國占領膠州灣。俄國占領大連、旅順
98	32	於日本爲策動革命奔走	戊戌政變。英國租借威海衛、九龍半島。俄國租借旅順、大連。法國租借廣州灣。德國租借膠州灣。美西戰爭爆發。美國領有關島、菲律賓、夏威夷
99	33	組織祕密結社興漢會。支援菲律賓獨立運動	義和團起義。美國宣布對華門戶開放政策。菲律賓獨立運動。南非波爾戰爭（Boer War）
1900	34	廣東省惠州起義失敗	義和團事件
01	35	於日本活動	辛丑條約義和團議定書。梁啓超《新民叢報》發刊
02	36	自東京赴夏威夷	清朝派遣海外留學生。蔡元培等人成立中國教育會。英日同盟
03	37	於東京青山開設革命軍事學校。再赴夏威夷	《蘇報》事件。華興會成立
04	38	赴歐洲，組織中國留學生	黃興長沙起義失敗。光復會成立。日俄戰爭

05	39	在東京合併興中會、華興會、光復會，成立「中國革命同盟會」，發行會報《民報》	科舉廢止。排斥美國貨運動（中國）。中國人留學生取締事件（日本）
06	40	在東京神田進行三民主義與五權分立的演講。日本政府要求其出境，乃轉赴新加坡	萍醴起義失敗。日本設立南滿洲鐵路公司
07	41	訂定革命方略。於河內成立革命組織。惠州、黃岡、防城、鎮南關起義皆失敗，再赴新加坡	徐錫麟等人起義失敗。簽定第一次日俄協商
08	42	欽州、廉州、河口起義失敗。日本禁止《民報》發行	光緒帝、慈禧太后逝世。公布憲法大綱。排斥日貨運動
09	43	離開新加坡，經由歐洲轉往美國	成立各省諮議局
10	44	廣東省新軍起義失敗，經由日本赴新加坡前往檳城開會。前往法國	四國對華借款團成立。日本併吞朝鮮
11	45	廣州起義失敗（黃花崗事件）。於美國得知辛亥革命成功，赴英國交涉外交。回國後，被推舉爲臨時大總統	公布鐵路國有令。辛亥革命（武昌起義）。各省代表於漢口召開會議，訂定《中國民國政府臨時組織大綱》
12	46	於南京就任臨時大總統。公布《臨時憲法》，採共和制，中華民國成立。辭大總統，讓位袁世凱。就任國民黨總理	國會成立。國民黨成立。西藏獨立宣言
13	47	前往日本交涉借款事宜。因宋教仁暗殺事件發生而返國。二次革命失敗，再次亡命日本	袁世凱就任正式大總統。善後大借款（五國借款團）成立
14	48	於東京成立中華革命黨，與宋慶齡結婚	第一次世界大戰爆發
15	49	乘三次革命發動之機，策劃反袁運動	日本對華二十一條要求。新文化運動開始
16	50	自日本返國，回到上海	袁世凱逝世。黎元洪就任大總統
17	51	發表《民權初步》。於廣州組織軍政府，就任大元帥	中國對德國宣戰。張勳復辟事件。俄國大革命
18	52	辭大元帥。於上海專心完成《孫文學說》、《實業計畫》等著述	中日陸海軍軍事協定。日本出兵西伯利亞

19	53	將中華革命黨改組爲中國國民黨，擔任總理	五四運動。朝鮮三一事件。第三國際成立。巴黎和會
20	54	前往廣州，再開軍政府政務會議	直皖戰爭（段祺瑞、曹錕）。新四國借款團成立
21	55	就任非常大總統，成立廣東軍政府。開始北伐。與第三國際代表馬林（G. Maring）會面	中國共產黨成立。華盛頓會議
22	56	陳炯明之亂，避走上海。與李大釗、越飛（Adolf Joffe）會面	香港船員罷工事件。第一次直奉戰爭（張作霖、吳佩孚）
23	57	發布孫文、越飛共同聲明。於廣州成立大元帥府。請鮑羅廷（M. M. Borodin）擔任顧問，準備改組國民黨	京漢鐵路罷工事件
24	58	於廣州國民黨第一次全國代表大會中就任總理。大會宣言中發表聯俄、容共、扶助工農三大政策。開設黃埔軍官學校農民運動講習所。爲了推動召開國民會議前往北京，途中暫赴日本發表「大亞洲主義」演講。年底到達天津，病發	第一次國共合作。第二次直奉戰爭。馮玉祥北京政變。《中俄協定》簽定
25	59	聲明反對北京軍閥善後會議。3月12日肝癌病逝	五卅慘案（反英運動與英軍殘殺中國人）
26			國民革命軍（蔣介石）北伐開始
27			蔣介石發動清黨（四一二政變），國共分裂。南京政府成立。中國共產黨朱德等於南昌武裝起事，出兵山東
28			毛澤東上井岡山。濟南事件

本文原刊於〈'92第一回アジア21フォーラム〉演講專刊，《Asia 21 FORUM'92》。於「アジア21世紀奨学財団」主辦之演講摘要，1992年6月27日

請下神壇的孫中山

處於世界新舊格局交替的動盪時期，對我全中華民族而言，可以說既是面臨著嚴重挑戰，又適逢這一世紀以來最難得的際遇。我認為，重新把孫文思想（包括三民主義）放回圍繞著1920年代中國的時代精神，來做概括及重新定位和嘗試再思考，對於我們摸索全中華民族的未來去向是有莫大幫助的。

不過，任何思想一旦制度化（體制化），便難免陷入僵化的困境。體制化將衍生出寄生於體制化後思想體系圖謀安逸生活的一群「道學先生」，思想的教條化又必然地隨而形成，這是無疑的史實。

孫文思想是在特定「時」（清末至民初）、「空」（中國人社會，包括華僑、華人的中華民族的全生活空間）下的產物，且漸進性的歷史產物，絕對不該把它看成為超時空的抽象性產物。

在推行革命及推動中國現代化運動中，孫文先生把豐富的西學與中國社會的實況及歷史（國情）結合來闡明自己的主張。辛亥革命爆發以後，中山先生在歐洲的演講中宣布：「將取歐美之民主以為模範，同時仍取數千年舊有文化而融貫之。」（《孫中山全集》第一卷）他在革命事業中對待中（傳統文化）、西（歐美新事物）文化的態度——取中西文化而融貫之基本方針——仍然是我們的典範。他融貫中西的基本性思考，在「東京留學生歡迎大會」的演說中披露無遺。他說：「『取法西人的文明而用之』，然後『漸漸發明』，『轉弱為強，易舊為新』，『則一切舊物又何難均變為新物』。」（《孫中山全集》第一卷）前年本人受邀在亞洲留日學生團體的某一次演講時，曾經借用中山先生之言，鼓勵青年朋友們。我說：「為了搞好學習及推動中國的現代化，『全盤西化（包括日化）論』是個陷阱。完全捨棄抑或離異中國的傳統及國情而執迷於『全盤西（包括日本）化』來思考並實踐，將會見不到『勝利女神』微笑的。」

一直到晚年，中山先生仍然不斷地修正及充實自己的思想。他對中西兩文化的「擇善而從，不拘一格」的作風始終不變。因此，「三民主義」當然不是當今台灣地區的部分人士所反彈並賊視的「古玩」，抑或政治骨董一類的政治思想和學說。

「當今的部分」中國人，有意把孫文先生自「神壇」或「聖壇」請下來。基本上，我個人是贊成的。不單是我戴某人，我相信孫文先生在天堂也在微笑著說：「我孫某本來就不是個什麼『神明』抑或『聖人』，勉強地只能說係『近代中國的革命先驅』而已，把我祭上『神壇』和『聖壇』是那些小政客和『道學先生』之流。」

在此，我得特別強調，把某個思想家神化或絕對化是自我墮落的一種作為。一旦某個思想家被神化，包括學界的後人，一概可以不必勞神去做任何研究。因為神是絕對的存在，不容易更沒有任何餘地去做科學研究，遑論做學術性的批判。

我憶起時任立法委員黃煌雄先生，曾經付梓有《台灣的先知先覺者——蔣渭水先生》（1976年）的專著。此書可以說是光復後的台灣人，研究台灣人三民主義信徒及孫文思想在日據時期台灣文化界的普及及受肯定、更被認同的史實和其過程的寶貴業績。這一種先驅性的專著值得我們讚賞。黃委員所做的三民主義本土化的研究，更是值得我們繼續把它發揚。

輕浮地、不經過任何學術研討而鄙薄先驅者及其業績（包括政績及學說和政治思想）的粗魯舉動，是我們有識之士絕不能苟同的。

孫文先生並不是神，但他是我們中華民族為「翻身」（用當今台灣的用語該是「出頭天」）、為祖國現代化而奮鬥的偉大先驅，不管他成功的政績抑或失敗的教訓，都是屬於身為中華民族後裔的我們的珍貴「遺產」。

中山先生所體現的時代精神——救國精神仍然值得我們繼承發揚光大。理由非常簡單，我們中華民族的至上課題——救國的偉大事業尚未完成故也。

孫文先生的三民主義若套上當今的用語，可以將他的民族主義引伸為「民族的獨立自主與自尊」的主張。民權主義則是自由民主的主張。民生主義，當然可以歸納為福祉及社會正義的主張。從而，我們不難發現三民主義仍然具有世界規模的普遍性原理。

近年來，日本學界重新興起研究孫文思想的熱潮，不但有《孫文全集》（東京：社會思想社）之公刊，還有過國際性有關研討會之舉辦。特別值得一提的是，日本學界及有關當局為了解決不斷高漲的地價問題，找遍了因應之學理。先是找出孫文的平均地權學說和台灣已實施的地價稅政策。最後他們甚至於尋其根源，遂有亨利・喬治（Henry George）的經典著作《進步與貧困》〔*Progress and Poverty*〕全譯本（日本經濟評論社，1991年）的出版。距原書增訂版的出版（1898年，紐約）已有近一世紀的歲月。這表示亨利・喬治及孫文學說的生命力仍然受肯定。譯者在該書之解讀中亦涉及孫文和台灣的土地政策與該書的關係（同書，頁422），在此毋庸贅述。

孫文先生的兼容並蓄，擇善而從，博採眾長，融貫中西，為中國及中華民族居住社會的現代化奮鬥不輟而留下的遺產，我們後人有何理由不承繼？這個由衷的質疑便是我小試論暫時的結尾話。（本文摘自今日舉行的「中山先生思想與中國未來研討會」論文，並略加補正）

本文原刊於《聯合報》，1994年3月30日，11版，「民意論壇」欄

伊能嘉矩

◎ 蔡秀美譯

1867～1925（慶應3年5月9日～大正14年9月30日）

台灣研究的先驅者。岩手縣遠野人。字梅陰，號蕉鹿夢。自岩手師範學校中途退學。隨坪井正五郎學習人類學。1895年（明治28年）11月日本占領台灣後不久渡台，居住至1905年年底。在台十年間從事有關台灣的地理、歷史、「蕃地」情況之調查研究。重要著作有《台灣文化志》〔《台湾文化志》〕（1928）、《領台十年史》、《大日本地名辭書（台灣之部）》〔《大日本地名辞書（台湾之部）》〕等。

本文原收錄於《日本史大事典》第1卷，東京：平凡社，1992年11月18日

吉野作造與蔡培火*

◎ 林琪禎譯

本集收錄吉野所寫的關於台灣的短文〈給《台灣青年》發刊的祝辭〉〔〈《台湾青年》発刊への祝辞〉〕。身為台灣出身者之一，我首先想表達喜悅與感謝之意。眾所周知，吉野與近代中國有著頗深的關係，但與台灣有關的文章並不多。稍加瀏覽本文即可知，「祝辭」的內容具有時代性意義，因此極為珍貴。

至於刊登該文的《台灣青年》是怎樣的雜誌？祝辭贈與的對象「蔡學兄」又是何許人也？該雜誌創刊號的最後一頁，載明發行所是台灣青年雜誌社、地址為東京市麴町區飯田町、編輯兼發行人為蔡培火、發行日期是大正9年7月16日。大正9年即西元1920年，該年夏天正是第一次世界大戰方歇之際，也是日本的大正民主運動開始昂揚時期。同年2月11日東京舉行了普選大遊行，要求廢除限制選舉的普選運動擴及全國，達到最高潮。同年5月2日首次慶祝勞動節。5月10日舉行第14屆大選。工會接連成立，罷工頻繁。俄國革命的影響已經擴散到東亞地區。

---

* 吉野作造（1878～1933），政治學者、思想家，提倡「民本主義」論；蔡培火（1889～1983），政治家、社會運動家，《台灣民報》發行人，致力於羅馬字運動。

同年，也是台灣劃入日本版圖的第25年。日本占領台灣並開始殖民統治後，漢人曾試圖以武力對抗。開始是武裝暴動性質，然而在1911年之後受辛亥革命的影響，逐漸組織化，成為日本當局頗為棘手的問題。

於是，日本祭出「恩威並施」的兩手策略。一方面攏絡地主鄉紳階層；一方面以《匪徒刑罰令》對抗日運動分子處以極刑。

1915年的西來庵事件為漢人武裝事件的最終義舉。面對人民激烈的武裝游擊戰，日本動用了正規軍隊與警察進行大屠殺式的鎮壓。鎮壓行動中遭到逮捕者達2,000名，其中被宣告死刑者高達903名。此事件之後，台灣人覺悟到兩件事，一是難以靠自己的力量對抗日本的軍隊與警察權力；二是對岸的祖國此時也沒有餘力支援台灣。於是台灣的抗日活動逐漸從武裝運動轉變為「合法」的政治、社會與文化運動。

西來庵事件前後爆發第一次世界大戰。因為大戰的關係，俄國發生革命，也促使美國總統威爾遜（T. W. Wilson）提議成立國際聯盟，與鼓吹民族自決的十四條和平提案（1918年1月）。民族自決，迅速成為被殖民諸民族一致的、相互呼應的口號。朝鮮的萬歲事件（1919年3月1日），中國大陸以北京為中心的五四運動皆如火如荼展開。這是新興亞洲民族主義的崛起。

經過了二十多年的殖民地統治，日本在台灣的殖民地秩序逐漸成形。地主鄉紳階層的子弟以及受到該階層援助的台灣年輕人，趁著戰後的好景氣，紛紛留學日本。1920年約有500名。這些血氣方剛的青年，對民族自決論、萬歲事件與五四運動自然不會毫無反應。

在東京的這些留學生，於1920年1月11日結成了新民會。《台灣青年》即是隨著該會成立而創刊的雜誌。

新民會即為「新附之民」之意。這是借用奴隸的用語模糊自己的立場，以達到同時啟蒙自己人與他人（有心的日本人）的目的。其中的核心人物蔡學兄則是蔡培火（1889～1983）先生。

蔡的祖籍為福建泉州，1889年生於台南。蔡家是在其祖父那一代渡海來台的。1906年，蔡培火進入台灣總督府國語學校師範部就讀，1910年畢業。畢業後擔任公學校（台灣人就讀的小學）的教師。1914年，以教職身分加入台灣同化會，擔任常務理事。這時的他，一方面以穩健的筆調批判總督府的施政，一方面將台南長老教會的羅馬字閩南語聖經為範本嘗試白話文運動。1915年，板桓退助應同化會之邀來台，並發表批判總督府的演說，他因為擔任該演講的翻譯而被免職。同樣站在批判總督府政治立場的資產家林獻堂同情他的遭遇，於是建議並支援他前往日本留學。1916年他進入東京高師的理科就讀，時年27。

熱情又有才氣（精通漢文與日文，辯才無礙）的蔡培火，無論年齡或社會經驗都凌駕同期的同學。學業之外，他獲得許多開明的日本人學者以及政治家的同情。不可忽視的一點是，他的人脈開展的另一個要素是他的信仰。身為台南長老教會所屬的基督徒之故，而私淑植村正久與受到海老名彈正（1920年任同志社大學校長）的激勵。

當時，中華留日基督教青年會在神田一帶經營寄宿宿舍與中文書店。因此該會的所在地自然成為留學生聚會的一個重要據點。擔任該會的幹事與總幹事的馬伯援（1884～1939），是孫文的中國同盟會會員，1910年畢業於早稻田大學政治學系。他出身湖北省，日語流暢，是位虔誠的基督教徒。同時也是個熱情、喜歡照顧朋友的革命黨員，因此他的身邊聚集了不少大陸和台灣的留學生。台灣留學生對祖國＝中國大陸的革命情勢以及逐漸惡化的中日關係皆抱持著深厚的關心。這些熱血的青年於是常在神田的青年會聚集交流，當然，是避著日本官憲的耳目。

馬的遺著《三十三年的賸話》（1984年2月於台灣紀念出版，非賣品）提到，五四運動的消息傳到東京的時間是隔天的5月5號，東京的留學生預定舉行大型集會呼應北京的時間是5月7號。過程中，與警察造成衝突，許多人士遭到逮捕，吉野作造受託前往救援這些被逮捕的學生。之後，吉野還以新人會的名義，招待北京大學的學生來日本交流。聽說五四運動的領導者如康白情、黃日葵、孫彥之、孟壽椿、方豪等皆受邀。其中，方豪是第二次世界大戰後，落腳台灣講授歷史的學者。馬伯援著作中，特別立了〈吉野作造〉的章節，月旦人物之外，也記錄了雙方的交往過程，可說是研究吉野的中國觀與中國人觀的重要證言。

五四運動也給了在日台灣留學生相當大的衝擊。同年秋天之後，以蔡培火為首的台灣留學生與馬伯援的交流更為深入。還成立了以「血濃於水」為親睦宗旨的「聲應會」。會名取自「同聲相應」（相互呼應）之意。其本意，應該是為了呼籲聯合受到日本帝國主義干涉與壓迫者相互扶持幫助吧。面對台灣留學生奉中國為祖國、關心中國革命運動與朝鮮獨立運動的舉動，日本的官憲不可能不注意到。潛入大陸的台灣留學生與在華朝鮮人學生之間的互動與結合也大約在此時成立。日本的特高警察除了強化監視，同時也在明裡暗裡進行威脅與離間等各種策略企圖破壞。

有趣的是，《台灣青年》創刊號在刊頭一口氣刊登了三位知名人士的題字。首先是台灣的第一位文官總督田健治郎所題的「金聲玉振」四字。田的赴任日期為1919年10月29日，可見這題字是在他上任後不久寫的。發行者可能已經預見到此雜誌發行後，在台灣的日本人將會有所排斥，因而找來田總督題字，做為該雜誌的「護身符」吧。

再者是楊度（1875～1932）的題字，內容頗長，因此在此割愛。楊是毛澤東的同鄉，也是早期留日的大前輩。在北京與東京兩地皆為知名人物。1915年，他曾與吉野的學生袁克定（袁世凱之子）成立籌安會，密謀策劃袁世凱帝制復辟之事。因為籌安會一事，故楊晚年的風評一向不佳。在上海，多將他看成是棲身青幫龍頭杜月笙的反動腐化政客之一，也因此自然忽略他擅長於詩文與書法之事。然而，許多令人驚訝的事實卻接連出現。諸如，毛澤東曾寫信給章士釗道：「你的友人楊度是我們的同志，也是共產黨員。」文革中周恩來聽到楊的遺族遭到迫害，還曾經出面庇護。中共中央1930年於上海發行的《紅旗日報》的題字也是楊度所書。上述這些事例，皆讓我們再次深深體悟到現代史的深層，依然謎團重重。其中經緯，在1978年的《人民日報》與田遨著《楊度外傳》（河南人民出版社，1984年6月）皆有詳細記述。

第三個題字，是蔡元培（北京大學校長）的「溫故知新」。由此或可佐證《台灣青年》雜誌是以北京《新青年》雜誌為範本之說。

日後，岩波書店在矢內原忠雄的推薦下，將刊行蔡培火的《致日本國國民書》〔《日本々国民に与ふ》〕（自費出版，1928年4月）與《東亞之子如此想》〔《東亜の子かく思ふ》〕（1937年7月）。而岩波茂雄先生贈與1,000圓的感謝金，即便至今依然是可重新記憶的歷史。

本文原刊於《吉野作造選集・月報2》第9卷，東京：岩波書店，1995年6月，頁5～8

與安江先生*未完的約定

◎ **林琪禎譯**

和安江〔良介〕先生暢談之際，想到的一串關鍵字是，琉球、台灣、朝鮮與中國大陸。還有具有巨大背景的是，二次大戰前的歐美列強與日本帝國的糾葛。大戰後則是美國保護傘下的戰敗國日本與美國的同盟＝《美日安保條約》對亞洲投下的巨大「陰影」。

初識先生，是在討論如何認識台灣在東北亞的「存在」意義，時間為1960年代《安保條約》修定的激動年代，記得介紹者是竹內好先生。

1955年秋天，我以留學生的身分到日本。隔年四月進入東大的研究所。當時還是學問跨領域的理念很活躍的時代，學界對於學問的廣泛攝取仍帶有相當寬容的態度。我和友人K君從農學部選修了竹內先生在中文研究所開設的「中國近代文學出現的家的諸問題」講義。隨著和竹內先生逐漸熟稔之後，常對日本的台灣論述之偏頗發飆。

當時的台灣論述可大致分成對「新華社」和《人民日報》唱

＊ 即安江良介（1935～1998），日本出版家，前岩波書店社長。

和的進步文化人之類；與以月刊《文春》和《中公》為據點的邱永漢撰述的「台灣獨立論」兩類。

對於邱缺乏主體性的台獨論，感到厭煩。另一方面，將台灣視為盲腸般輕視的論述風潮，也大發反彈。所謂的台灣盲腸論，就是認為台灣如盲腸，可有可無，總有一天會被中華人民共和國解放。這樣子就「結束」了，一切就「迎刃而解」的怠惰者之論。對於日本人應負的殖民地統治責任不願加以思考，甚至認為沒有思考之必要。因為台灣獨立論者批判國民政府，感謝日本的殖民地統治。筆者為了要傳達在台獨派與國府之外的台灣的第三種聲音，而去見了安江先生。在和先生暢談的過程，筆者以立足台灣的歷史認識為基軸，與圍繞東北亞的現代國際關係微妙的交叉逐漸浮現重疊的影像。

然而安江先生不曾踏上台灣的土地。先生的好友，大江健三郎先生的筆端西南方只寫到沖繩。當筆者知道大江與安江兩先生訪韓（1995年）之後，也開始策劃兩位先生訪台事宜。1996年5月15日，我造訪岩波的社長室，邊吃鰻魚便當，我提出我的構想，允諾要在1997年實現。我心中對此新的台日文化交流終於要開始新里程而感到十分欣喜。可惜，安江先生積勞成疾，在與我有接點的「台灣之存在」的「情」與「理」未完結就倒下長眠了。實在是遺憾之至（合掌）。

本文原收錄於「安江良介追悼集」刊行委員会編，《追悼集・安江良介——その人と思想——》，東京：「安江良介追悼集」刊行委員会，1999年1月6日，頁226～228

懷念如慈父般的恩師
——記神谷慶治老師*

◎ 李毓昭譯

中國人的社會中，相對於「慈母」的一般用語是「嚴父」。

1955年秋天，我為了脫離「生父」和「白色恐怖之島＝台灣」，選擇留學的路途。計畫只在日本待二、三年，等妻子林彩美（當時只是私訂終身的女朋友）來到日本，就要改去北美留學，出發前往「許諾之所」。

隔年春天，我有幸獲得農經諸位老師的揀選，進入研究所。此後歷經四十多年，於公於私都深受神谷老師的關照。

二十多年前的某日，S學長不經意地對我悄聲說著：「你剛來東大升學時……神谷先生對我說，戴君本來是不應該來我這裡的學生……正因為這樣，可否多照顧他……」（大意）

我的心猛然抽緊。這純粹是因為我想起之前在加藤讓先生的大力協助下，確定要進入亞洲經濟研究所時，神谷先生就曾事先交待我：「戴君，亞研可不是農經的教室，發言時要注意……」（大意）這就是為什麼我要在恩師上面加上「慈父」二字。

---

* 神谷慶治（1905～1998），日本農經學者，為戴國煇敬重的三位恩師之一。

東歐革命風起雲湧，蘇聯隨之崩潰。我們夫妻利用研究的閒暇，前往柏林一遊。那是1991年5月的事。旅行的目的是親眼看看簽訂《波茨坦宣言》的波茨坦、柏林圍牆的殘骸與「遺蹟」。

我們從柏林西邊徒步到東邊，一路瀏覽旁邊的圍牆「遺蹟」。

原來的東柏林廣場上仍矗立著馬克思（坐像）與恩格斯（Friedrich Engels，立像）兩巨人「一體」並置的紀念雕像，上面被噴上了塗鴉，寫著「我們兩人與現今的情勢毫無關係」，令人不禁苦笑。然而，創立舊東德（德意志民主共和國）的主要幹部，都曾經當面對抗納粹希特勒（Adolf Hitler）。儘管有史達林（Joseph Stalin）的戰車介入，東德這個國家也因為他們營造出對抗納粹的氣勢。如今這股氣勢卻變成了「零」，連曾經與納粹作戰的高道德都化為「無」，被舊西德（德意志聯邦共和國）吞併。這是為什麼呢？

不久之後，我的腦海中浮現神谷老師在上社會學研討性授課會（seminar）的情景。我記得那是在1957年，老師的講義提到米特蘭尼〔譯註：David Mitrany, 1888～1975，羅馬尼亞政治與歷史學家〕的著作《馬克思與農民》〔Marx Against the Peasant: A Study in Social Dogmatism〕。他向來以孤高為傲，早在那時就看穿了蘇聯體制的虛假，預料蘇聯遲早會崩潰。

關於史達林主義的問題，從1956年赫魯雪夫（N. S. Khrushchev）率先批判史達林之後，就陸續有資料或研究出版，因此很容易了解。可是「柏林圍牆」原來的「虛構」本質，我並沒有看出來。

篠原泰三先生說過：「沒有人像神谷先生那麼深入研讀馬克思。」我再三咀嚼這句話，不得不對其中意義的「重大」表示遲來的肯定。

如眾所知，米特蘭尼的日譯本《馬克思與農民》〔《マルクスと農民：社会発展に関する前提の研究》（1956年3月法政大學出版局的版本）是有不少誤譯的惡書，連書名都有問題。說到1957年，那時大家都還很窮，影印機也尚未問市，要取得外文書在研討性授課會上使用幾乎是不可能的。正因為知道是「惡譯＋誤譯」這個事實，老師才會採用這個譯本。這種深謀遠慮令我在事過境遷之後深為折服。

順便一提，神谷老師並沒有把這個譯本稱為「惡書」。在對學問與知性的誠實，以及對自我信念的執著方面，老師是嚴格忠於原則的「大儒」。正因為如此，老師對世俗風評是置之不理的。

本文原收錄於神谷慶治先生追悼文集刊行會編，《神谷慶治先生を偲ぶ》，東京：信山社，1999年10月26日，頁101～103

試論李登輝與李光耀[*1]差異的所以然

兩李都是我的研究對象

筆者對「華僑」系政治人物——李光耀（以下簡稱小李）產生興趣始於1969年底。斯時，筆者正為所服務的日本亞洲經濟研究所籌備「東南亞『華僑』社會的研究」計畫，因而初訪東南亞。某天，在南洋大學教書的老友們告訴我，明晚李光耀總理將有一場重要演講，但拒絕外國人與會。抵達獅城不久，我已發覺難以言喻的凝重氛圍。南大的一些朋友（包括當地出身者）對小李有不滿情緒，但不敢明言。隨即，我找上日本《朝日新聞》駐新加坡分局長的吉田實老友，商量如何才能「混進」場內。花了些許「技巧」，筆者終於成功地入場並遙聽李總理一個小時的演說。

我認識學者李登輝（以下簡稱為大李），當然要比小李早許多。但對政界人物——大李開始感興趣卻晚在1984年3月，他被蔣經國提拔為副總統以後。不久即傳出蔣的健康日益衰退，大李

---

*1 李登輝（1923～），農經學者、政治家，中華民國首任民選總統；李光耀（1923～），政治家，新加坡首任總理。

大有繼任總統之可能。教有「心」人興奮不已。因眾人皆知的理由，此等事只能體會，萬萬不能言傳。原來僅止於「花瓶」者，一旦若有被拱上政治的第一線舞台時，大李將如何自處與因應，係筆者關心的重點所在。

差異之前的相似點

如下一種談法，雖有陷進俗套抑或形式邏輯之嫌，但頗值得一提。登輝與光耀都姓李並同具客裔身分（前者原鄉為福建永定，後者則出身廣東大埔）。更巧的是同庚1923年生（大李為1月15日，小李為稍遲八個月之9月16日出生）。

1945年8月15日，也就是第二次世界大戰結束前，他們倆都可算為「殖民地（主義）之子」，些微的差異即在，大李被逼所屬者為日本帝國主義，小李則為大英帝國主義的「不義之子民」。

貌似實違

詳論政界人物暨具有代表性的「歷史」人物時，該人物所成長的時代背景、家庭及教育等後天環境因素是不該被忽視。對研究者及讀者來言，研究對象人物的「自撰」或「自述」的回憶錄一類之文章，當然是可貴的資料。我們頗幸運，大李在其卸任前後，對外公刊了《台灣的主張》和《亞洲的智略》＊[2]（中文版

＊2 《亞洲的智略》係和中嶋嶺雄合著。

概由遠流出版。必須留意的是，中文版與日文版間，不一定是完整等同的翻譯版，原因為何，不便妄加推測）。去年秋天以來，另亦有日本右翼漫畫家小林吉則〔小林善繼〕繪著《台灣論》（日文版，小學館）及小林對李之專訪（小學館發行日文雜誌《SAPIO》新年特大號，2001年1月10日）之上梓。

小李的相關傳記性文獻，多年來有過好多種由第三者所編撰且上梓。對我個人具有「絕對重要性」者則有二種。一為小李的自撰《李光耀回憶錄》（上、下二冊，台灣・世界書局出版），二為《李光耀40年政論選》（1993年9月16日，新加坡《聯合早報》編輯、出版及發行）。自其形式、表象來評比兩李時，即易把他們都算進「殖民地菁英」。但花一點注意力來觀察，兩李家庭及教育之實質背景差異相當大。小李的家屬於高級華人（僑）所謂的峇峇（Baba Chinese），家境富裕，自小學念的是英校（英文教學的學校），1936年，以資優生被準升學全新馬第一的萊佛士書院（Raffles Institution，等於中學）。1940年2月畢業，名列全新馬學生第一名獲得高額獎學金，繼升學萊佛士學院（Raffles College，三年制的專科）。正為爭取「女皇獎學金」以資赴英倫留學而勤勉用功時，日本皇軍南侵新加坡。只好輟學，時為1941年年底。在日本占領新馬的三年多，小李目擊了「大英帝國的末日」，也見證了日本皇軍一連串的胡來及粗暴，從而奠定了他的「反殖」、「反帝」、「反戰」等之政治信念。

若把大李之年譜與小李的重疊而考察，可發現大李一而再地強調他父親為「菁英」與史實有異。他父親李金龍僅是日本在台警察機構最末端的「刑警」而已。他念小學時，若是「菁英」家境、加上肯與日本公權力合作家世的話，他應該不難入學日人小學才是合理的推測。他不但沒有，連考二次台北州立台北第二中學校（今成功高中）都沒有及第，只好低就日本人私辦台北國民中學（1937年），再於次年為通學之方便，轉學至加拿大長老教會私辦之淡水中學二年級。大器晚成的他終於在淡中四年修習時開花結果，終於考上台北高等學校文甲組。

據傳，李是考取台北高校的第一位淡中校友。雖然「四年修了生及第」（通常中學須念五年），彼時的台籍生為了念醫，他們的第一熱門則在「理乙」組。第二為主修第一外國語為德文的「文乙」組。此組為升學法學部或經濟學部，畢業後再投考司法、行政二科的高等文官或律師考試可以成為捷徑所以然。「文丙」組主修法文，方便投考外交官，但台北高校不曾設置。因此升學於「文甲」組通常不被高學歷上層社會人士視為頂尖菁英之類。尚且，據台北高校高李一班的邱永漢云：「（彼時）東大的錄取率，（全日本）最末一名為學習院高等部（敗戰前日本的皇・貴族學校，尚未設大學部），次位即是台北高校」（日文版《我青春在台灣暨香港》〔《わが青春の台湾・わが青春の香港》〕，中央公論社，1994年8月，頁34）。中國諺語說「英雄不問出身」，但「講清楚，說明白」卻是大李之「名言」之一，我們不可忽視也。

大李，1943年9月，縮短修學期間（六個月），提早畢業於台北高校。翌月渡海赴京都帝大升學農學部農林學科。不幸同年12月1日被迫志願入伍日本陸軍後送回高雄受訓，經過考取甲種幹部候補生，再送至千葉縣市川高射砲學校接受專業訓練。1945

年8月15日終戰，在日本辦退伍手續，翌年春復員台灣插班台灣大學農經系，繼續其未完的大學部學業。從大李的年譜可確認，他在日本真正留學的期間，僅僅三個月（不包括軍事訓練），難怪京都帝大農林經濟學科校友查不出一人記得岩里政男（李登輝彼時的日本名）之人士。

本文係爲未刊稿，稿件未完，係擬爲《愛憎李登輝》所寫之代後記，2000年

譯者簡介

吳亦昕

1977年生。東吳大學日文系畢業，日本筑波大學大學院人文社會科學研究所博士。曾參與政治大學台文所「教育部台灣文史藝術國際交流計畫——日本帝國時期台灣文學・文化研究論述翻譯計畫」之譯者、審稿人、共同主持人，現爲中正大學台文所助理教授。

林彩美

1933年生。中興大學農經系畢業，日本東京大學農經系博士課程修畢。旅日長達40年，中華料理研究家，曾主持梅苑中華料理研究室（日本）二十餘年。致力於梅苑書庫的保存與研究，長期投入《戴國煇全集》的編譯工作。

著有：《中菜健康瘦身法》（文經社）、《新灶腳的健康料理》（文經社）等；主編：《戴國煇文集》；策劃：《戴國煇文集》等。

林琪禎

1978年生。文化大學日文研究所碩士，現就讀於日本一橋大學大學院言語社會研究科博士後期課程。譯有：〈戰後初期台灣的「國語教育」（1945-1949）〉、〈故宮博物院所藏1848年兩件浩罕文書再考〉等。

孫智齡

1963年生。現就讀於輔仁大學比較文學研究所博士班。譯有：《宮尾本平家物語》（遠流）、幕末（遠流）、天璋院篤姬（如果）等。

陳鵬仁

1930年生。美國西東大學文學碩士、東京大學國際關係學博士。曾任東吳大學日本文化研究所兼任客座教授、東京大學客座研究員、中國國民黨中央委員會黨史委員會主任委員等，現爲文化大學日文系教授、武漢大學客座教授。編譯著有：《被遺忘的戰爭責任》（致良）、《日本近現代史》（空中大學）、《近百年來中日關係》（水牛）等一百七十餘本。

蔡秀美

1981年生。台灣師大歷史學系博士候選人，專攻日治時期台灣社會史。譯有：〈殖民地統治法與內地統治法之比較：以日本帝國在朝鮮與台灣的地方制度爲中心的討論〉、〈關於《隈本繁吉文書》——殖民地教育資料之介紹〉等。

蔣智揚

1942年生。台灣大學外文系畢業，美國西海岸大學電腦學碩士。曾任職大同公司，現專業翻譯。譯有：《不老——新世紀銀髮生活智慧》（遠流）、《閒話中國人》（馥林）等。

（以上依姓氏筆畫序）

日文審校者・校訂者簡介

◆ 日文審校

吳文星

1948年生。台灣師範大學歷史研究所博士。曾任美國哈佛大學及史丹佛大學訪問學人，東京大學、京都大學等校外國人客員研究員及招聘外國人學者，歷任台灣師範大學進修部教務主任、歷史學系主任、文學院長，現爲台灣師範大學歷史學系教授、台灣教育史研究會會長。研究專長爲台灣近現代史、中日關係史。

著有：《日據時期在台「華僑」研究》、《日治時期台灣的社會領導階層》、《台灣史》等；〈東京帝國大學與台灣「學術探檢」之展開〉、〈札幌農學校と台灣近代農學の展開——台灣總督府農事試驗場を中心として——〉、〈京都帝國大學與台灣舊慣調查〉等論文一百餘篇。

林水福

1953年生。日本東北大學文學博士。曾任輔仁大學外語學院院長，日文系主任、所長；高雄第一科技大學副校長、外語學院院長；興國管理學院講座教授；東北大學客座研究員等，現爲台北駐日經濟文化代表處台北文化中心主任。專攻平安朝文學、近現代文學，兼及台灣文學，翻譯學。

著有：《他山之石》、《現代日本文學掃描》、《源氏物語的女性》等。譯有：遠藤周作《影子》、《沉默》等；谷崎潤一郎《夢浮橋》、《細雪》等。並於《文訊》雜誌開設東京見聞錄，《聯副》開設東京文化現場專欄。

林彩美

（簡介略，見前述）

（以上依姓氏筆畫序）

◆ 校訂

陳梅卿

1952年生。輔仁大學歷史系畢業，日本立教大學文學研究科（東洋史專攻）博士。現爲成功大學歷史系教授。專長及研究領域爲台灣史、台灣宗教史及日本文化史。

著有：《高雄縣基督教傳教史》、《宜蘭縣基督教傳教史》、《說聖王，道信仰——透視台灣廣澤尊王》；〈媽祖行腳六年〉、〈日據時代台南大天后宮之遶境——以《台灣日日新報》爲例〉等。

戴國煇全集（全27冊）・各冊內容

全集 1・史學與台灣研究卷一：境界人的獨白
全集 2・史學與台灣研究卷二：殖民地文學／台灣總體相
全集 3・史學與台灣研究卷三：台灣往何處去／愛憎二二八
全集 4・史學與台灣研究卷四：台灣結與中國結
全集 5・史學與台灣研究卷五：台灣近百年史的曲折路
全集 6・史學與台灣研究卷六：台灣史探微／歷史研究法
全集 7・史學與台灣研究卷七：未結集1：台灣農業與經濟
全集 8・史學與台灣研究卷八：未結集2：中國社會史論戰
全集 9・史學與台灣研究卷九：未結集3：中日關係
全集10・華僑與經濟卷一：從台灣稻米的脫穀與調製看農業機械化／中國農村社會的「家」與「家族主義」／中國甘蔗糖業之發展
全集11・華僑與經濟卷二：華僑
全集12・華僑與經濟卷三：未結集：東南亞華僑研究
全集13・日本與亞洲卷一：日本人與亞洲／未結集1：探索日本
全集14・日本與亞洲卷二：未結集2：邁向國際化之路
全集15・人物與歷史卷：殖民地人物誌／未結集：我的人生導師

全集16・文化與生活卷：四十年日本見聞錄／未結集：中日文化之我見

全集17・書評與書序卷：書癡者言／未結集：殖民地史料評析

全集18・採訪與對談卷一：探尋東亞安定化／愛憎李登輝

全集19・採訪與對談卷二：台灣史對話錄

全集20・採訪與對談卷三：未結集1：討論日本之中的亞洲

全集21・採訪與對談卷四：未結集2：談日本與亞洲（一）

全集22・採訪與對談卷五：未結集3：談日本與亞洲（二）

全集23・採訪與對談卷六：未結集4：談中日文化

全集24・採訪與對談卷七：未結集5：我們生涯之中的中國

全集25・採訪與對談卷八：未結集6：多元化的亞洲視野

全集26・採訪與對談卷九：未結集7：台日觀察綜論

全集27・別卷：殖民地的孩子——歷史學家戴國煇（照片、年表、日記、總目錄、著作目錄、評論目錄、評論選篇及索引）

戴國煇全集 15
【人物與歷史卷】

著 作 人　戴國煇
策劃／總校　林彩美

編輯製作　財團法人台灣文學發展基金會
10048台北市中山南路11號6樓
02-2343-3142
編輯委員　王曉波　吳文星　張錦郎　張隆志
陳淑美　劉序楓（依姓氏筆畫序）
主　　編　封德屏
執行編輯　江侑蓮　王為萱
美術設計　不倒翁視覺創意

出　　版　文訊雜誌社
發 行 人　王榮文
發 行 所　遠流出版事業股份有限公司
10084台北市中正區南昌路二段81號6樓
（02）2392-6899
http：//www.ylib.com

排　　版　浩瀚電腦排版股份有限公司
印　　刷　松霖彩色印刷事業有限公司
初　　版　民國100年（2011）4月
定　　價　全27冊（不分售）精裝新台幣16,000元整
ISBN　978-986-87023-9-4（全集15：精裝）
978-986-85850-4-1（全套：精裝）

國家圖書館出版品預行編目（CIP）資料

戴國煇全集．15，人物與歷史卷／戴國煇著．
－－初版．－－台北市：文訊雜誌社出版；遠流
發行，2011.04
冊；　公分
ISBN　978-986-87023-9-4（精裝）

1. 史學　2. 文集

607　　　　　　　　　　　　　100001710